"Записки безумной оптимистки"

«Прочитав огромное количество печатных изданий, я, Дарья Донцова, узнала о себе много интересного. Например, что я была замужем десять раз, что у меня искусственная нога... Но более всего меня возмутило сообщение, будто меня и в природе-то нет, просто несколько предприимчивых людей пишут иронические детективы под именем «Дарья Донцова».
Так вот, дорогие мои читатели, чаша моего терпения лопнула, и я решила написать о себе сама».

Дарья Донцова открывает свои секреты!

Читайте романы примадонны иронического детектива Дарьи Донцовой

Дарья Донцова

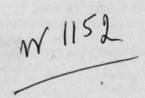

Рыбка по имени Зайка

N 1152

Москва
ЭКСМО
2004

ИРОНИЧЕСКИЙ ДЕТЕКТИВ

Глава 1

У меня есть вредные привычки, и я не намерен с ними расставаться. Хотя на проблему можно посмотреть и с другой стороны.

Давайте разберемся, что следует считать пагубными пристрастиями. Употреблять спиртные напитки? Курить сигарету за сигаретой? Волочиться за каждой юбкой? Готов поспорить с вами. Редкий мужчина откажется от рюмки хорошего коньяка, качественной сигареты, красивой женщины. Впрочем, кое-кто предпочитает другой сорт спиртного, не всем по душе то, чем наслаждаюсь я. Многие парни любят водку или вино, но суть дела от этого не меняется. У меня есть приятель, Сеня Рокотов, давно и счастливо женатый на вздорной Анюте. Так вот, весело проведя пару часов с очередной любовницей, Семен, прежде чем заявиться домой, поступает неординарно. Он выискивает какую-нибудь строительную площадку, чем грязней, тем лучше, и самозабвенно топчется на первом этаже возводимого здания, извозюкивая в цементной пыли дорогие ботинки. Потом, даже не подумав почиститься, Рокотов влезает в свой роскошный джип и катит к Анюте. Супруга открывает дверь, в руках у нее нет скалки, но выражение ее лица таково, что большая часть мужиков мигом бы упала на колени.

— Где ты был? — ледяным голосом спрашивает Анюта.

— К любовнице ездил, — сообщает чистую правду Сеня.

И тут его ласковую женушку просто сносит с катушек.

— Врун! — вопит она. — Посмотри на свои туфли! Опять сам показывал клиенту квартиру? Ну сколько раз тебе, козлу, говорить: не шляйся по недострою! Для этого есть специально обученные люди. Ты же хозяин огромной строительной корпорации, а не риелтор хренов. Скройся с глаз!

Анюта считает вредной привычкой посещение строек. Вот вам придет в голову такое? То-то и оно!

К чему это я занудничаю? Да просто так, от плохого настроения и нахлынувшей депрессии. А еще оттого, что одна из моих привычек — жить спокойно в своей комнате, зная, что никто без особой необходимости не ввалится ко мне, — теперь грубо нарушена.

Я с детства любил одиночество. Отец рассказывал, как в момент прихода гостей маленький Ванечка старательно отворачивался от милых тетенек, пытавшихся обнять или поцеловать его, и мигом ушмыгивал в детскую. Сколько раз мне доставалось от Николетты за подобное поведение!

— Вава, — злилась маменька, — не будь букой, изволь улыбаться людям и поцелуй Коку.

Один раз я по малолетству попытался сказать родителям правду.

— Не хочу целовать.

— С какой стати? — взвилась Николетта. — Кто спрашивает о твоих желаниях? Изволь делать то, что велят! Живо обними Коку и Маку.

Но я в тот день решил проявить несвойственную мне настойчивость и попытался объясниться.

— От Коки ужасно пахнет сладкими духами, а Мака противно слюнявит мне щеку, просто тошнит от них обеих!

Гнев, павший на голову маленького Вавы, был настолько ужасен, что потом до десяти лет я безропотно выходил вечером в прихожую, шаркал ножкой, кивал головой и с тоскливой улыбкой выслушивал щебетание усыпанных каменьями дам.

— Ах, Вава, ты так вырос! Просто невероятно, только посмотри, Николетта! Совсем взрослый мальчик!

Наверное, следовало сказать:

— Что вы так удивляетесь? Ведь приходите сюда два раза в неделю и видите меня постоянно!

Но, повторюсь, до десяти лет я стоически терпел объятия, поцелуи и прикосновения чужих, пахнущих разными, не всегда приятными ароматами рук к своей голове. А еще есть категория людей, которые обожают щипать детей за щеку, приговаривая: «Красавец растет». Не знаю, как другие малыши, а меня корежило от такой «ласки».

Перейдя в четвертый класс, я внезапно понял, каким образом можно избавиться от напасти. Когда Николетта, разряженная в пух и прах, влетала в мою комнату с воплем: «Как? Ты еще не в костюме? Немедленно одевайся и иди в гостиную, Кока пришла!» — я медленно отрывал глаза от книги и покорно говорил:

— Уже бегу, только напиши записку.

— Какую? — настораживалась Николетта.

— Ну... обычную... «Ваня Подушкин не выполнил сегодня уроки, потому что дома были гости!»

Первое время, услыхав такую просьбу, Николетта восклицала, выпихивая меня в коридор:

— Ну и ерунда! Конечно, напишу! Эка проблема.

Но я не ждал мгновенного успеха, был упорен, словно китаец, перебирающий рис, и в результате добился нужного эффекта. Через месяц после начала «акции» моя классная руководительница, заслуженная учительница РСФСР, дама, увенчанная за свои заслуги орденом, заявила на родительском собрании:

— К сожалению, в нашем классе не все благополучно. Ваня Подушкин, вероятно, останется на второй год. И мальчика нельзя обвинять, учиться ему мешает семья...

Гневные обличения полились на Николетту, на столе появились все написанные ею цидульки, родители с нескрываемым возмущением смотрели на маменьку. Николетте, красной от злости, пришлось оправдываться. В советские времена вечеринки считались делом несерьезным, почти порочным, а мать, разрешающая сыну не делать уроки, приравнивалась по статусу к запойным алкоголичкам.

После этого случая меня оставили в покое. Один раз папенька зашел в мою комнату и с тоской спросил:

— Ты, конечно, не выйдешь к гостям?

— Нет, — быстро ответил я, — завтра делаю доклад по истории.

Из груди отца вырвался тяжелый вздох, перешедший в стон, и он пробормотал:

— Может, взять на вооружение твой метод? Попросить Николетту писать записку в издательство? Дескать, товарищ Подушкин не сдаст рукопись, потому что вчера принимал гостей?

Я засмеялся, а отец ушел, мрачный, как ноябрьский вечер.

Став совсем взрослым, я постоянно отстаивал неприкосновенность своей комнаты, наверное, в этом и лежит основная причина моего холостячества. Ну какая женщина согласится входить на территорию мужа, предварительно постучав? Основополагающим аргументом в пользу работы секретарем у Норы для меня было ее желание, чтобы я обитал в одной квартире с хозяйкой. Именно поэтому я моментально подписал контракт. Существовать бок о бок с Николеттой просто невозможно. Маменька способна ворваться ко мне в любое время суток и начать скандал. Нора же, отпустив секретаря отдыхать, никогда не вломится в его спальню. Если он вдруг понадобится хозяйке в неурочный час, последняя позвонит по телефону. Поэтому до прошлого вторника меня можно было назвать совершенно счастливым человеком: я имел интересную работу, умную начальницу, отдельную комнату, забитую любимыми книгами, энное количество свободного времени и достойную зарплату.

Но неделю тому назад мое размеренное существование подверглось кардинальному изменению. Норе сделали операцию, в результате которой она встала из инвалидного кресла. Чтобы вновь научиться ходить, моя хозяйка отправилась на три месяца в Швейцарию, в специализированную клинику. Тамошние врачи дали ей почти стопроцентную гарантию успеха, сказав:

— Вы непременно станете передвигаться самостоятельно, правда, вероятнее всего, опираясь на палку.

— Еще посмотрим, кому из нас понадобится трость, — бодро воскликнула Нора и отбыла на берег Женевского озера.

Но перед тем как войти в лайнер, Элеонора вызвала в квартиру строительную бригаду и дала указание: сделать ремонт, уничтожив в жилище все приспособления для инвалида. Она велела превратить очень широкие дверные проемы в нормальные, убрать специальные поручни из туалета и ванной, изменить письменный стол в кабинете, ну и так далее.

На мой взгляд, поведение Норы иначе как идиотским назвать нельзя. Да, после операции она встала на ноги, но это все. Хозяйка именно стоит, ни одного шага Нора пока самостоятельно сделать не способна, и неизвестно, сумеет ли она научиться ходить. Вполне вероятно, что ей вновь придется занять привычное место в инвалидной коляске, но я не мог привести эти аргументы хозяйке. Если Норе что-то взбрело в голову, никакими бейсбольными битами сумасбродство оттуда не вышибешь.

Во вторник Нора покинула Россию. Домработница Ленка отправилась вместе с ней, а мне было велено следить за ремонтом. В принципе, ничего страшного не произошло, в бригаде есть прораб, правда, я еще не видел парня. Наша встреча назначена на сегодня, именно он займется всеми работами, мне предстоит лишь проверять счета, выбирать кафель, паркет, двери, штукатурку и прочее. Конечно, хлопотно, но терпимо. И пугают меня не поездки по стройдворам и рынкам, а то, что мне три месяца, весь срок, за который обещано изменить до неузнаваемости интерьер апартаментов, придется жить в родительской квартире, соседствуя с Николеттой. Собственно говоря, я уже здесь, перебрался в свою бывшую комнату и в данный момент пытаюсь встать со слишком узкой кровати. Встреча с прорабом по фамилии Бондаренко назначена в полдень, возле станции метро «Войковская».

Главное теперь — осторожно пробраться в ванную, быстро привести себя в порядок и выскочить из дома, прежде чем из спальни Николетты донесется раздраженный голосок:

— Ну и где мой кофе? Тася! Немедленно подогрей круассаны.

Достигнув двери «помывочной», я перевел дух, повернул ручку и вздрогнул: у зеркала в ярко-красном халате стояла маменька.

— Просто безобразие, — с чувством произнесла она, откладывая щетку для волос, — ужасно! Ты спишь, словно буйвол! Уже полдня прошло.

Я удивился, родительница никогда не выбирается из постели раньше полудня, а сейчас часы показывают десять утра.

— У тебя мигрень? — осведомился я.

Николетта испепелила меня взглядом.

— Чушь! Иди в столовую.

— Мне пора бежать, — возразил я.

— Куда? — сдвинула выщипанные брови Николетта.

— На работу.

— Ерунда! Нора в Швейцарии.

— Она затеяла ремонт, мне велено следить за ходом процесса. В двенадцать встречаюсь с прорабом.

— Перенеси свидание.

— Но почему? — стойко отбивался я.

Николетта бросила взгляд в зеркало, томно улыбнулась и торжественно произнесла:

— Скажи, Вава, что ты знаешь обо мне?

— Ну, многое.

— Нет, — с видом древнегреческой богини заявила маменька, — есть в нашей семье страшные тайны, скрытая ото всех информация. Даже Павел, с которым я промучилась столько лет, не владел ею. Теперь настало время прочитать вслух страницы истории. Пойдем, я введу тебя в курс дела! Час пробил!

Развернув плечи, горделиво выпрямив спину и высоко подняв голову, маменька выплыла из ванной. Я пошел за ней, немало заинтригованный сделанным заявлением. Николетта совершенно не умеет держать язык за зубами. Ее следовало принять на работу в какую-нибудь организацию, занимающуюся пиаром. Если сообщить маменьке некий факт, а потом предупредить: «Милая, умоляю, никому не рассказывай об услышанном», — можете быть уверены: сведения мигом разнесутся по Москве.

Не надо покупать журналистов, платить им за эфир, газетные статьи и радиосообщения. Николетта в одиночку справится с делом. Что же это за тайна такая, о которой она никому не проболталась?

— Моя семья была очень знатной, — завела маменька, опускаясь в изящное кресло, — в нашем роду имелся французский граф, который женился на юной дочери богатого торговца зерном. Мезальянс, конечно, жена не подходила ему, не имела благородного происхождения...

Я кивнул. Действительно, француз присутствовал, и именно от него, простого солдата армии Наполеона, маменьке досталась необычная для русского слуха фамилия — Адилье. Но, собственно говоря, это вся правда. Никаких благородных корней парень не имел, его происхождение скрывает плотный туман.

Мой отец, прозаик Павел Подушкин, автор популярных исторических романов, к работе относился серьезно. Прежде чем начать писать очередную книгу, он просиживал в архивах, изучая эпоху, в которую намеревался поселить героев. В свое время отец, слегка уставший от скандалов Николетты на тему: «Тяжело женщине благородного происхождения соседствовать с хамом», решил слегка угомонить супругу и составил ее родословную. Тут-то и выяснилась правда.

Солдат Адилье был среди тех воинов, которых Наполеон бросил на взятие Москвы. Помните, чем кончилась затея? Великого француза вместе с остатками его армии погнали назад по разоренной Смоленской дороге. Мороз в тот год, по свидетельству историков, стоял страшный. Пехота Наполеона попросту замерзла. Солдатик Адилье свалился у околицы одной из деревенек, он явно приготовился умирать. И тут его пожалела простая русская баба. Вскоре по селу забегали черноволосые, щуплые, носатые дети. Вот так и появился на Руси род Адилье.

Интеллигентов в нем днем с огнем было не сыскать. Лишь отец Николетты, никогда не виденный мною дед, сумел получить образование и перебраться в 1902 году в Москву. После большевистского переворота он сделал карьеру партийного работника, ухитрился не попасть в сталинские лагеря и погиб при взятии Берлина. Мать Николетты умерла, мою маменьку воспитывала дальняя родственница. Впрочем, подробностей я не знаю. Николетта, рассказывая о своем детстве и отрочестве, всегда путается в деталях. То она повествует о своей жизни в огромной квартире, набитой антиквариатом, то вдруг ненароком бросает фразу:

— Тетка всегда злилась, если я тратила всю воду из душа, ей потом приходилось идти к колодцу.

Короче говоря, правды о юности маменьки я не знаю. Достоверно сообщить могу лишь одно: она была очень красива и сумела выйти замуж за моего отца, который к моменту свадьбы уже стал подающим надежды писателем.

— Вот смотри, — журчала тем временем Николетта, выкладывая на стол огромный альбом с фотографиями.

Я вздрогнул. Нет, только не это. Попался, словно глупый карась, на крючок! Какие тайны! Сейчас начнется демонстрация снимков. Николетта имеет жуткую привычку заставлять людей любоваться своими изображениями, сопровождая просмотр комментариями, типа:

— В меня были влюблены все великие! Писатель N, актер С, композитор К и даже сам Р! Вот! А это платье...

И понеслось... Впрочем, слушать в первый раз истории было интересно, во второй — забавно, в третий — утомительно, ну а в четвертый, десятый, сотый — просто невозможно. К тому же маменька энергетический вампир: посидев около нее более пятнадцати минут, я ощущаю резкий упадок сил, головокружение и полнейший дискомфорт.

— Извини, Николетта, — резко сказал я, — меня ждет прораб. Неудобно опаздывать.

— Сообщи ему, что придешь позднее, — рявкнула маменька, — говорю же: дело чрезвычайной важности.

Я вытащил телефон, набрал номер и услышал звонкий девичий голосок:

— Алло.

— Это номер прораба Бондаренко?

— Да.

— Можно его к телефону?

— Кого его?

— Прораба, — повторил я, — наверное, Евгения, простите, у меня тут на бумажке написано Е. Бондаренко.

— Прораба Евгения Бондаренко нет, — захихикала девица.

— Вы его увидите?

— Ну...

— Сделайте одолжение, передайте ему, что Иван Павлович Подушкин не сможет приехать к полудню.

— Очень плохо! — отрезал голос. — А когда господин Подушкин выберет время для разговора с прорабом Е. Бондаренко?

— Вечером.

— В двадцать один ноль-ноль пойдет? Раньше Е. Бондаренко не сумеет.

— Да, спасибо.

— Ну и отлично, — повеселела девица и мгновенно отсоединилась.

— Вава, — рявкнула маменька, — теперь, наконец, можешь уделить мне пару мгновений?

Я молча кивнул и приготовился выслушать занудный монолог на тему «Красавица Николетта и великие мужчины у ее ног».

Глава 2

Но маменька неожиданно удивила меня.

— У меня есть сестра, родная, — вдруг сказала она. — Одно время я считала, что ей безумно повезло, потом сообразила: моя жизнь намного более интересна, чем ее жалкое существование.

— Сестра? — изумился я. — Но почему ты никогда о ней не упоминала?

Николетта скорчила кислую мину.

— Мэри — наша семейная тайна. Очень давно, еще до того, как я свела знакомство с твоим отцом, она невесть где познакомилась с иностранцем, американцем! Представляешь! На дворе социализм, а Мэри закрутила роман с гражданином США! Вот это был пердимонокль!

Я покачал головой. Да уж, такое в стране, строящей коммунизм, запрещалось категорически.

— Мало того, — вещала Николетта, — она вышла за него замуж и укатила в Америку. Слава богу, это случилось до моего замужества! Отец ее супруга был важной шишкой у себя на родине, кстати, он из русских, какой-то верующий, его предки убежали за океан всей коммуной еще при царе. Жили они очень обособленно, язык сохранили. Мэри улетела в Нью-Йорк, а мы здесь остались, о нас она не подумала! Каково тут сестре придется! Заполнять анкеты и указывать: ближайшая родственница живет в империи зла. Ужасно. В общем, я потом осчастливила Павла, взяла его фамилию, ну и забыла про Мэри.

— Тебе это сошло с рук? — удивился я.

Николетта дернула плечиком:

— Ну да! Первое время, конечно, я вздрагивала. К примеру, пришла я устраиваться на работу в театр, стала заполнять в отделе кадров листок и вся потом покрылась. Вижу вопрос: имеете ли родственников за рубежом? Сама не понимаю, как «нет» нацарапала. Дальше легче пошло, ну а потом я про Мэри и впрямь забыла, пока письмо не получила. Честно говоря, я думала, что она давно скончалась, никаких вестей много лет не было.

— И отец ничего не знал? — продолжал недоумевать я. — И твои подружки?

Николетта скривилась:

— Когда я осчастливила Павла, он был никем, так, заштатный литератор, неизвестный и непопулярный. Особых друзей у нас не имелось. Это я сделала из него великого прозаика Павла Подушкина. Так вот, мы встретились через два дня после моего приезда из Стеклова...

— Откуда? — изумился я.

Николетта покраснела:

— Не перебивай. Я, талантливая девочка, приехала в Москву... ну да это неинтересно. Встретила Павла, и что, по-твоему, я должна была ему через пять минут после знакомства заявить: моя сестра уехала в Америку? Знаешь, в те годы так не поступали. Ну а потом я просто забыла о ней, появился новый круг общения, иные заботы, мне пришлось целиком отдать себя семье: мужу и сыну. В общем, сейчас ты едешь в аэропорт и встречаешь Мэри Иванофф из Нью-Йорка. Вот тебе номер рейса и на всякий случай номер ее мобильного.

— Но как я узнаю старушку?

— Старушку?! — в негодовании воскликнула Николетта. — Да мы...

И тут раздался звонок в дверь.

— Немедленно открой, — велела маменька. — Таська на рынок удрала.

Я пошел в коридор, пытаясь переварить по дороге полученную информацию. У Николетты имеется сестра! Наверное, она младше моей маменьки. Вполне вероятно, что у нее есть дети, мои двоюродные братья и сестры. Ей-богу, не знаю, как отнестись к этому известию.

Я распахнул дверь, задумавшись и не посмотрев в глазок.

— Здравствуйте, — произнес до боли знакомый голосок, — Вероника Адилье тут живет?

Я вздрогнул. Действительно, по паспорту маменька Верони́ка, вернее Веро́ника. Ее назвали в честь итальянского города Веро́на, где жили Ромео и Джульетта, во всяком случае, так мне объяснили в детстве. Но все вокруг — и друзья, и знакомые — зовут ее Николеттой.

— Да, — кивнул я, — а вы кто?

— Ее сестра Мэри! — прощебетала дама, по-прежнему стоя на лестничной площадке.

— Господи, я собрался встречать вас! — подскочил я на месте.

— Я уже прилетела. Самолет приземлился в три утра. Вероника здесь, можно войти?

— Конечно, конечно, — засуетился я, — где ваш багаж? В машине?

Мэри кивком указала на небольшую сумку.

— Вот.

— Это все? — изумился я.

— Ну да, — спокойно ответила она, — а зачем больше?

Я поднял кожаный ридикюль размером с портфель. Мэри вошла в прихожую. Она сняла коротенькую курточку из плащовки, потом прикоснулась к большой шляпе, поля которой почти полностью скрывали ее лицо, и именно в этот момент в коридоре появилась Николетта.

— Вероника! — закричала Мэри. — Мой бог! Ты не изменилась!

— Мэри! — взвизгнула маменька. — Ты уже здесь? Но мне сообщили, что рейс прибывает в три дня!

— Это пятнадцать часов, — спокойно ответила Мэри и сняла шляпку, — если говорят «три», естественно, имеют в виду утро. Ты, как обычно, все перепутала.

— Вава! — заверещала Николетта. — Ах! Ах! Ах! И Таськи нет! Вава! Живо! Быстро! Чаю! Кофе! Икру! Шоколад! Ванну! Постель! Ох! Ух! Эх!

Я повернулся к Мэри и хотел было поинтересоваться у неожиданно обретенной тетки, чего она хочет больше: принять после дороги ванну или выпить чашечку арабики, но слова застряли в горле, тело оцепенело, язык парализовало. Впрочем, вы хорошо поймете меня, если я расскажу, что увидел.

Справа от меня в шелковом ярко-красном халате стоит Николетта. Волосы маменьки выкрашены в цвет сливочного масла, подстрижены под пажа, довольно густая челка прикрывает лоб, голубые глаза задорно блестят, а на слишком розовых губах сияет улыбка. Слева от меня в красивом брючном ярко-красном костюме стоит... Николетта. Волосы ее выкрашены в цвет сливочного масла, подстрижены под пажа, довольно густая челка прикрывает лоб, голубые глаза задорно блестят, а на слишком розовых губах сияет улыбка.

На секунду мне стало дурно. Справа маменька и слева тоже, их две. Даже в страшном сне не могло привидеться подобное.

— Вероника, — спросила та Николетта, что находилась слева, — это кто?

— Мой сын, — ответила правая маменька. — Вава, молодой, еще не женатый мальчик.

— Похоже, он не знал, что мы с тобой близнецы, — улыбнулась Мэри.

Я без сил шлепнулся на стоящий у стены кривоногий, хлипкий диванчик, неумелую подделку под рококо. Две Николетты! О боги, пожалейте меня!

День пошел прахом. Мне и вернувшейся с покупками Тасе пришлось обустраивать комнату для Мэри и выслушивать радостные вопли воссоединившихся сестер. Тася вспугнутой кошкой металась между плитой и холодильником. Наконец я, в сто первый раз выслушав историю жизни Мэри, воспользовался моментом, когда Николетта вытащила гору альбомов со снимками, и потихоньку вышел из квартиры. До встречи с Е. Бондаренко оставалось довольно много времени, но лучше я бесцельно поезжу по улицам, чем останусь в гостиной вместе с пришедшими в невероятный ажиотаж сестричками.

Стараясь ни о чем не думать, я медленно ехал вдоль проспекта. Надо же, сейчас конец августа, а на улице уже быстро темнеет. В июне в Москве стояли почти белые ночи, но не успел пролететь месяц, как сумерки стали наползать на столицу ранним вечером.

Решив спокойно покурить, я припарковался около тротуара, опустил окно, вытащил сигареты...

— Если на всю ночь, то дешевле получится, — заявила появившаяся как из-под земли девица.

Я окинул ее взглядом. Стройные ножки туго обтягивали джинсы, полупрозрачная кофточка расстегнута почти до пупа, личико размалевано всеми цветами радуги, в ушах покачиваются слишком большие, чтобы быть настоящими, камни. Понятно, я случайно подъехал к стойбищу «ночных бабочек».

— Если до утра берешь, то меньше платишь, — повторила девушка, — выгодно получается.

— Спасибо, не надо.

— Ну, тогда почасовая оплата.

— Спасибо, я просто покурить остановился.

— Да? Не ври-ка! — заявила проститутка. — А то другого места не нашлось. Небось я тебе не по вкусу пришлась. Во мужики, ни слова в простоте не скажут! Наверняка тебе больше блондинки нравятся? Эй, Римма, топай сюда!

Не успел я глазом моргнуть, как у машины материализовалась еще одна фея магистрали, на этот раз пышечка с водопадом сильно завитых волос цвета сухого сена.

— Аюшки! — воскликнула она.

— Бери, дарю, — заявила первая «бабочка», — ему брюнетки не по вкусу.

— На ночь дешевле, — мигом сообщила Римма.

Ее товарка приветственно махнула мне рукой и исчезла.

— Так как? Куда едем? — деловито поинтересовалась Римма. — Можно ко мне!

— Простите, — попытался я внести ясность в совершенно идиотскую ситуацию, — но я не имею никакого намерения заниматься любовью, просто притормозил тут.

Римма секунду молчала, потом сказала:

— А ну пусти меня в машину, пускай наши думают, что мы условия обговариваем.

— Но...

— Да открой дверь, — тихонько засмеялась Римма, — не бойся, не изнасилую.

— Садитесь, — кивнул я.

Римма влезла в автомобиль.

— Хочешь заработать?

— Денег? — глупо спросил я.

— Сто зеленых баксов, — уточнила Римма.

— Вы мне хотите заплатить?

— Точняк.

— За что?

Римма внезапно прекратила улыбаться.

— Давай отъедем в сторону, чуть подальше отсюда, а то сейчас охрана примотается, слишком долго мы торгуемся.

— Но я не хочу ничего такого!

Римма закатила глаза.

— Не хочешь, и не надо! Кому ты нужен? Дорогуша, не трясись. Уж можешь поверить, у меня никакой тоски от отсутствия потраха нет. Давай откатим на соседнюю улицу, а?

В этот момент к машине лениво подошел щуплый паренек лет семнадцати с папкой в руках и, распространяя сильный запах мятной жвачки, сказал:

— Римк, проблемы?

— Нет, шоколадно все, — ответила проститутка, — просто вот мальчик думает, на ночь подпи-
саться или на время.

Юноша глянул на меня и неожиданно улыбнулся.
Его лицо стало открыто-беззащитным, совершенно
детским.

— Если вам до утра, то дешевле выйдет, выгодно
получится, — пояснил он.

Римма незаметно толкнула меня ногой.

— Ладно, — неожиданно для себя вдруг заявил
я, — забираю ее.

— Ну и правильно, — кивнул паренек, — сертификат качества смотреть будешь?

От неожиданности я икнул и повторил:

— Сертификат качества?

— Ну да, на нее.

— На девушку?

Сутенер кивнул:

— Ты, между прочим, фирменную вещь берешь.
У нас массажный салон, называется «Яблочко». Не
шалавы какие-нибудь работают, из деревни удрав-
шие. Элитные девочки, все москвички, студентки,
с такой и поговорить приятно, и чай попить. Утешит
по полной программе, окажет психологическую помощь. Ну и о здоровье заботимся. Про СПИД слышал?

— Да, — машинально ответил я.

— Так это еще ерунда, — вздохнул торговец жен-
ским телом, — скажу тебе — худшие болячки случаются, гепатит, к примеру. Поэтому вот!

Насвистывая бодрый мотивчик, сутенер раскрыл
папку и вытащил листок формата А-4. Я уставился
на текст. «Римма П. Анализы. СПИД, гепатит, си-
филис, генитальный герпес. Диагноз: практически здорова». В углу была приклеена фотография девушки.

— Так куда двинете? — перешел к делу парень.

— А ко мне, — быстро ответила Римма.

— Значитца, не в салон?

— Не, он хочет в домашней обстановке.

Продолжая насвистывать, юноша выудил из кармана нечто похожее на блокнот, ручку, почиркал на листке, оторвал его и протянул мне:

— Держи.

— Это что?

— Чек. Платить надо сейчас. Если понравится, приезжай еще. Расчетный документ не выбрасывай, покажешь его старшему по смене, постоянным клиентам скидка, она накопительная. У нас кое-кто давно за полцены такое обслуживание имеет, закачаешься!

Я плохо понимал, во что влип. От Риммы сильно пахло духами, хорошими, похоже, дорогими, но согласитесь, всего должно быть в меру! Сутенер тоже пользовался парфюмом, тяжелым, слишком сладким, а еще он безостановочно тараторил. На улице стало душно, над проспектом колыхался смог, и сильно парило, вероятно, собиралась гроза.

— Плати и поезжай, — сказал он.

Я вытащил кошелек, отдал деньги и тут только понял, какого дурака свалял. Хитрая Римма попросту вынудила Ивана Павловича купить себя. Слабым оправданием совершенной мною глупости могла послужить сгустившаяся духота.

— Давай, — двинула меня в бок Римма, — чего замер? Шевелись! Прямо, налево, направо, стоп!

Я послушно нажал на тормоз и возмутился:

— Вы всегда так обманываете мужчин? Объяснил же, что не испытываю ни малейшего желания прикасаться к вам!

— И не надо, — устало отозвалась Римма.

— Но я заплатил немалые деньги!

Проститутка раскрыла крохотную сумочку, на свет появилось несколько зеленых бумажек.

— На, — сунула она мне в руки скомканные ассигнации.

Я бросил взгляд на доллары:

— Тут намного больше. Заберите лишнюю сотню.

— Она твоя.

— С какой стати?

— За работу.

Я кашлянул:

— Деточка, я не приучен брать мзду от женщин, а уж от тех, кто занимается проституцией, и подавно.

— А чего? — пожала плечами Римма. — Служба как служба, платят хорошо.

— Вылезайте, — велел я, — забирайте сто долларов и уходите.

— Слышь, — пробормотала Римма, — помоги мне, за услугу сотняшку себе оставишь. Работа плевая, подбрось меня в одно место, тут недалеко.

Мое возмущение достигло предела.

— Послушай, я еду совсем в другую сторону. Ты вполне можешь взять такси или прошвырнуться на метро. Насколько понимаю, рабочий день у тебя не нормирован, по звонку к службе ты не приступаешь!

Римма хихикнула:

— Ты перестал «выкать», классно. Слушай, помоги! Мне надо поговорить кое с кем, тайком. Да, ты прав, я работаю вроде в свободном режиме, но не все так просто. Меня привозят в определенное время на точку, и потом есть три варианта. Один — мы прямо в машине перепихиваемся.

— Неудобно же, — вырвалось у меня.

Римма снисходительно прищурилась:

— Кое-кому нравится. Но если клиент желает комфорта: кофе, ванну, кровать, на такой случай имеются квартиры. Одна здоровенная, там десять комнат, офисом называется.

— Вроде публичного дома! — догадался я.

— Ага, — кивнула Римма, — а уж для тех, кто со-

всем оттянуться хочет, по самому дорогому вариан-
ту, однушка предоставляется.

— Когда ты говорила: «Мы ко мне поедем»,
имела в виду именно этот вариант?

— Догадливый, — скорчила гримаску Римма.

— И ты там обитаешь?

— Нет, конечно.

— Извини, ну никак не пойму, в чем дело, — воскликнул я.

Римма закатила глаза:

— Прямо картина «Тупой, еще тупее»! За нами
следят очень плотно. Возле квартир и офиса охрана
караулит.

— Так заботятся о вашей безопасности?

Девушка тяжело вздохнула:

— О себе думают, наши девки все из Молдавии и
Украины привезенные, паспорта у мамки. А парни
глядят, чтобы живой товар не убежал, девчонки от-
работать расходы должны и прибыль принести.
Большинство б... одних не отпускают.

— А ты, значит, на особом положении? — усмехнулся я. — Элита!

Личико Риммы осунулось.

— Да, — кивнула она, — со мной отдельная история. Для начала — я москвичка, или по речи не понял? Не «хекаю», не «гэкаю», на «а» разговариваю.
Пашка, сутенер наш, конечно, брехал, когда про де-
вочек-студенток рассказывал. Только в отношении
меня это чистая правда. Два курса института за плечами.

— Но как же так? — воскликнул я. — Небось у тебя родители нормальные, а ты на улице собой торгуешь?

Римма кивнула:

— Верно. Семья у нас обеспеченная, фамилия
моя красивая — Победоносцева, отец бизнесом занимается, мама домашняя хозяйка, еще сестра есть,

Надя. Я в девятнадцать лет влюбилась и замуж собралась, а родители рогами уперлись: он тебе не пара...

Я вытащил сигареты, слушая одним ухом «ночную бабочку». Ничего особенно интересного в ее повествовании нет.

Глава 3

Многие молоденькие особы полагают, что в столь юном возрасте они отлично знают жизнь. Вот и Римма принадлежала к их числу. Девушка надула губки, топнула ножкой и заявила.

— Иду в загс.

Но выполнявшие до сих пор все прихоти дочурки папа с мамой заартачились и категорично заявили:

— Нет.

Потом, правда, они попытались вразумить капризное, не знавшее ни в чем отказа дитятко, попробовали воззвать к здравому смыслу:

— Жених из провинции, гол как сокол. Мы о нем ничего не слышали, кроме того, что денег у него нет, квартиры, машины, работы тоже. Уймись, дочка, нам же придется вас содержать.

Услышав эти речи, Римма как с цепи сорвалась. Наорав на маму с папой и сообщив им все, что она про них думает, девушка, гордо не взяв с собой ничего из вещей, с одной крохотной сумочкой заявилась к кавалеру. Единственной ценностью были сережки у нее в ушах.

Сначала пара упивалась любовью, Римма бросила институт. Сделала она очередную глупость исключительно из желания насолить родителям, кроме того, ей не хотелось, чтобы мама с папой, заявившись в учебное заведение, у всех на глазах надавали ей пощечин и отволокли домой.

Нет, Римма давно взрослая, она сама способна распорядиться своей судьбой.

Первым делом они с Игорем пошли в загс. Затем новоиспеченные муж с женой решили покончить с учебой и заняться бизнесом. Продав Риммины бриллиантовые сережки, молодая семья сняла квартиру. Особо не мучаясь, Игорь надумал торговать автомобилями.

— Дело пойдет, — уверял он Римму, — я отлично разбираюсь в механизмах.

— Деньги нужны, — вздыхала девушка. — А где их взять?

— Не волнуйся, дорогая, — воскликнул Игорь, — мне дали в долг.

— Кто? — проявила любопытство Римма.

— Не забивай себе голову ерундой, — отмахнулся муж и поцеловал ее.

Римма прижалась к нему, задыхаясь от счастья. Вот какой ее Игорь замечательный, все у них будет хорошо, лет через пять построят особняк в Подмосковье, купят джип и приедут к ее родителям. Пусть мать с отцом поахают, поохают, станут лебезить:

— Игоречек, садись, чего хочешь? Чаю, кофе?..

И тут Римма гордо ответит:

— Ну уж нет! Значит, когда был бедный провинциал, то вы его не любили? А теперь пошли сами вон!

Затем она подхватит мужа и уйдет. Родители бросятся за ними, станут умолять простить их... Но нет! Римма не вернется, пусть кусают локти и рвут на себе волосы.

Однако действительность оказалась не такой, как мечты. Игорь не сумел наладить бизнес, и на нем повис огромный долг. Заимодавец «включил счетчик». О неприятностях Римма узнала внезапно.

Пришла домой и обнаружила на столе записку: «Уехал на три дня, не волнуйся». Римма попыталась соединиться с Игорем по телефону, но услышала равнодушное бормотание: «Аппарат абонента временно не обслуживается».

Ничего необычного в этом не было. Игорь и раньше исчезал на день, другой, ездил в города, где собирают отечественные автомобили, налаживал контакты, и у него не всегда хватало денег на оплату мобильника. Поэтому время до вечера Римма провела относительно спокойно и спать легла не поздно.

Разбудили ее осторожные шаги. Девушка села и радостно воскликнула:

— Игоряшка! Ты вернулся?

Рука нашарила выключатель, вспыхнула лампа, и Римма взвизгнула. Посреди комнаты стояли три парня, совершенно незнакомые, одетые в черные кожаные куртки.

— Где Игорь? — резко спросил один.

— Не знаю, — прошептала Римма.

— Не ври, сука, — с улыбкой перебил другой. — Куда муженек подался?

— Воры! — заорала Римма. — Помогите, милиция...

Дальнейшее помнилось плохо. Вроде в плечо укусил комар, стены комнаты внезапно стали надвигаться на нее, она хотела вскочить, но ноги не слушались...

В себя Римма пришла в незнакомой комнате, запертой снаружи. На ее крик явился мужик лет сорока и спокойно спросил:

— Чего тебе?

— Да вы, да я... похитили... милиция, — затопала она ногами.

Дядька толкнул Римму, та, не удержавшись на ногах, шлепнулась на дубовый паркет, больно ударившись.

— Слушай, — велел мужчина и завел рассказ.

По окончании его речи Римма чуть не рухнула в

обморок. Игорь, оказывается, сбежал, бросив ее. На нем висит огромный долг, возрастающий с каждым днем за счет процентов. Римма теперь будет жить тут, она станет живцом, на которого рано или поздно должен попасться Игорь. Муж наверняка попытается прислать жене весточку. Просто так Римму кормить не станут, ей придется отрабатывать харчи, обслуживая на дороге клиентов. Заработок пойдет на оплату расходов и погашение долга.

— И ты согласилась? — ужаснулся я.

Римма кивнула головой:

— Альтернативы не было.

— Убежать можно. Сказать, что с клиентом пошла, и удрать.

— Ну не так это просто. Ладно, удрала! И куда идти?

— К родителям.

— Они не примут, и потом, там меня сразу найдут. Эти мерзавцы предупредили: если работаю на них — Игоря оставят в живых, коли нет, то сразу пристрелят. Я по рукам и ногам связана, даже рыпаться не стоит.

— И давно ты... работаешь?

— Да уж! Скоро долг погашу, — грустно сказала Римма.

Я не нашелся что сказать.

— В общем, так, — девушка хлопнула ладошкой по сиденью, — вчера мне Игорь позвонил.

— Муж?!

— Ага. Сказал, что приехал в Москву, всего на пару дней, и хочет встретиться. Представляешь засаду?

— Ну... пока нет!

— Экий ты малосообразительный, — фыркнула Римма. — Ну как мне с ним поговорить? Где? Я живу в бардаке! Правда, ко мне относиться лучше стали, но все равно они только и ждут, что Игоряшка прорежется. Вот отработаю весь долг, меня отпустят, тогда нам жизнь с белого листа начинать можно.

— Ты его любишь? — тихо спросил я.

— Да, — кивнула Римма, — очень.

Я посмотрел на Риммино по-детски круглощекое личико и проглотил все, что хотел сказать о ее муженьке. Да парень попросту подлец! Удрал, спасая собственную шкуру, бросил девочку расплачиваться. Некоторые женщины совершенно не способны правильно оценить своего партнера. О таких российских бабах хорошо написал великий Лесков. Почитайте его книгу «Леди Макбет Мценского уезда», великое произведение о том, какой не должна быть любовь и что приносит женщине патологическое обожание двуногого существа, по недоразумению именующегося мужчиной.

— Вот я и придумала, — продолжала Римма, не замечая моего настроения, — встретится мне сегодня клиент из симпатичных, попрошу его о помощи. Пусть отвезет меня к Игорю, наши подумают, что я мужика обслуживаю, и дергаться не станут.

— Сама же говорила, возле квартиры охрана ждет, — напомнил я, — им уже небось сообщили, что клиент едет.

Римма ухмыльнулась и схватила мобильный.

— Слышь, Пашк, — защебетала она, — мой-то горячий слишком, прям трясется весь, мы у него в машине ща устроимся. Не, он знает, что бабки не возвращаются. Ага, согласен!

Потом она сунула сотовый в карман и выжидательно уставилась на меня.

— Извини, но я тороплюсь на встречу, — завел было я и осекся.

Большие, чистые глаза Риммы начали наполняться слезами. Я испустил тяжелый вздох. Увы, я принадлежу к той категории мужчин, которые совершенно не способны лицезреть рыдающую даму.

Взгляд упал на часы. Если потороплюсь и, дай боже, не попаду в намертво стоящую пробку, то вполне успею и Римме помочь, и не опоздать на встречу с прорабом Бондаренко. Девушка мигом почувствовала изменение моего настроения.

— Ну спасибо, — с чувством воскликнула она, — уж поверь, если ты попадешь в неприятность, я попробую тебя выручить.

Я улыбнулся и повернул руль.

— Ну и ничего смешного, — отрезала Римма, — никогда ведь не знаешь, каким боком жизнь повернется!

Наверное, господь помогает тем, кто совершает добрые дела. Я стрелой промчался по улицам, остановился у большого серого здания и спросил:

— Здесь?

— Вроде да, — протянула Римма, заглядывая в бумажку с адресом.

— Как же ты назад вернешься?

Проститутка хихикнула:

— На такси. Говорю же, мне теперь доверяют, знают, что назад прикачу. Вот только проверю, не следил ли за нами кто. Потолкаюсь немного перед подъездом и поднимусь в сто первую квартиру.

— Желаю удачи, — улыбнулся я.

Римма вышла, помахала мне рукой, я улыбнулся и поспешил в центр.

Встреча с прорабом должна была состояться в квартире у Норы. Я привычно открыл дверь и вошел внутрь. Спертый воздух ударил в нос. Сняв ботинки, я прогулялся по комнатам и включил кондиционеры, стало прохладнее. Теперь можно пойти заварить себе чай. Очутившись в кухне, я невольно ахнул. Мебель исчезла, впрочем, плита, холодильник и прочая бытовая техника тоже. Лишь уродливые круглые часы сиротливо маячили на стене. Большая стрелка подобралась к цифре 12, маленькая замерла на девяти.

Не успел я прийти в себя от изумления, как в дверь требовательно позвонили, прораб Бондаренко оказался по-немецки точным. Приятно иметь дело с человеком, который уважает свое и чужое время.

Я поспешил в прихожую, распахнул дверь и испытал горькое разочарование. Нет, это не прораб Бондаренко, а очередная клиентка, не заметившая большого объявления, прикрепленного на стене, возле кнопки звонка: «Детективное агентство «Ниро» закрыто на ремонт. Прием посетителей начнется в конце ноября». Ей-богу, жалко, что Нора временно прекратила работу, потому что стоящая передо мной женщина — настоящая красавица, такие редко встречаются на улице, как правило, подобные девушки либо дефилируют по подиуму, либо снимаются в кино, либо сидят дома, радуя богатого мужа.

Ростом незнакомка была, наверное, около метра восьмидесяти. Ее стройное, скорей всего, тренированное в фитнес-клубе тело облегал красивый, явно дорогой, белый костюм из льняной ткани. Узенькие ступни с аккуратно накрашенными ярким лаком ногтями покоились в босоножках. Хотя, ей-богу, не знаю, можно ли назвать босоножками два тонюсеньких ремешка, усыпанных мелкими сверкающими камушками, прикрепленных к подошве, из которой торчит угрожающе острый и неразумно длинный каблук, больше похожий на острый гвоздь. Но, следует признать, красивые ноги девушки стали еще краше в этой обуви. Мини-юбочка не прикрывала безупречных коленей. Очень тонкая талия, высокая грудь, точеные плечи, на которые падали иссиня-черные, мелко вьющиеся волосы, огромные карие глаза, тонкий нос, пухлые губы, нежная смуглая кожа... Поверьте, клиентка выглядела словно ожившая картинка из дорогого мужского журнала.

— Здравствуйте, — сочным сопрано проговорила гостья. — Думаю, вы — Иван Павлович.

Я сглотнул слюну и закашлялся, ощущая себя полнейшим идиотом. Девушка, ласково улыбаясь, ждала, пока я справлюсь с приступом немоты. Наконец я обрел дар речи.

— Входите, только, увы, Нора уехала.

— Знаю, — кивнула нежданная гостья, — мне велено иметь дело с вами.

— Велено? — повторил я. — Кем? И о каком деле идет речь? Уезжая, Нора не оставила никаких распоряжений по работе, видите ли, у нас начинается ремонт.

— Я Бондаренко, — внезапно сообщила девушка, входя в прихожую, — меня Элеонора наняла.

— Бондаренко? Е.Бондаренко? — оторопел я. — Прораб Евгений Бондаренко? Не может быть!

— Ну уж точно не Евгений, — засмеялась девушка. — Давайте знакомиться, Елизавета, лучше просто Лиза.

Я осторожно взял протянутую мне тоненькую ладошку и сжал хрупкие пальчики, унизанные дорогими кольцами.

— Что вы так удивились? — фыркнула Лиза, отнимая свою руку. — Фамилия Бондаренко может принадлежать как мужчине, так и женщине. Эка невидаль. И потом, когда вы звонили, я четко сказала: «Прораба Евгения Бондаренко нет». В смысле, что он не существует!

— Просто...

— Просто что? — перебила меня Лиза.

Я замялся. Что ответить красавице? Просто вы не слишком похожи на строителя? Нежная белая роза не может расти в цементе и кирпичах? Оранжерейному цветку не идет каска? И вообще, Нора, похоже, окончательно сошла с ума. Доверить такое дело, как ремонт огромной квартиры, этой крошке!

Слов нет, девушка хороша собой, похоже, воспитанна, интеллигентна, у нее правильная речь, в кармане, наверное, диплом МГУ или другого престижного вуза, но руководить рабочими должен мужик зверского вида. Ну и дурака сваляла Нора! Где она только взяла эту белую прекрасную лилию? Вот уж беда так беда! Наш ремонт не закончится в нужный срок, мне придется долго-долго жить с Николеттой.

Тут я вспомнил, что маменька у меня теперь, так сказать, в двух экземплярах, и совсем потерял хорошее расположение духа.

— Мы уже начали работать, — зажурчала Лиза, робко улыбаясь, — кухню вывезли. Собственно говоря, ваша помощь не очень и понадобится, я все сделаю сама. Деньги Нора нам заплатила. Вам придется только определиться с кое-какими вещами. Например, с паркетом.

— Паркетом?

— Да. Нора сказала, что по отделке надо обращаться к вам.

— Вы хорошо поняли Элеонору?

— Естественно, — подтвердила Лиза. — Нора сказала: «Пусть Иван Павлович сам по поводу пола, стен и прочего думает, мне однофигственно». Поэтому готовьтесь, придется поездить по магазинам.

Я кивнул:

— Ладно.

— Отлично. Начнем. Первое — розетки, — с энтузиазмом заявила Лиза.

— Розетки?

— Ну да! Знаете, такие штуки с дырками, куда вставляют штепсель, чтобы электроприборы заработали.

— Ага, и что с ними?

— Вы должны указать, где их делать.

— Ну вы сначала покрасьте стены, а потом и решим, — быстро ответил я, надеясь оттянуть момент начала своего участия в беде под названием «ремонт».

Звонкий смех Лизы взлетел к потолку:

— Иван Павлович, дорогой, розетки ставят в самом начале, до штукатурных работ!

— Да?

— Конечно же. Ведь для прокладки проводки надо стены штробить.

— Штро... простите, как?

— Штробить, — повторила незнакомый глагол Лиза, — поэтому давайте прямо сейчас решать вопрос с розетками. Вы готовы?

— Ну...

— Тогда пошли, — предложила Лиза. — Надо только этих из кухни выгнать.

— Кого? — окончательно растерялся я.

— Рабочих. У вас живет бригада, — объяснила Лиза. — Не пугайтесь, они все не россияне и будут делать лишь черновую работу: крушить стены, закладывать проемы. На чистовую отделку я приведу классных специалистов. Туркменам поселиться негде, поэтому они временно лагерь разбили у вас. Не беспокойтесь, ни выпивки, ни скандалов, ни конфликтов с участковым или домоуправлением не будет. Ситуация полностью под контролем.

— В кухне пусто, — воспользовался я крошечной паузой в монологе.

Лиза осеклась.

— Туркменов нет?

— Нет.

Девушка нахмурилась и пошла по коридору. Заглянув в то место, где еще недавно наша домработница с энтузиазмом варила скверные супы, Лиза вдруг попросила:

— Иван Павлович, может, пока подумаете о розетках? Допустим, в гостиной. Где вы поместите телевизор, торшер, ну и так далее.

— Попытаюсь, хотя...

— Да, да, — Лиза неожиданно сильно подтолкнула меня к двери, — пораскиньте мозгами, а я пока разберусь кое с кем.

Тоненькие пальчики вынули из крошечной сумочки игрушечного вида розовый мобильник, усеянный блестящими камушками. Я посмотрел на аппарат, который идеально подошел бы для Барби, и, полный самых мрачных предчувствий, вышел в коридор. Ну и ну! Что за муха укусила Нору? Нет слов, девочка очаровательна, с огромной радостью я предложил бы ей сходить в ресторан или театр, но управлять бригадой туркменов!..

— Эй ты, падла рогатая! — долетел из кухни мужской, грубый бас.

Я вздрогнул и замер. Неужели не заметил рабочих? Вдруг они там? Хотя нет, это просто невозможно! Я ведь не клинический идиот. За закрытой дверью абсолютно пустая кубатура, голые стены и Лиза с розовым, кукольным телефоном. Никаких мужиков в квартире и в помине нет!

Но бас продолжал грохотать:

— ..., ..., ...! Где бригада? А мне.., ..., ... Почему не на месте? Всех..., ...! Завтра не подходит! Сейчас! Через полчаса! Не приедут, пошел на... Думаешь, ты один такой? Ха! Эксклюзив! ..., ... Да вас, как гондонов штопаных..., ..., ...!

Площадная ругань била по ушам. Но надо отметить, что непонятно откуда взявшийся хам матерился весьма виртуозно. Это было не тупое повторение всем известных слов. Нет, дядька загибал совершенно невероятные коленца и выдавал потрясающие тексты. Я не поклонник ненормативной лексики, но тут буквально заслушался.

— Очень надеюсь, — басил матерщинник, — что у тебя на пятке вырастет... и ты каждый раз в сортире ботинки снимать будешь. Гони туркменов, осел пластилиновый, беги живо и резво, иначе твои лавэ[1] в... уйдут, на плоту из... уплывут, по реке из...

Повисла тишина. Я осторожно приоткрыл дверь. На кухне не было никого, кроме Лизы, сжимавшей в руке розовый, похожий на леденец телефон.

— Ну, — прощебетала она, — уже определились?

— А где мужчина? — глупо поинтересовался я.

— Какой? — улыбнулась Лиза. — Вы имеете в виду бригаду? Уж извините, автобус, который работяг вез, сломался. Туркмены прибудут через полчаса. Не волнуйтесь, сегодняшний день им никто оплачивать не собирается. Я еще вычту у бригадира за опоздание! Машина не поехала! Это их проблема!

Нежное сопрано журчало, тонкая рука осторожно поправила прическу, в ушках Лизы посверкивали красивые сережки... Я вдохнул исходящий от прораба запах французских духов и только сейчас понял, в чем дело.

— Это вы ругались? — вырвалось у меня.

Сами понимаете, что задавать подобный вопрос, да еще в такой откровенной форме совершенно неприлично, но уж слишком сильным было мое потрясение.

Нежно-розовое лицо Лизы приобрело иной оттенок — если секунду назад оно походило на персик, то теперь стало смахивать на спелое яблочко.

— Я? Ругалась?!

— Ну... да... только что...

Лиза вновь поправила копну вьющихся волос.

— Иван Павлович, я никогда не выражаюсь.

— Я слышал ваш разговор с бригадиром, — пробормотал я.

— Ах это, — отмахнулась Лиза, — не обращайте внимания. Скажите, вы можете договориться с французом?

— Если он владеет русским, то да, — ответил я, не понимая, куда клонит девица.

---

[1] Л а в э (*сленг уголовной среды*) — деньги.

— А ежели нет? О каком диалоге может идти речь, если его участники не понимают друг друга?

— Увы, в моем образовании есть пробелы, я не обучен иностранным языкам.

— Правильно, — кивнула Лиза, — и со строителями так же. Я не ругаюсь, просто разговариваю на их родном языке. Стану употреблять слова «пожалуйста», «извините», «сделайте одолжение» — работа и с места не сдвинется. Если надумал договориться с лошадью, нет смысла мяукать, как кошка.

Глава 4

Если вы полагаете, что решить вопрос о расположении розеток можно за десять минут, то жестоко ошибаетесь. Я провозился безумное количество времени, пытаясь сообразить, где будут стоять телевизор и другие электроприборы. А еще имелись люстры, торшеры, настольные лампы и крохотные трубочки для освещения картин.

Устав, как верблюд, тащивший по пустыне неподъемные мешки с солью, я приехал домой, взял в машине бумажник и пошел к подъезду. Он, естественно, оказался заперт. После перестройки почти во всех московских домах появились железные двери, призванные отвадить пьяниц и любителей использовать темное пространство под лестницей в качестве бесплатного сортира. Поэтому теперь почти у каждого москвича на связке болтается еще и так называемый домофонный ключ. В доме, где живет Николетта, жильцы имеют пластмассовые «лопаточки», их следует прикладывать широкой частью к специальному углублению в створке. После этого простого действия раздается тихий щелчок, и вы оказываетесь в чистом тамбуре у лифта. Мой ключ хранится в бумажнике, в крохотном отсеке, предназначенном для мелких монет.

Не ожидая никаких неприятностей, я раскрыл кошелек и очень удивился. В нем вместо трехсот долларов и нескольких тысяч российских рублей лежала совсем другая сумма, ключа не нашлось, в кармашке позвякивали рубли, между которыми слиплась парочка конфет без бумажек. Я не ем леденцы и никогда бы не положил их к деньгам. Увы, я очень брезглив и педантично аккуратен.

Черт побери! Это чужой кошелек! Куда подевался мой собственный? Каким образом в моей машине оказался этот бумажник? Нужно признать, что он до безобразия похож на тот, в котором храню ассигнации я.

Истина дошла до меня спустя энное количество минут. Я, садясь в машину, как правило, кладу портмоне в пластиковый лоток, установленный между сиденьем водителя и креслом пассажира. Там же находятся блокнот, ручка, пачка сигарет, зажигалка, упаковка бумажных носовых платков...

Когда Римма возвращала мне деньги, которые я «заплатил» за ее «любовь», она вынула из кармана свой кошелек, а потом бросила его в лоток. Выходя из машины, девушка перепутала бумажники, похоже, мы с ней купили их в одном месте, в палатке у метро. Следовательно, моя «лопаточка» от домофона сейчас у Риммы. Хорошо еще, что ключ от квартиры висит на связке вместе с ключами от автомобиля. Завтра придется ехать на «точку» и искать проститутку.

Тут, на мое счастье, к подъезду подошел один из соседей, прогуливавший своего пса, и я беспрепятственно проник внутрь.

Следующий день я провел крайне бестолково. Около одиннадцати я отправился в книжный магазин и стал бродить между стеллажами, сверяя ассортимент со списком, составленным Норой. Моя хозяйка решила основательно пополнить библиотеку.

Естественно, в одной точке не было всего нужного, и мне пришлось методично изучать предложения «Молодой гвардии», потом «Москвы», «Библиоглобуса» и других лавок.

Около шести, изрядно притомившись, я вспомнил о ключе и поехал выручать свой кошелек. В суматошно проведенном дне была лишь одна радость, отчего-то Николетта ни разу мне не позвонила.

Место, где к моей машине подошла Римма, было пусто. Я вышел из «Жигулей» и осмотрелся. По шумному проспекту неслись автомобили. Чуть поодаль, возле входа в метро, клубилась толпа, там на небольшой площади тесно стояли ларьки, торгующие всякой ерундой, а здесь, где сейчас находился я, сидела только одна тетка со странным набором товара. Перед ней возвышался столик, заваленный шоколадками, жвачками, мятными конфетами, презервативами и сигаретами. У ног торговки громоздились клетчатые торбы, набитые, похоже, бутылками, сбоку, на ящике, лежали упаковки колготок, книги, газеты и батарейки.

Я походил по тротуару, потом приблизился к бабе и спросил:

— Скажите, вы тут постоянно торгуете?

— А чё? — ответила она. — Я разрешение имею. Станешь вязаться или денег требовать, мигом ребят кликну, намнут тебе бока.

— Разве я похож на рэкетира? — изумился я.

— Хто вас разберет, — вздохнула «бизнесменша», — ходють тут всякие, хорошего слова не услышишь. Один отвлекает, другой товар тырит.

— Мне от вас ничего не нужно. Не знаете, где Паша? — спросил я, припомнив, что Римма называла сутенера этим именем.

— Этта хто?

— Молодой человек, который работает здесь с девушками.

— С б...?

— Ну да.

— Нету их, не приехали.

— Они позже появляются?

— Почему? Обычно уже после обеда задищами сверкают, — тяжело вздохнула баба, — я сама в непонятках. Ну куда они подевались? У меня без б... торговля не идет! При них товар хорошо расходится, то девки колготки порвут, то клиентам ихним чего надо, а сейчас прямо штиль.

— И Паша не появлялся?

— Погоняльщик? Не-а.

— А завтра приедут? — не успокаивался я.

— Кто ж скажет, — дернула плечами торгашка, — передо мной никто не отчитывается. Точку могли сменить.

— На какую? — я не оставлял надежды вернуть свой бумажник.

Поймите правильно, меня волновали не деньги, а потерянный ключ. Не могу же я каждый раз караулить перед подъездом соседей, чтобы войти внутрь! Что за проблема, скажете вы. Надо пойти в ЖЭК и купить новую «лопаточку». Оно верно, только в нашем домоуправлении восседает мерзкая бабища по имени Галина Сергеевна. Отвратительная сплетница и дура. Она, конечно, продаст мне ключ, но тут же позвонит маменьке и доложит:

— Дорогая, объясните Ванечке, что обстановка в городе напряженная, следует быть аккуратным.

Николетта устроит мне истерику, полгода потом будет закатывать глаза и восклицать:

— Ужасно! Я вхожу в подъезд с диким страхом, просто ноги подкашиваются! А все из-за твоей безголовости! Потерял ключ!

Ну и так далее, слова разные, припев один. Поэтому поход в домоуправление — это крайняя мера, применение которой чревато потерей здоровья.

— Чого пристал? — обозлилась баба. — Я им хто? Нихто! За б... не слежу. Ступай себе, ищи девку в другом месте. Сейчас такого счастья навалом.

Пришлось уйти ни с чем.

На следующее утро меня разбудила бодрая трель телефона.

— Алло, — сказал я в трубку.

— Иван Павлович?

— Да.

— Из милиции беспокоят.

Остатки сна мигом с меня слетели.

— Что случилось?

— Заявленьице на вас поступило.

— На меня?

— Именно.

— Быть того не может. Я никогда не нарушаю закон.

— Позавчера парковались возле станции метро «Динамо»? Вечером?

— Было дело.

— Очень хорошо, что признаетесь!

— В чем? Там нет никаких запрещающих знаков.

— Заявление подал Филиппов Сергей Петрович. Он тоже остановился в том же месте, пошел покупать сигареты, а когда приобрел их и двинулся назад, то увидел, как «Жигули» бьют в багажник его машину. Ваш номерок Сергей Петрович записал. Вы решили: раз уехали, то вас не найдут?

— Это просто бред, — возмутился я, — никого я не задевал. Впрочем, случись подобный казус, обязательно бы дождался владельца автомобиля.

— Все так говорят!

— Филиппов ошибся. Кстати! Если я ударил его машину, то на моих «Жигулях» должны остаться следы. Можете осмотреть автомобиль. За короткое время вмятину не исправить!

— Вы подъезжайте к нам, — велел милиционер, — адресок запишите. Комната двенадцать, спросите Романа Андреевича. Всякое случается, может, Филиппов издали цифры или буквы неточно разглядел.

Чертыхаясь, я начал рыться в шкафу. Экая плохая неделя! Сначала потерял ключи, теперь новая неприятность. Есть лишь одна радость: Николетта полностью поглощена общением с вновь обретенной сестрой и начисто забыла о существовании сына.

Не успел я влезть в брюки, как на столе начал вибрировать мобильный.

— Как дела? — весело спросил мой ближайший друг Макс.

— Отвратительно.

— Матушка допекла?

— Она как раз ведет себя тише воды, ни разу меня не дернула.

— Тогда в чем дело? — удивился Макс. — Воюешь с ремонтной бригадой?

Я пошел к выходу, одновременно рассказывая приятелю о своих неприятностях.

— Ты не вибрируй, — попытался утешить меня Макс, — бывает такое, спутал человек, тебя никто не может обязать оплачивать ремонт чужого автомобиля, если...

— Времени жаль, — перебил его я.

— Понимаю, — вздохнул Макс. — Вот что, я тебе часа через полтора позвоню и, если понадобится, подъеду.

— Разберусь сам.

— Комплекс «я сам» дети изживают лет в пять-шесть, — засмеялся Макс, — уж не обессудь, хочу знать, чем дело закончится.

Роман Андреевич оказался молодым круглощеким парнем, похожим на кого угодно, только не на сотрудника правоохранительных органов.

— Пойдемте, глянете на мои «Жигули», — попросил я.

— Сейчас, — кивнул юноша.

Он порылся в ящике стола, выложил на бумаги кошелек и спросил:

— Ваш?

Я обрадовался безмерно.

— Мой. Где нашли? А, понял, я уронил его, наверное, когда разговаривал с сутенером. Хотя, странно, ведь я не выходил из машины, просто опустил стекло!

— Подтверждаете, что портмоне принадлежит вам?

— Конечно.

— Точно?

— Там внутри, в отделении для мелочи, должен лежать ключ от домофона, плоский такой, пластмассовый. Могу назвать и количество ассигнаций, и еще в специальном отделении находятся визитки.

Роман аккуратно раскрыл бумажник.

— Верно. И ключ присутствует, и купюры. Мы вас по этим визиткам и нашли.

— Отдадите мне кошелек?

— Не сейчас.

— А когда?

— После ответа на небольшой вопросик.

— Задавайте скорей, — поторопил я парня, думая, что тот начнет уточнять мои паспортные данные.

Но Роман неожиданно произнес:

— С какой целью вы убили Римму Победоносцеву?

Я невольно вздрогнул:

— Что?

Роман постучал карандашом по столешнице, а потом нахмурился.

— Не стоит врать. Вы признались, что позавчера у метро «Динамо» парковали машину!

— Никакого заявления на меня нет! — внезапно догадался я. — Вы все придумали!

Милиционер задвигал губами.

— Ну... маленькая хитрость, чтоб вы скоренько прибежали.

— Безобразие! — вскипел я.

— Вы некоторое время вели беседу с одной проституткой, — никак не реагируя на мои слова, продолжал Роман, — она вам по какой-то причине не понравилась.

— Я не пользуюсь услугами жриц любви!

— ...потом в вашу машину села Римма Победоносцева. Павел Кротков получил от вас деньги...

— Все было не так!

— А как?

— Она мне сама собиралась заплатить сто долларов... — начал было я, но Роман неожиданно захохотал.

— Ничего смешного в создавшейся ситуации нет, — обозлился я.

— Отнюдь, — слегка успокоившись, ответил юноша, — чего только от людей не слышу! Но такое! Проститутка, которая решила купить клиента? Ну ваще!

— Вы же не дослушали!

— Иван Павлович, — начал вкрадчиво Роман, — чистосердечное признание уменьшает вину. Вы человек, похоже, интеллигентный, симпатичный, поэтому я готов пойти вам навстречу. Давайте оформим явку с повинной, поверьте, это сильно облегчит вашу участь. Улик, увы, полно. То, что Римма садилась именно в ваш автомобиль, видел Павел Кротков. Еще вас легко опознает Лена Фенина.

— А это кто?!

— Проститутка, которая вам вначале не понравилась, та самая, что первой подошла к вашей машине.

— Чушь!

— Хотите убедить меня в том, что не подъезжали позавчера к метро «Динамо»?

— Я там был.

— И не видели Римму Победоносцеву?

— Видел.

— В машину ее сажали?

— Да.

Роман хлопнул ладонью по папке, лежавшей на столе.

— Вот и отлично. Правильное решение. Давайте по-быстрому оформим протокол. Ну, всякие данные потом, сначала ответьте: с какой целью вы убили гражданку Победоносцеву?

— Я ее и пальцем не тронул!!!

Милиционер сжал губы в нитку, потом, укоризненно покачав головой, сказал:

— На кону мочало, начинай сначала! Знаете, где нашли ваш бумажник? В непосредственной близости от трупа, в квартире сто один в доме семь по улице...

— И как вы установили, что кошелек мой? — закричал я. — Таких изделий полно! В любом магазине лежат! Все словно близнецы!

Роман моргнул:

— Ну, Иван Павлович! Ей-богу, так нельзя! Сами же только что воскликнули, бросив взгляд на бумажник: он мой! Или забыли! Там внутри лежит ваша визитная карточка, и, вообще, доказать его принадлежность господину Подушкину крайне легко. Давайте не станем скатываться на такой уровень взаимоотношений! Ведь уже решили: оформляем явку с повинной. Если вы сейчас честно расскажете суть дела, обещаю стопроцентно — задерживать не станем. Оформим подписку о невыезде, и идите домой. Станете активно помогать следствию, отделаетесь чистой ерундой... Знаю я этих... сама небось виновата! Прошмандовки они!

В этот момент мой мобильный отчаянно затрезвонил. Я схватил телефон, услышал родной голос Макса и воскликнул:

— Скорей приезжай сюда, кабинет двенадцать, Роман Андреевич.

— Уже несусь, — ответил Макс.

Я сунул сотовый в карман. Роман, нахмурившись, смотрел в сторону, потом скривился и ледяным тоном произнес:

— Ишь, подготовился! Адвоката вызвал! Только не поможет тебе ничего, хоть всю коллегию сюда пригласи. Не хотел по-хорошему, будет по-плохому!

— Можете оскорблять меня сколько угодно, но до приезда Максима Воронова я не произнесу ни слова, — твердо сказал я.

Глава 5

Из отделения Макс забрал меня часа через три.

— Поехали пожрем, — предложил он. — Где твоя машина?

Я молча пошел к «Жигулям», сел за руль, завел мотор и покатил в сторону центра. Макс, устроившись на переднем сиденье, велел:

— А ну рассказывай!

Стараясь не путаться в деталях, я подробно изложил цепь событий.

— Угу, — закивал Макс, — вообще-то, жуткая глупость.

— Объясни, бога ради, что стряслось, — взмолился я.

— Позавчера, довольно поздно поступил звонок в отделение милиции, — начал Макс, — некая Регина Андреевна Коловоротова сообщила, что ее соседей ограбили. В сто первой квартире прописана семья журналиста Семена Приходько, сейчас он с женой и дочерью находится в Латинской Америке. Живут они там несколько лет, квартира поставлена на охрану, над дверью постоянно горит красная лампочка. Ольга Приходько оставила Регине ключи. Ну так, на всякий случай, вдруг кран потечет или, не дай бог, пожар случится. Регина живет в сотой квартире и давно дружит с Ольгой, они знакомы много лет. Коловоротова исправно ходила к Приходько, предварительно позвонив на пульт охраны. Ее голос очень хорошо знают дежурные. Регина проветривала комнаты, проверяла, не подтекает ли газ, не капает ли где вода, и уходила, не забывая включить сигнализацию. Вчера вечером, вернувшись домой из театра, она обнаружила, что не светится лампочка.

Регина насторожилась, подергала дверь Приходько, обнаружила, что та открыта, и поступила очень разумно. Внутрь она входить не стала, вор мог находиться в квартире, Регина тихо пошла к себе и вызвала милицию.

Прибывшие оперативники осмотрели комнаты и обнаружили на полу в ванной тело девушки. Несчастную убили ножом с очень длинным и тонким лезвием, ударили в спину, попали прямо в сердце. Около трупа валялась раскрытая сумочка, содержимое ее разлетелось по плитке. Пудреница, губная помада, несколько упаковок с презервативами, зубная щетка, портмоне, мобильный... Сотовый безостановочно звонил, на дисплее высвечивался номер. Определить его хозяина было делом пяти минут, и очень скоро сутенер Павел отвечал на вопросы Романа.

Да, убитую он хорошо знает. Это массажистка Римма Победоносцева.

— Кто? — перебил я Макса. — Массажистка? Не смеши меня! Девица — проститутка!

Макс прищурился:

— А вот и нет. Салон «Яблочко» — медицинское заведение, специализирующееся на массаже. Остеохондроз, боли в пояснице, в шее, в суставах... Да мало ли какие хворобы можно лечить посредством разминания мышц. Павел работает заведующим регистратурой, оформляет карточки больным.

— Чушь собачья! — заорал я. — Да он прыгал на дороге с б...!

— Ваня! — воскликнул Макс. — Ты материшься! Ну и ну!

— Это не мат, а четкое определение девок, торгующих своим телом. А Роман не додумался спросить у Павла, с какой стати тот выставил «массажисток» у обочины?

Макс засмеялся:

— Додумался. Никогда не догадаешься, что сутенер ответил!

Мне стало интересно:

— Просвети меня.

— Салону «Яблочко» требуются новые клиенты, вот Павел вместе с парой сотрудниц и решил провести рекламную акцию. Поставили у шоссе «раскладушку» с надписью «Массаж для всех» и стали поджидать страждущих.

— Он врет!

— Конечно. Только, если верить документам, Павел чист как слеза. Девицы все имеют регистрацию. Салон открыт на законных основаниях, а то, что среди клиентов одни мужики, никого не волнует. Павлу и его хозяину претензии предъявить трудно, разве только за незаконное размещение рекламы. А вот твое положение намного сложней. Павел заявил, что Римма уехала с клиентом.

— Массажистка! Села в машину к дядьке и отправилась с ним! Куда?

— Ну, Павел сказал, что у него, кроме основного здания, есть и филиал. Победоносцева повезла туда мужчину, потом перезвонила и сообщила: «Ему совсем плохо, скрючило всего, придется прямо в машине помощь оказать».

— Кретинство! Этот Роман дебил, если поверил сутенеру.

— Роман нормальный, — сердито отозвался

Макс, — и с Павлом он разберется. Ты сейчас не о других думай, а о себе. Кошелек у девицы твой нашли?

— Да. Но ведь я объяснил, как обстояло дело.

— Понятно, а теперь посмотри на ситуацию отстраненно. Эта Римма в твою машину садилась?

— Да!

— Кошелек твой?

— Да!!!

— Еще бабки, сидевшие на лавочке, сообщили: «Видели, видели. Вылезли вместе и пошли в дом».

— Этого не было. Я «Жигули» не покидал. Они врут.

— Врет, как свидетель — это о таких сказано, — вздохнул Макс. — Ваня, я тебя еле отбил.

— И что теперь делать прикажешь?

— Пока сиди тихо. На допросы не ходи, но веди себя по-умному. Роман скоро пришлет тебе повестку или позвонит, ты очень вежливо ответишь: «Готов явиться, но, увы, гипертония замучила, давление за двести прыгнуло. Здоровье прийти к вам не позволяет». Ясно? Справку я тебе достану.

— Не могу же я всю жизнь недужным прикидываться!

— Естественно, нет.

— Тогда как быть?

— Пока не активничай, — велел Макс, — а дальше посмотрим!

— Но ремонт!

— Лучше не высовывайся из дома.

— Нора будет недовольна.

— Ерунда.

— Николетта и Мэри сведут меня с ума...

— Ваня! Ты не соображаешь, во что влип, — рявкнул Макс. — Что-то мне есть расхотелось, жарко очень.

— И у меня аппетита нет, — признался я.

— Тогда я вот здесь вылезу, тормози, — приказал Макс.

Я покорно припарковал автомобиль и только тут догадался спросить:

— А с твоей тачкой что случилось?

— Умерла, — отмахнулся Макс, — реанимация не поможет.

— Вот жалость.

— Да уж, — ухмыльнулся приятель, — я не готов к столь масштабным потерям. Лишиться и авто, и лучшего друга практически в один день. Сиди дома!

— И долго мне таиться?

— Не знаю.

— Месяц?

— Может быть.

— Два?

— Вполне вероятно.

— Три?

— Не исключаю и такого поворота событий. Ладно, скоро созвонимся. Не дрейфь, держи нос крючком, а хвост торчком, прорвемся, ребята, штыком и гранатой!

Высказавшись, Макс бодрым шагом направился к метро, потом обернулся, помахал рукой и исчез в толпе. Я остался один и сразу услышал трель мобильного.

— Иван Павлович, — зачирикала Лиза, — нам надо обсудить сантехнику, можете на стройдвор подъехать? Я нашла ванну, очень хорошую.

— Берите.

— Без вас никак. Жду.

— Увы, не могу.

— Да? А когда можете?

Я вспомнил слова Макса и брякнул:

— Месяца через три.

— Не поняла, — воскликнула Лиза, — вы шутите, да? Через девяносто дней Элеонора вернется. Ладно, посм...лись, и хватит, жду вас на «Войковской». Ванна в единичном экземпляре, продается со скидкой, поторопитесь, пожалуйста.

— Увы, не могу.

— Ладно, — протянула Лиза, — перезвоню через час. Пойду договорюсь, чтобы сантехнику пока придержали.

В ухо полетели гудки. Я положил было мобильный в карман, но он снова возмущенно затрезвонил. На этот раз с той стороны провода оказалась Николетта.

— Ты где? — забыв поздороваться, завопила маменька.

— На работе, — уклончиво ответил я.

— Когда вернешься?

— Пока не могу ответить.

— Раньше шести?

— Вполне вероятно, а что?

— Сделай одолжение, — процедила Николетта, — оторвись от увлекательного занятия созерцания унитазов и раковин! Вспомни о том, что к тебе приехала родная тетя! В конце концов, Норы сейчас нет, отчитываться не перед кем. Прояви внимание к матери и ее сестре. Отвези нас погулять в сад Эрмитаж! Там вечером концерт.

Я притих. Макс приказал сидеть дома. Его нужно слушаться, потому что я оказался в незавидном положении. Но каким же образом мне выполнить приказ друга? С одной стороны, меня атакует Лиза, и правильно делает. Дни бегут, словно гончие собаки, сорвавшиеся с поводков, оглянуться не успеешь, как три месяца промелькнут молнией и вернется Нора. Представляю, какую головомойку устроит она мне, когда увидит разоренную квартиру.

С другой стороны, если я все же попытаюсь последовать совету Макса и запрусь в спальне, мне предстоят баталии с Николеттой. Маменька, обнаружив сына дома, моментально потребу[...]ить ее и Мэри по разным местам, заставит шляться с ними по магазинам, сопровождать их на вечеринки и на концерты. И никакие заявления о тяжелой болезни, справки, охи и ахи не помогут. С Николеттой спорить бесполезно.

Да уж, положение хуже губернаторского, со всех сторон обложили. Не поеду с Лизой — получу от Норы, останусь дома — паду жертвой в сражении с Николеттой и Мэри. Буду по-прежнему вести активный образ жизни — могу попасть в поле зрения милиции. Роман настроился во что бы то ни стало доказать мою вину, с него станется устроить слежку за Иваном Павловичем. Я вооружусь справкой, сообщу о тяжелой болезни, выйду на улицу — и цап-царап, проследуйте, гражданин Подушкин, в кутузку, вы не настолько недужны.

— Ну так ты приедешь в шесть? — заорала Николетта.

— Нет, — ляпнул я, — возьмите такси.

Сейчас маменька начнет громко возмущаться: «Фу! В такси воняет бензином, там некомфортно, от водителя несет дешевым одеколоном». Но неожиданно она легко согласилась:

— Ладно.

Я перевел дух. Ну и ну! Может, Николетта заболела? С чего это она столь любезна и почти дружелюбна? Но теперь, ясное дело, мне домой ехать никак нельзя.

Мобильный вновь задергался, я посмотрел на ни в чем не повинный кусок пластмассы с раздражением. Может, выбросить его вон? Но разве подобный жест — решение проблемы? Кому я понадобился на этот раз?

— Ванечка Павлович, — запела Лиза, — ванночка ждет! Такая пусенька-дусенька, любо-дорого поглядеть. Ну, зайчик мой, подгребайте на стройдвор, котеночек, медвежоночек, тигреночек. Дела всего на десять минут.

Я вздохнул:

— Уже бегу со всех колес.

— Вот и умничка! — воскликнула Лиза, отсоединяясь.

На этот раз на прорабе был нежно-розовый комбинезон из полупрозрачной ткани. Под ним зазывно просвечивали черный бюстгальтер и трусики.

— Пошли, — ухватила меня крепкой рукой Лиза. — Вы способны забраться на пятый этаж?

— На лифте?

— Пешком.

— Тут нет подъемника?

— Он не работает, ну же, котик, поскакали.

Грациозно перебирая стройными ногами в туфлях на головокружительных каблуках, Лиза рысью полетела по ступенькам. Я постарался не отстать от нее. Куда там! Через пять секунд у меня закололо в боку, колени перестали сгибаться, а лодыжку свело судорогой. Дыша со свистом, я остановился на площадке между пролетами. На стене чернела намалеванная краской цифра 2.

— Ванечка Павлович, — спросила Лиза, спускаясь вниз, — что вы тут поделываете? Я поднялась на пятый, гляжу, вас нет! Что случилось?

Я мрачно посмотрел в ее безмятежное лицо. Похоже, Лиза даже не вспотела, и дышит ровно, словно не носилась вверх-вниз.

— Почему стоите? — недоумевала она.

Сказать молодой женщине правду? Признаться в собственной слабости? Сообщить, что Ванечка Павлович превратился в старый трухлявый пень, не способный к минимальной физической нагрузке? Не знаю, как остальные, но я не способен на подобный поступок.

— Да вот, — вытянул я ногу, — штиблеты новые купил и мозоль, наверное, натер.

— Хорошие туфли, — одобрила Лиза. — Баксов триста?

— Верно.

— И набили мозоль?

— Ну, всякое случается, — промямлил я.

Однако Лиза ушлая девица, похоже, она разбирается не только в ваннах, вон как быстро определила стоимость мокасин.

— Ладушки, вы потихонечку, топ-топ, — посоветовала прораб и вновь поскакала, аки газель, по лестнице.

Я тихо поплелся следом. Знаете, пока я добирался до нужного этажа, неугомонная девушка носилась взад-вперед по ступенькам. Она взлетала вверх, потом спускалась ко мне и, протараторив: «Ну как? Ножка сильно болит? Ах, бедняжечка, идите осторожненько», снова, перескакивая через две ступеньки, исчезала из поля зрения.

Лет двадцать тому назад один мой приятель, Миша Кондаков, праздновал свой день рождения на даче. Погода стояла превосходная, мы решили искупаться и отправились на речку. У Мишки жил карликовый пудель, молодой, задорный, юркий пес. Так вот, пока компания плелась, проклиная жаркое солнце и отсутствие тени, к воде, собака носилась как бешеная. Она успела десять раз домчаться до реки и вернуться к нам, ее черное лохматое тело, вытянувшись ниткой, летело над ярко-зеленым лугом, длинные уши развевались в воздухе. Подскакивая в очередной раз к нам, псинка коротко лаяла и бешено работала хвостом. Ее темные глаза с укором глядели на хозяина и его никчемных приятелей. В какой-то момент мне показалось, что я читаю мысли пуделька: «Ну вы и даете! Тащитесь еле-еле, я уже сколько раз на берегу побывал!»

Лиза сейчас напомнила мне ту собачку, небось тоже недовольна, но виду не подает, потому что клиент, даже если он старый трухлявый гриб, всегда прав.

Наконец я оказался в зале, забитом сантехникой. Лиза подскочила к одной ванне и постучала по ней кулачком.

— Чугунина, — сказала она, — ясно?

На всякий случай я кивнул.

— Надеюсь, вы не хотели акрил? — продолжала девица.

Я, совершенно не понимая, о чем идет речь, сделал умное лицо и быстро сказал:

— Нет, конечно.

— Борта видите?

— Ну...

— Класс, да?

— О да, да!

— Нравится?

— Чрезвычайно.

— Краны какие будем брать?

— Круглые, — ляпнул я.

Лиза вскинула брови.

— Стоячие?

— Э...

— Или смеситель?

— Ну...

— Из стены?

— О...

— Можно прямо из чаши сделать.

— Да... хорошо.

— А душ?

— Обязательно.

— Тропический дождь, игольчатый, водопад, нежная пыль или вообще лофт?

Я заморгал:

— Этот, как его... весь такой... хороший, со струей... чтобы сразу мокрым стать.

— Ясно, — протянула Лизавета, — аквафит хотите?

Следовало задать резонный вопрос: а это что еще за птица? Но мне страшно не хотелось выглядеть глупее Лизы.

— Можно и аквафит, — кивнул я.

— Но тогда душ будет кополло!

Час от часу не легче.

— Кополло так кополло!

— Зато к нему аэросиг бесплатно дают! — возбужденно воскликнула Лиза. — Правда, установка в стоимость не входит. Но мы сами его приклепаем. Я умею, делала на днях в коттедже у людей. Аэросиг — это класс, но к нему еще пунт нужен. Согласны?

— Конечно, — ощущая себя полнейшим кретином, кивнул я.

— Вот и аюшки, — подпрыгнула Лиза, — говорила же — быстро решим проблему. Теперь раковина, сюда, Ванечка Павлович, ага, стойте. Ножка не болит? Отлично. Глядите. Супер-Мойдодыр. Во. С пультом управления. Он, кстати, действует на расстоянии полкилометра от умывальника.

— Пульт?

— Да. Правда здорово? Торопитесь домой, прямо в подъезде нажимаете кнопочку, вбегаете в квартиру, а раковина вас уже ждет, подсветка включена, водичка течет. А еще цветомузыка!

— Цветомузыка? Зачем?

— Просто стебно! Представляете, вошли, умываетесь, расслабляетесь, а вам любимую мелодию играют, фонариками светят. Сейчас продемонстрирую!

Быстрее лани Лиза метнулась в глубь зала, заставленного шеренгами сантехнических хреновин. Я уставился на помесь раковины с комодом. Интересно, существуют ли на свете люди, покупающие эту модель?

Внезапно чья-то рука опустилась мне на плечо, и грубый хриплый голос произнес:

— Слышь, парень, пройдем быстро!

Я обернулся и мгновенно почувствовал, как много-много ледяных, мелких лап забегало по спине. Прямо передо мной стоял милиционер в полной форме.

— Я никого не убивал, — вырвалось из груди.

Сержант вытаращил глаза.

— Ты больной?

— Нет! То есть да! Очень давление высокое, гипертония в жуткой стадии, меня нельзя арестовывать, это бесчеловечно. И вообще, я даже пальцем не тронул Римму.

Милиционер крякнул:

— Тут нет еще какого-нибудь продавца? Нормального? Вон ту раковину купить хочу. Если ты один, тогда пройдем со мной, чек выпишешь, — рявкнул мент.

Ноги подломились в коленях, я плюхнулся на стоящий рядом унитаз и оценил идиотизм ситуации. Никто не собирался меня арестовывать, просто мент удрал с работы, чтобы сделать необходимые покупки.

— Извините, но я не продавец.

— А, ясно, — протянул сержант. — Ну и народ, одни психи.

Бормоча что-то себе под нос, он ушел, я остался сидеть на унитазе. Внезапно в душе появилась решимость. Нечего трястись и прятать голову в песок. Дома сидеть не получится, а вздрагивать при виде любого мужика в форме невозможно. Остается одно...

— Ля-ля-ля, — загремело сбоку.

Я вскочил на ноги. Раковина засветилась, заморгала, запела...

— Классно? — заорала Лиза, появляясь в зоне видимости и размахивая пультом. — Берем? Чего нам бояться! Сами все сделаем, установим...

— Да, — машинально ответил я.

Чего нам бояться? Сам все сделаю, найду убийцу Риммы, установлю истину, защищу свое доброе имя. Я не могу жить, трясясь, как кролик.

Глава 6

Домой я заявился поздно, Николетты и Мэри еще не было, а домработница Тася уже видела третий сон. Быстро приняв душ, я шмыгнул в свою спальню, на всякий случай запер дверь изнутри, взял блокнот, ручку и опустился в кресло. Итак, с чего начать? Кто может пролить свет на тайну гибели Риммы? Кто, кто! Да Регина Андреевна Коловоротова, та, что вызвала милицию. Отчего мне в голову пришла сия мысль? Извольте, объясню, все очень просто. Семья Приходько живет за границей, их апартаменты на охране, Регина регулярно ходит проверять обстановку. Пока ничего необычного. А теперь внимание! Почему Коловоротова вдруг подняла тревогу? Лампочка не горела! У Норы жилье тоже на сигнализации, и я очень хорошо знаю, когда огонек перестает мерцать. Происходит это лишь в двух случаях. Первый — вы сняли квартиру с охраны. Второй — дверь открылась без вашего звонка. Собственно говоря, второй случай и есть знак тревоги для вневедомственной охраны. Уж не знаю, чего у них там происходит: ревет сирена, орет гудок, трещит звонок, но, как только дежурный видит: цепь разомкнулась, а хозяин не спешит позвонить и сообщить пароль, по нужному адресу немедленно высылается машина с вооруженными парнями. Но в день убийства Риммы пульт никак не отреагировал на вход в жилище чужого человека. Вопрос: почему? Ответ: вор знал пароль и имел ключи. Но Приходько нет в столице, следовательно, это Регина впустила Римму или ее негодяя мужа. А может, Коловоротова сообщила пароль своему знакомому? Зачем? Кому? Надо срочно поговорить с Региной. Как хорошо, что Роман не словил мышей и забыл задать себе вопрос про неприехавшую вневедомственную охрану!

Регина Андреевна оказалась женщиной неопределенных лет, похожей на кошку. На круглом лице дамы сидела приветливая улыбка, крупные глаза лучились добротой, не хватало только треугольных мохнатых ушек, торчащих на голове, и длинного хвоста.

— Я уже все рассказала в милиции, — недоуменно воскликнула Коловоротова, бросив беглый взгляд на показанное ей удостоверение, — причем то ли три, то ли четыре раза. Очень непонятливый ваш сотрудник оказался. Только повествование закончу, а он опять просит: «Давайте сначала», просто измучил.

Я убрал в карман бордовую книжечку. Детективное агентство «Ниро» открыто с соблюдением всех формальностей, Нора платит налоги и спит спокойно. «Ксива» у меня самая настоящая, выглядит она стандартно: фотография, круглая печать, фамилия, имя, отчество. Люди, которые видят удостоверение, в девяноста случаях из ста считают меня сотрудником милиции, мало кто читает под личными данными строчку: «Частное детективное агентство «Ниро». Регина Андреевна не стала исключением. Обычно я сразу указываю людям на их ошибку, но сейчас промолчал.

— Ну сколько можно об одном и том же толковать, — бубнила Коловоротова.

— Уж извините, — развел я руками, — Роман Андреевич и впрямь не слишком сообразителен, забыл задать вам пару вопросов. Уделите мне несколько минут?!

— Что делать, входите, — разрешила Коловоротова, — только, извините, у меня не убрано, я недавно встала и не ждала гостей в столь ранний час.

— Если опаздываете, могу подвезти на службу, — предложил я, — по дороге поговорим.

Регина Андреевна покачала головой:

— Увы, здоровье не позволяет мне работать, инвалидность имею, давлением маюсь, гипертонией господь наградил, тяжело, конечно, материально. О пенсионерах никто не думает, дает нам государство копейки, разве это справедливо? Депутаты миллионы на сигареты тратят, а простым людям хлебушка не на что купить.

Я молча шел за хозяйкой по коридору, устланному дорогим ковром. Продолжая безостановочно жаловаться на ужасные условия жизни, Регина провела меня в уютную гостиную. Не похоже, что дама умирает от голода. Тяжелая хрустальная люстра свисала с потолка, роскошная кожаная мебель стояла у стен, здесь же сверкал дорогой посудой сервант, а на журнальном столике со стеклянной столешницей громоздились ваза, полная роз, и коробка шоколадных конфет производства Швейцарии. Я пару раз покупал это лакомство по требованию Николетты и знаю, что оно стоит неприлично большую сумму.

— Можете курить, — радушно предложила Регина, пододвигая ко мне тяжелую пепельницу.

— Спасибо, — кивнул я. — Давайте еще раз вспомним то неприятное событие...

Регина вздохнула и принялась рассказывать. Ничего нового она не сообщила, я сочувственно кивал головой и, когда она замолчала, спросил:

— Сколько же сейчас вневедомственная охрана за ложный выезд берет? У меня квартира тоже на сигнализации стоит, год назад я заявился домой и забыл им сообщить. Через десять минут патруль примчался. Мне невнимательность тогда в тридцать рублей обошлась. В вашем районе такие же расценки?

— Понятия не имею, — улыбнулась Коловоротова, — я очень аккуратна. Вхожу — снимаю с охраны, ухожу — ставлю. Ни разу не забыла.

— Наверное, они вам сейчас вызов не засчитают, — кивнул я.

— Какой? Никто не приезжал.

— Да ну? Вообще странно, отчего вы, а не патруль обнаружили труп. Разве в день убийства девушки группа захвата не прибывала?

— Нет, конечно. С какой стати? — удивилась Регина.

— Вы в тот день не ходили к Приходько?

— Утром нет, глянула, лампочка горит, и отправилась по делам.

— А вечером огонек погас, и вы, испугавшись, вызвали милицию?

— Ну да!

Я широко улыбнулся:

— Почему не позвонили на пульт? Лампочка же их забота?

— И... не знаю... в квартире были воры! Я сразу поняла.

— Да?

— Конечно! Вскрыли замок, вошли, вот лампочка и погасла.

— Регина, — я погасил улыбку, — прекратите врать!

Коловоротова вытаращила глаза.

— Как вы со мной разговариваете! — с негодованием воскликнула она. — Сейчас пожалуюсь куда следует.

— Прекрасно, — кивнул я, — хоть самому господу богу и президенту. Ну-ка подумайте сами. Патруль не приезжал?

— Нет!!!

— А лампочка не горела?

— Да!

— Регина Андреевна! О чем это говорит?

— О боже! О ворах у Приходько!

— Еще и о том, что кто-то, знавший пароль, отключил сигнализацию, вот почему на пульте, даже не вздрогнув, сняли наблюдение.

Регина замерла. Я же решил добить тетку и начал лихо врать:

— Мы провели экспертизу и узнали, что замок был открыт не отмычкой, а родным ключом.

Коловоротова стала сереть, ее руки сцепились в кулаки, костяшки пальцев побелели.

— Знаете, как на самом деле разворачивались события? — поинтересовался я. — Могу реконструировать их! Вечером вы вошли в квартиру Приходько, чтобы встретиться с Риммой Победоносцевой. Вы задумали убить девушку и свалить вину на несуществующих грабителей. Глупая затея, но я сейчас не обсуждаю ее. Нанеся удар в спину проститутке, гражданка Коловоротова ушла к себе, а потом...

— Нет! — закричала в полнейшем ужасе Регина. — Не так дело было!

— А как? — мгновенно спросил я.

Регина еще сильнее стиснула пальцы:

— Ужасно! Это бедность виновата. Поймите, я никогда бы не решилась, но совсем обнищала! Оле хорошо, она за спиной у Сени живет, а мне кто копеечку даст?

Речь дамы стала бессвязной, глаза лихорадочно заблестели, губы затряслись, потом она внезапно уронила голову на грудь и визгливо зарыдала.

Я встал и отправился искать кухню, чтобы добыть стакан воды и валокордин. Очень надеюсь, что лекарство хранится в холодильнике.

В рефрижераторе у госпожи Коловоротовой обнаружился дивный набор продуктов: баночка черной икры, французский сыр, спаржа, сырокопченая колбаса, экзотические фрукты вкупе с немецкими йогуртами и слабосоленой семгой. Навряд ли Регине Андреевне грозила смерть от голода, скорей уж у нее заболит поджелудочная железа от неумеренного употребления деликатесов. Мне всегда казалось, что после сорока лет человеку следует питаться попроще, особо не увлекаясь жирной, калорийной пищей.

Прихватив необходимое, я вернулся в гостиную, протянул хныкающей Регине стакан и велел:

— Выпейте, успокойтесь, а потом попытайтесь спокойно объяснить ситуацию.

Дама, наверное решив, что спектакль под названием «Оскорбленная невинность» у меня успеха иметь не будет, приступила к связному изложению событий. Некрасивая история постоянно прерывалась стонами и жалобами на тяжелую долю инвалида, вынужденного существовать на грошовую подачку от государства.

Регина и Оля познакомились в детстве, они жили в соседних квартирах, потом вместе учились и одновременно пришли на работу в школу. Первая преподавала английский язык, вторая математику. Непонятно почему две столь разные девушки сблизились. Регина не задумывалась о семье, ей хотелось нагуляться вволю. А Оля мечтала о браке, детях и кастрюлях. Но в одном подруги сходились: обеим страшно не хотелось вдалбливать знания в детские головы. В педагогический вуз они подали документы, провалившись на вступительных экзаменах в МГУ, и вот теперь вынуждены были отрабатывать два тоскливых года, стоя у доски. Регина, ненавидя учеников, засыпала их двойками, задавала несметное количество упражнений на дом и с удовольствием говорила гадости родителям.

Оля же поступала наоборот, она щедро ставила пятерки с четверками, лишь бы ее не трогали матери двоечников. Потом математичка вышла замуж за Семена Приходько, а Регина продолжала гулять. Встречались по-прежнему часто, потому что продолжали жить с родителями. Регине активно не нравился муж подруги, но, в конце концов, это был не ее супруг, и девушка, делая над собой определенное усилие, мило общалась с Приходько. Отношения были дружеские, ходили друг к другу в халатах.

Потом случился очень тяжелый год, когда у девушек разом умерли родители. Впрочем, Оля испытывала только моральные страдания, Семен давно ворочал собственным бизнесом и содержал жену. А вот Регине стало очень тяжело материально. Зарплаты едва хватало на оплату огромной, оставшейся после папы-генерала квартиры. Оля старательно помогала подруге детства, чувствуя по непонятной причине вину перед ней. Но потом Семен решил отправиться за рубеж. Приходько уехали, поручив Регине приглядывать за своими апартаментами.

Вот когда Коловоротова поняла, что такое бедность. Раньше она не задумывалась о покупке еды и тряпок для себя. Сначала холодильник и гардероб пополняла мама, потом можно было спокойно пообедать у Оли, взять у нее кофточку, юбку. Но сейчас Регина осталась одна. И лишь теперь ей, взрослой женщине, пришла в голову мысль: на что жить? Выйти замуж? Сесть на шею супругу? Но любой мужчина потребует от жены исполнения хозяйственных обязанностей. Придется варить суп, гладить рубашки. Лучше всего познакомиться с холостым олигархом, но такие личности на пути Регины не попадались. Еще можно было зарабатывать частными уроками, как делают тысячи преподавателей. Но подобный ужасный вариант Регина даже не рассматривала, потому что ей в голову пришла гениальная идея, как, совершенно не напрягаясь, можно огрести немалые денежки.

Вы уже, наверное, догадались, о чем речь? Коловоротова стала сдавать квартиру Приходько. Естественно, ни Олю, ни Семена она в известность не поставила, друзья-соседи пребывали в блаженном неведении.

Действовала Регина хитро. Зная, что у подъезда постоянно дежурит «патруль» из наблюдательных старушек, она распустила слух о том, что занимается с учениками на дому, обучает языку взрослых людей, тех, кому предстоит ехать за границу. На самом деле Коловоротова предоставляла жилплощадь богатым чиновным людям, которые, боясь папарацци, скандалов и неприятностей, не отваживались снимать номера в гостиницах для любовных свиданий.

Круг клиентов был узок, платили они более чем хорошо, и Регина воспрянула духом. Она наняла домработницу, которая убирала квартиру Приходько, и зажила в свое удовольствие.

Ольга посещала Москву раз в году. Естественно, на эту неделю дом свиданий прикрывался. Приходько ничего не заподозрила. Более того, она, оглядывая чисто убранную квартиру, укоряла Регину:

— Это уже слишком! Ты и окна протерла, и занавески постирала, и ковры вычистила. Ей-богу, не стоит так ломаться, проветрила комнаты, и ладно.

— Мне же не трудно, — скромно опускала глаза долу подруга, — ерунда, не о чем говорить!

Оля заваливала Регину подарками, использовала любой случай, чтобы прислать той косметику, одежду, парфюмерию. И в каждый свой приезд в столицу обязательно привозила огромный кофр, набитый «сувенирчиками» для Регины.

Сами понимаете, что жизнь госпожи Коловоротовой текла без особых потрясений, но потом случилась огромная неприятность.

Примерно неделю назад ей позвонил старинный и самый лучший клиент, банкир Владилен Бурмистров, и попросил:

— Регина, душечка, выручи меня.

— С радостью, — воскликнула Коловоротова, — записываю. На какое число, во сколько?

Бурмистров быстро сообщил всю информацию и добавил:

— Только не я приду.

— А кто? — изумилась Регина.

Владилен пользовался квартирой Приходько несколько лет, приходил часто, всегда с новыми девушками. Его спутницы выглядели до смешного одинаково: длинноногие блондиночки в коротких юбках. Но Регине было наплевать на моральный облик Бурмистрова, Владилен платил, не торгуясь, вел себя прилично, и после его визитов на столе оставалась куча нетронутых деликатесов, нераспечатанные коробки конфет, неоткупоренные бутылки с дорогим коньяком и вином, элитный чай, кофе. Собственно говоря, Регина могла и не ходить в супермаркет, продуктов, брошенных банкиром, хватило бы среднестатистической российской семье на неделю.

— Есть у меня один приятель, — уклончиво ответил Владилен, — хороший мужик, спокойно его рекомендую, ему квартира требуется одноразово.

Регина вздохнула. Она никогда не пускала в апартаменты Приходько случайных людей. Коловоротова правильно полагала, что от постоянных съемщиков меньше проблем. Но отказать Бурмистрову было невозможно, он ее лучший клиент, негоже обижать такого.

— Хорошо, — ответила она, — пусть приезжает.

— Его Гриша зовут, — повеселел Владилен.

В урочный час раздался звонок в дверь. Регина открыла и увидела крепко сбитого парня, одетого в джинсы и рубашку с длинными рукавами. Волосы его были спрятаны под большой бейсболкой, козырек прикрывал лицо. Впрочем, разглядеть протеже Владилена было бы трудно и без нависающей кепки. На носу у гостя сидели огромные черные очки, а подбородок и щеки закрывала густая борода.

— Я Гриша, — хрипло сказал он, — от Бурмистрова.

Регина кивнула и принялась привычно действовать. Вошла в квартиру, сняла ее с пульта. Затем, показав, где лежит постельное белье и полотенца, спокойно спросила:

— Когда уходить планируете?

— Часа через три-четыре, — ответил гость и протянул ей конверт, — пересчитайте.

Регина перебрала приятно шуршащие бумажки.

— Здесь больше, чем надо, — сказала она.

— Вдруг мы задержимся, — пояснил Гриша, — не хочу вас обманывать. Может, еще когда-нибудь об услуге попросить придется.

Регина кивнула:

— Хорошо, как управитесь, позвоните, я дверь за вами запру.

На том и порешили. Мужчина остался в квартире Приходько, Коловоротова ушла к себе. К чести Регины, следует отметить, что она никогда не подглядывала за своими клиентами, справедливо полагая, что успех ее бизнеса зависит в немалой мере от умения хозяйки казаться слепоглухонемой.

Глава 7

Не думая ни о чем плохом, Регина стала заниматься своими делами. Приняла ванну, полакомилась кофейком, посмотрела телик, потом начала зевать, глянула на часы и удивилась. Уже очень поздно. Если Гриша решил остаться на ночь, то это стоит иных денег.

Регина поколебалась немного, но потом все же пошла к Приходько. Она собиралась осторожно постучать в дверь и выяснить намерения мужчины. Вообще-то Регина никогда так раньше не поступала. Тот же Бурмистров мог задержаться, но банкира Коловоротова хорошо знала, тот потом оплачивал долг, а тут неизвестный человек, в первый же раз нарушивший договоренность.

Дама беспрепятственно вошла в апартаменты,

толкнув незапертую дверь. В ее душе возникло нехорошее предчувствие. Похоже, гость убежал, как бы не спер чего.

Но в комнатах все оказалось на своих местах, и сердце Регины вновь застучало спокойно. Простонапросто Гриша оказался безответственным парнем, ушел, забыв вернуть ключи. Регина обозлилась. Ну вот, теперь придется менять замки, муторное дело. Может, этот противный мужик еще и свет не выключил в ванной и туалете? Сердито качая головой, Коловоротова дошла до санузла, распахнула дверь и зажала рот руками.

На красивой плитке лежал скрюченный труп женщины. То, что незнакомка мертва, не оставляло сомнений. Живой человек не сможет находиться в столь неудобной позе, вывернув невероятным образом руки и ноги, больше пары секунд.

Регина опрометью кинулась к себе. Дома, придя в себя, она позвонила в милицию и сообщила о странной находке. Естественно, правды она рассказывать не стала.

— Увидела, что лампочка не горит, и забеспокоилась, — смело лгала Регина приехавшим оперативникам.

Я выслушал даму и попросил:

— Телефон Бурмистрова дадите?

— У меня его нет, — слишком быстро ответила она и с самым честным видом захлопала ресницами.

— Дорогая Регина Андреевна, — улыбнулся я, — есть в нашем Уголовном кодексе очень неприятная статья, подразумевающая суровое наказание для лжесвидетеля. Вы изумительным образом подпадаете под ее действие, просто классический пример.

— Ой, — прошептала Коловоротова, — и много за такое дают?

— До пятнадцати лет, — мигом соврал я.

— Мама, — взвизгнула Регина, — но ведь я ничего плохого не совершила! Просто людям помогала! Неужели за доброе сердце можно в тюрьму посадить? Что делать, а?

Я погладил ее по плечу.

— Абсолютно согласен, поэтому и предлагаю вам небольшой компромисс. Вы никому не рассказываете о моем визите, даете координаты Бурмистрова и забываете обо мне. Не скрою, я скажу начальству, что сам нашел этого Гришу, скорей всего, он и есть убийца. Мне хочется получить повышение по службе, а вам не надо шума. Так как, договорились?

Я очень надеялся, что Регина не станет размышлять над ситуацией. Иначе ей в голову могла прийти вполне *логичная* мысль: Иван Павлович же все равно объяснит начальству, как дорылся до Гриши, и история со сдачей квартиры обязательно выплывет наружу.

— Да, да, да, — закивала Регина, — хорошо, пишите телефон. Может, мне лучше уехать отдыхать? На месячишко. В Москве жара, подамся на море.

— У вас не брали подписку о невыезде?

— Нет, — ужаснулась Регина. — А что, могли?

— Конечно, — решил я напугать противную бабу по полной программе, — наверное, просто забыли. Но в следующий раз обязательно вспомнят. Поэтому прямо сейчас пакуйте чемодан.

— Именно так я и поступлю, — засуетилась Коловоротова, — у меня одна знакомая в железнодорожной кассе работает, а другая в Феодосии домик имеет, давно к себе зовет. Через сутки меня тут днем с огнем не сыскать будет!

— Правильно, — одобрил я, — вернетесь спустя тридцать дней, страсти и улягутся.

Нетерпение так сильно толкало меня в бок, что я начал набирать телефон Бурмистрова прямо в лифте.

— Банк, — проговорил приятный девичий голос, — Катерина, чем могу вам помочь?

— Можно поговорить с Бурмистровым?

— Минуточку.

Заиграла какая-то мелодия, потом послышался другой голос, более взрослый:

— Приемная. Анна. Чем могу помочь?

— Мне нужен Владилен Бурмистров.

— Вы по какому вопросу?

— ...по э... ну... дело личное.

— Владилена Семеновича сейчас нет, могу вас записать на прием.

— Да, спасибо.

— Восьмое ноября, девять утра устроит?

— Восьмое ноября?! Анна, сейчас август!

— Извините, но у Владилена Семеновича остальные дни расписаны, — не дрогнула секретарша.

— Не может ли он меня принять сейчас?

Анна хихикнула:

— Нет.

— Мне очень надо!

— Рада бы помочь, но, увы!

— Буквально на минутку.

— Невозможно. Владилен Семенович отсутствует. Он поехал обедать, потом у него дела, все вне офиса.

— Я могу прибыть к нему домой или пересечься с ним в любом месте.

— Послушайте, — Анна добавила металла в тон, — Бурмистров не имеет сейчас свободного времени. Впрочем, можете оставить свой телефон, если возникнет окно, обязательно позвоню.

— А где он обедает? — быстро спросил я.

Анна, потеряв всякую профессиональную вежливость, отсоединилась. На мой вопрос она, естественно, не ответила.

Я повертел в руках мобильный и решил действовать иначе. Пальцы снова набрали номер.

— Банк, Елена, чем могу помочь?

— Хочу открыть у вас счет...

— Пожалуйста, приезжайте. Мы работаем до двадцати одного без перерыва, наш адрес... — затараторила выученный текст девочка.

Я удовлетворенно слушал ее. Банк, которым руководит милейший любитель блондинок, находится буквально за углом, мне даже не нужно садиться в машину.

В сверкающем чистотой зале толкалось много народа. Служащие, симпатичные девочки и мальчики, одетые в безукоризненные костюмы, были заняты беседами с клиентами. Я спокойно притулился в уголке и начал рассматривать менеджеров. Вероятно, мне лучше всего иметь дело не с ними, а вон с той холеной дамой в ослепительно белой блузке, сидящей за столом с табличкой «Консультант».

Приняв решение, я приблизился к мадам и, навесив на лицо печальное выражение, воскликнул:

— Умоляю, помогите.

Консультант улыбнулась:

— Если речь идет о нашем банке, то с удовольствием.

— Вы знаете Бурмистрова?

— Владилена Семеновича? Естественно, он наш начальник.

— Слава богу! — воскликнул я.

— В чем дело? — удивилась дама.

Я скосил глаза на бейджик, прикрепленный у нее с левой стороны груди: «Наталья».

— Понимаете, Наташенька, я журналист, владелец небольшого журнала, очень надеюсь, что скоро сумею раскрутиться, но пока, признаюсь честно, бизнес идет ни шатко ни валко. Семьи у меня нет, живу один.

Пальчики Натальи, не обремененные обручальным кольцом, дрогнули, в глазах появился неприкрытый интерес. Я отметил произошедшую с ней метаморфозу и утроил старания.

— Для того чтобы встать на ноги, мне нужен кредит, но Владилен Семенович не дает денег.

— Почему? — заинтересовалась Наташа.

— Говорит, я не сумею вернуть его, журнал не наберет обороты. В общем, мы с Бурмистровым поспорили. Он утверждает, что я не умею собирать информацию и нарывать эксклюзив, а мне кажется, что Владилен вредничает. Сначала мы слегка покричали друг на друга, а потом он сказал: «Хорошо. Я сегодня занят, единственный свободный час — во время обеда. Подъезжай. Но место, где я обчно бываю, не укажу. Проявишь смекалку, найдешь ресторан, получишь кредит. Если нет, то я прав, ты никчемушный борзописец».

— Очень похоже на Владилена Семеновича, — с сочувствием пробормотала Наталья.

— Хожу вот теперь по банку. Попытался порасспрашивать Анну, но...

— Анька кремень, — засмеялась Наташа. — Крокодил в юбке, стережет хозяина, хотя за ее зарплату и я бы челюстями щелкала.

— Вот брожу по залу, — ныл я, — осматриваюсь, увидел только одно симпатичное лицо, ваше, ну и рискнул. Сделайте божеское дело, Наташенька, помогите.

Дама улыбнулась:

— Посидите тут пару минут.

Я замер у столика, глядя, как моя собеседница направляется в глубь деньгохранилища. Ее не было довольно долго, я уже начал волноваться, но тут она вернулась.

— Вот, держите, здесь написан адрес.

— Спасибо! — воскликнул я.

— Ресторан «Айдо», тут близко, через два перекрестка.

— Я ваш должник на всю жизнь!

— Внизу мой мобильный телефон, позвоните и скажите, удалось ли встретиться.

— Конечно, непременно, прямо сегодня вечером, — пообещал я и ринулся к выходу. Ох, правильно говорят, что известно двум людям, легко узнает и полк солдат.

«Айдо» оказался клубом. Маячивший у двери парень быстро окинул взглядом мой костюм, ботинки и, оставшись доволен, спросил:

— Вы постоянный член?

Вот уж красивая фраза. Хотя бы добавил в конце — «клуба Айдо».

— Нет, — сообщил я.

— У нас бизнес-ланч стоит пятьсот рублей.

— Изумительно.

— Телевизора и газет не держим.

— Великолепно.

— Ни музыки, ни танцев нет.

— Вы собираетесь отпугнуть меня? Если да, то применяете неправильную тактику, — улыбнулся я, — терпеть не могу шума, а ваш клуб порекомендовал мне Владилен Семенович Бурмистров. Насколько я знаю, он сейчас как раз обедает!

— Да, конечно, — закивал привратник, — входите, рады вас видеть. Владилен Семенович в VIP-зоне, слева от основного зала.

Я пошел по темно-бордовой ковровой дорожке. Человеческое тщеславие неутолимо. В клубе «Айдо», тщательно закрытом для людей с улицы, еще имеется VIP-зона! Это, однако, смешно.

Ни один человек не встретился мне по дороге, вокруг стояла мертвая тишина, сложно было представить себе, что за стенами здания шумит многолюдный проспект и несутся машины. Коридор уперся в дверь из красного дерева, на филенке которой горели большие латунные буквы VIP. Я толкнул створку, увидел тридцатиметровую комнату с зашторенными окнами и единственного посетителя: толстого лысого дядьку, сидевшего над тарелкой.

Раздраженно бросив ложку на стол, Бурмистров сказал:

— Какого черта? Велел же не входить, пока не позову!

Я улыбнулся:

— Это VIP-зона? Я не ошибся дверью?

Владилен Семенович осекся.

— Вы кто?

— Разрешите представиться, Иван Павлович Подушкин, гость клуба.

Банкир попытался навесить на лицо улыбку.

— Рад знакомству. Извините, принял вас за... — Не договорив, Владилен Семенович примолк.

— ...халдея, — договорил за него я.

— Не хотел вас обидеть, — буркнул банкир.

— Не нахожу ничего неприятного в сравнении с официантом!

— Хватит меня поучать! — вскочил вдруг на ноги Бурмистров. — Надоело! Вечно спорите!!!

Я в изумлении уставился на толстяка.

Владилен Семенович обвалился на стул.

— Простите, пожалуйста, сам не знаю, что говорю. Ужасно.

— Ничего, — бормотнул я, — жара изматывает, духота страшная, вот у людей сосуды и не выдерживают. Есть хороший способ привести себя в порядок: легкая седативная терапия вкупе с мануальным воздействием...

— Вы врач? — резко спросил Бурмистров.

— Нет, но имею приятелей, талантливых медиков. Хотите, дам вам телефоны?

— На... мне консультации, — вновь разъярился Владилен Семенович.

Его спрятанные в набухших веках глаза стали выкатываться на щеки, губы затряслись. Я испугался по-настоящему, как бы Бурмистрова удар не хватил. Наверное у хама давление зашкаливает. Может, пойти поискать администратора? Пусть он вызовет врача.

И тут, как на грех, дверь приоткрылась, появился стройный юноша в черном костюме.

— Владилен Семенович, — прожурчал он, — второе несу. Телячьи котлетки, как просили, на сливочном маслице, в сухариках. М-м-м, изумительно получились!

Бурмистров набрал полные легкие воздуха и заорал:

— Котлетки!.. Я велел не входить! Сухарики! ...! ...!

Халдей попятился, на его лице появилось выражение легкой обиды.

— Еще и морды корчит! — мигом отреагировал банкир. — Да я тебя..., ...!

Дальнейшие события разворачивались молниеносно. Не успел я моргнуть, как сарделькообразными пальцами Бурмистров ухватил тарелку и швырнул ее в официанта. Тот взвизгнул, уронил поднос и выскочил в коридор. Банкир принялся метать в закрытую дверь столовые приборы, подсвечник, блюдо с булочками, солонку, перечницу, кольца для салфеток...

Я бросился к нему и схватил его за плечи.

— Владилен Семенович, успокойтесь.

Внезапно буян обмяк, упал на стул и простонал:

— Господи! Что со мной происходит. Ужасно! Позовите прислугу!

Я выглянул в коридор.

— Кто-нибудь! Сюда!

Тишина.

— Сделайте одолжение, — прошептал за моей

спиной Бурмистров, — пригласите Илью, администратора, он в соседнем зале находится.

Я отправился на поиски служащего. Услыхав, в чем проблема, Илья мгновенно прибежал в VIP-отсек и заломил руки.

— Владилен Семенович, дорогой! Вам плохо?

— Голова болит, — слабым голосом ответил банкир, — череп просто раскалывается.

— Леня, Миша, Аня, — заорал Илья, — рысью сюда! Отведите Владилена Семеновича в кабинет, уложите на диване. Уберите в зале, живо!

Два парня осторожно подхватили банкира под локти и засюсюкали:

— Пойдемте осторожненько, ножку поднимите, аккуратненько, не торопитесь!

Девушка присела на корточки и стала собирать осколки.

— Ужасно! — простонал Илья. — Вы с ним?

— Да, — кивнул я, — хотели пообедать, и вдруг такое. Скажите, с Владиленом Семеновичем часто подобные приступы гнева случаются?

Илья начал вздыхать:

— За последнюю неделю это уже третий. Честно говоря, мы все тут в непонятках. Владилен Семенович к нам восемь лет ходит обедать. Он тонкий гурман, всегда поварам особые задания дает, а еще из всех поездок рецепты привозит и на кухню отсылает. Очень к еде придирчив, но это нас совершенно не напрягает. Шеф готовить обожает. У них с Бурмистровым просто любовь на почве кулинарии. И Владилен Семенович всегда хорошо платит, чаевые дает с избытком, никаких проблем у нас с ним не имелось, его тут все любят. Очень внимателен, и, знаете, он добрый человек, кое-кому из наших денег в долг давал. Когда он в понедельник наорал на официантку, мы его пожалели. Устал человек, переутомился, бывает. Владилен Семенович потом извинялся, подарил девушке сто баксов. В среду Бурмистров снова впал в раж, на этот раз досталось Мише, Владилен Семенович в него миску с салатом метнул. Главное, так мы и не поняли, что его озлобило. Мишка суп внес и спросил: «Вам греночек насыпать?» Разве что обидного сказал? А?

— Нет, конечно, — ответил я.

— Вот-вот, — вздохнул Илья, — а что получилось! Хорошо он суп на Мишку не вылил. И сегодня снова... Может, заболел?

— Вполне вероятно, — подхватил я, — у человека есть такой орган, щитовидная железа. Я слышал, что при нарушении ее функций у некоторых личностей могут возникать неуправляемые припадки гнева. Куда вы увели Бурмистрова?

— В кабинет, — ответил администратор, — там диван удобный, пусть полежит, отойдет.

— Проводите меня к нему.

— Конечно, — засуетился Илья, — сей момент, прошу вас.

Глава 8

Бурмистров раскинулся на широкой софе. Чьи-то заботливые руки сняли с него дорогие ботинки и прикрыли ноги клетчатым пледом. Увидав меня, Владилен Семенович попытался присесть. Я испугался:

— Пожалуйста, не шевелитесь. Надеюсь, вы уже лучше себя чувствуете?

— Голова, как после попойки, — пожаловался банкир, — чумная и кружится.

Я сел около Бурмистрова:

— Вам нужно срочно обратиться к врачу. Наверное, имеете личного доктора? Лучше всего вызвать его прямо сюда.

— Думаете, дело так плохо?

— Нет, нет, но консультация специалиста необходима. Давно с вами подобное происходит?

Владилен Семенович мотнул головой:

— Нет.

— А с чего началось?

— Не знаю. Просто в глазах темнеет, а потом ничего не помню. Накатывает припадками.

— Может, вы нервничали сильно? На работе неприятности?..

Бурмистров ухмыльнулся:

— В моем бизнесе приятности редко случаются! Финансисты стрессоустойчивы, это у нас профессиональное.

Я внимательно посмотрел на добродушное лицо Бурмистрова. Пришел сюда, чтобы любыми способами вытащить из него информацию о Григории, но, похоже, сейчас никакие серьезные разговоры с Владиленом Семеновичем вести нельзя.

— Но ведь что-то выбило вас из колеи. Может, вы принимаете тайские таблетки? Конечно, это не мое дело, но не могу вас не предостеречь. Это средство для похудания начисто гробит здоровье.

— Мне и в голову бы не пришло напихиваться дрянью, — ответил банкир, — я вообще не употребляю лекарств, здоров совершенно. Даже давление нормальное.

— Вам до недавнего времени было не свойственно поведение истеричной дамы?

— Конечно, нет.

— Но что-то случилось, и организм выдает нестандартную реакцию, — попытался я разобраться в произошедшем.

— Господи, — прошептал Бурмистров, — вдруг у меня опухоль в мозгу? Давит на какие-то центры — и вот результат.

— Сейчас нейрохирургия далеко зашла, — мигом воскликнул я, — сделаете операцию и забудете о приступах. Если полагаете, что у вас какие-то сбои в организме, тем более надо побыстрей обратиться к специалисту.

— Я боюсь, — по-детски прошептал Владилен Семенович. — Вдруг чего найдут?

— Недуг лучше давить в зародыше, и потом, извините, но вы не похожи на слабака. Насколько я знаю, руководите большим банком, мямля на вашем месте не удержится.

— Да, — кивнул Бурмистров, — господи, опухоль! Это явно она! Как я не догадался раньше! В глазах темнеет, слабость во всем теле, руки-ноги трясутся, потом темнота сгущается, и я не помню, что творю. Это точно онкология. Мне не выжить! Боже, за что? Еще ничего сделать не успел! Жениться все собирался! Думал о детях! Супругу себе искал! Не нашел! Зачем столько работал? Жизнь мимо прошла! Да я и не жил совсем. Господи, ну почему на мою долю это выпало?

На глазах Бурмистрова появились слезы. Я старательно улыбался, но испытывал тревогу. Похоже, несчастный толстяк и впрямь серьезно болен. Он ведет себя сейчас, как женщина при климаксе, но у дам переходы от гнева к слезам обусловлены гормональными сдвигами. Кстати о гормонах!

— Знаете, — я взял Бурмистрова за влажную, холодную ладонь, — никакой у вас опухоли нет. Это совершенно точно.

— Спасибо, конечно, — попытался справиться с рыданиями Владилен Семенович, — только я человек разумный и...

— Вовсе у вас ничего нет, — бодро воскликнул я, — могу объяснить, на чем основана моя уверенность. Уж извините, но приведу пример из вашей интимной жизни. Регину Коловоротову знаете?

Бурмистров слабо улыбнулся:

— Конечно, я ее квартирой пользуюсь, а вам об этом откуда известно?

— Сам иногда посещаю апартаменты и случайно нашел там однажды вашу визитку, — выкрутился я.

Владилен Семенович начал приобретать нормальный цвет лица.

— Я не женат, — пояснил он, — живу вместе с мамой. Она очень пожилая женщина, но вздорность характера и желание перепилить мне череп нотациями сохранила в первозданном виде. Любая женщина, приведенная мною в дом, вызывает у матери такой приступ истерики, что приходится ходить к Регине. Кстати, это очень удобно, пришел — ушел, никаких хлопот о всяких мелочах типа уборки и постельного белья — о них хозяйка думает. А вы почему к Коловоротовой бегаете?

— Не поверите, — улыбнулся я, — у меня та же ситуация, вздорная матушка. Наверное, следует ее окоротить, да окаянства не хватает. Так к чему я про Регину вспомнил. Похоже, вы импотенцией не страдаете?

— Нет, — развеселился Бурмистров и сел, — с чем, с чем, а с этим полный порядок, я резв, как в молодые годы.

— Опухоль мозга в первую очередь поражает у мужчин отдел, отвечающий за половую сферу! — уверенно соврал я, мне хотелось подбодрить беднягу банкира.

Владилен Семенович глубоко вздохнул:

— Вы уверены?

— Стопроцентно, — слукавил я, — можете не сомневаться. Скорей всего, у вас шалят сосуды или щитовидка подводит. Да, точно, она барахлит. Отсюда, простите, и избыток веса.

— Верно, — расслабился Бурмистров, — у меня заместитель есть, так вот он внезапно в разные стороны пополз и стал людям хамить. Я его к врачу погнал, и обнаружились какие-то гормональные сдвиги. Сейчас он снова стройный, приветливый. Боже, какой я идиот! Спасибо, Иван Павлович! Огромное вам спасибо.

— Не стоит благодарности.

— Вы на меня столько времени потратили, не поели.

Я улыбнулся:

— Собственно говоря, я сюда шел не обедать.

— А зачем?

— Поговорить с вами.

— Со мной? — удивился банкир.

— Уж извините, но опять про Коловоротову, понимаю деликатность вопроса...

— Ерунда!

— Вы порекомендовали ей некоего Григория?

— Григория? Григория... ах да!

— Не могли бы подсказать мне его телефон и адрес.

— Зачем?

Я замялся.

— Был у Регины утром и случайно забыл в прихожей мобильник. Позвонил Коловоротовой, велел ей забрать аппарат, а она сказала: «Сейчас апартаменты заняты, когда освободятся — непременно выполню вашу просьбу». Но после ухода гостя сотового она не нашла. Скорей всего, он по ошибке прихватил его с собой. Наплевать на сам мобильный, купить другой не проблема. Но там телефонная книжка, вот в чем катастрофа. Я наорал на Регину, ну и выдавил из нее информацию об этом Григории.

— Без проблем, — усмехнулся Бурмистров, — только, когда будете звонить, разговаривайте осторожней, у Гришки жена необычайно ревнива. Отелло рядом с Маргаритой ребенок. Дайте мне пиджак.

Я выполнил просьбу. Владилен Семенович выудил из внутреннего кармана телефонную книжку.

— Пишите. Арапов Григорий Юрьевич...

В это мгновение я сообразил, что при себе не имею ни блокнота, ни карандаша, и удрученно воскликнул:

— Погодите, схожу за ручкой.

Бурмистров снова пошарил в кармане пиджака и протянул мне золотую ручку с красным наконечником в виде бомбочки.

— Там, на столе, листы есть, — сказал он.

Не успел я записать цифры, как появился Илья.

— Владилен Семенович, — зажурчал он, — врач приехал, можно ему войти?

— Через минуту, — кивнул Бурмистров и протянул мне визитку. — Тут все телефоны, вон тот личный, известный очень узкому кругу людей. Звони, Иван Павлович, всегда буду рад помочь.

— Вот мои координаты, — произнес я, протягивая свою карточку.

— Спасибо тебе.

— Не за что.

— Уж извини.

— Не стоит даже говорить на эту тему, — улыбнулся я, — вы только непременно обследование пройдите.

Бурмистров кивнул, я направился к двери.

— Иван Павлович, — раздалось за спиной.

Пришлось обернуться.

— Слушаю.

Владилен Семенович протянул мне «золотое перо».

— У тебя же ручки нет, возьми.

— Спасибо, я ее в машине оставил.

— Ну пожалуйста, мне хочется сделать тебе подарок.

— Это слишком дорогая вещь!

— Пустяки, — отмахнулся Владилен Семенович, — я ее не покупал, клиент мне вручил. Помог ему кое в чем, вот парень и приволок подарок. Протянул и сказал: «Пусть принесет вам удачу». Я теперь ее тебе передариваю с теми же словами: «Пусть принесет Ивану Павловичу удачу». Не отказывай мне, от души ведь.

Я взял презент. Если честно, я великолепно обхожусь самыми обычными пластмассовыми ручками со стержнями. На мой взгляд, очень удобная штука, закончилась паста, выбрасываешь спокойно. Да и потерять такую совсем не жаль. А золотая ручка — это в основном для тех, кто любит выпендриться!

Но обижать Владилена Семеновича мне не хотелось, поэтому я взял подарок, сунул его в карман пиджака и ушел.

Телефон, который дал мне Бурмистров, оказался домашним, трубку сняла женщина, мигом поинтересовавшаяся:

— Кто его спрашивает?

— Иван Павлович Подушкин.

— По какому вопросу?

— Ну, — слегка растерялся я, — связанному со службой.

— А именно?

— В двух словах трудно объяснить, речь идет о бизнесе.

— Считаете меня дурой, не способной к умственной деятельности? — вскипела собеседница.

— Ну что вы, — попытался я успокоить даму, — и в мыслях ничего подобного не держал!

— Знаю, знаю! — заорала та. — Гришка всем говорит, что я идиотка, ничего не вижу, не слышу, не понимаю. Нашел дуру! Тебя Ленка подослала, да? Ага! Вот с кем сейчас Гришка!

— Вы не так меня поняли...

— Передай этой..., что Гришка мой! — вопила, как сирена, тетка. — Нечего к нему лезть! Небось уж губы раскатала и мужика получить, и квартиру, и дачу... Не фига! Обломается! Не смей сюда звонить...

Телефон обиженно запищал.

Я очумело потряс головой. Иногда мне, как и прочим мужчинам, приходят в голову мысли о создании семьи. Хочется уюта, домашних обедов, мило щебечущей супруги, кроме того, я испытываю потребность о ком-то заботиться, защищать при столкновении с жизненными невзгодами. Но все благие намерения рассыпаются в прах, когда смотришь на то, каких женушек нашли себе другие мужчины. Ей-богу, этого Гришу стоит пожалеть, тяжелая жизнь у парня.

Мобильный резко зазвонил, я вздрогнул. Вдруг у этого Григория дома стоит определитель номера и сейчас его вздорная жена начнет терроризировать меня. Но на том конце провода оказалась Николетта.

— Вава, — прощебетала она, — ты скоро приедешь?

— Уже в пути.

Маменька захихикала:

— Хорошо, поторопись.

Я насторожился.

— Ну... неважно! Не задерживайся, — загадочно ответила Николетта и отсоединилась.

Полный дурных предчувствий, я порулил домой. Скорей всего, сейчас мне не дадут спокойно покайфовать в кресле с любимой книгой. Заставят ехать в круглосуточно работающий магазин или отправляться на вечеринку.

Дверь мне открыла сама Николетта, облаченная в голубую шелковую пижаму.

— Вава, — взвизгнула она, — ты слишком много работаешь!

— Так уж выходит, — осторожно ответил я.

— Ступай ужинать, небось весь день голодным ходишь.

Я насторожился. У Николетты приступ любви к сыну? Тогда дело плохо. Сейчас она минут пять будет демонстрировать исключительную заботу о моей скромной особе, а потом закатит вселенский скандал с рефреном «Ты мало уделяешь матери внимания». Николетта устроена таким образом, что ей ежедневно просто необходимо либо уйти на пару часов из дома, либо принять у себя толпу гостей. Находиться в одиночестве маменька не умеет и не желает. Все милые женские хобби типа разведения цветов, вязания, шитья и готовки обошли ее стороной. Николетта была и остается светской дамой, способной лишь прыгать по вечеринкам. Иногда мне кажется, что баснописец Крылов, создавая культовую басню про стрекозу и муравья, фатально ошибся. На самом деле финал был другим. Ветреная прелестница вышла замуж за трудолюбивого зануду и капитально испортила тому жизнь, заставив слишком правильного мурашку оплачивать свои новые платья и драгоценности.

— Немедленно мой руки, — суетилась Николетта, — живо, живо, и ступай в столовую.

Я подчинился приказу, ополоснул ладони, вошел в комнату, обставленную тяжелой дубовой мебелью, и сел за стол. Маменька многократно рассказывала всем о том, что в нашей квартире находятся антикварные раритеты, доставшиеся ей от прабабки.

— На этих креслах сиживал сам Александр Первый, — восклицала она, — мои предки служили при дворе, общались с царями.

Я, естественно, никак не комментирую эти высказывания, но очень хорошо знаю, откуда прибыли сии гарнитуры. Из комиссионного магазина. Когда родители переехали в эту квартиру, Николетта сначала пала жертвой моды и обставила ее «по-современному», креслами, столиками на паучьих ножках, раскладными диванами и хлипкими шкафчиками. Но потом она кардинально поменяла стиль, вот с тех пор у нас и громоздится «мебель предков».

— Ешь с хлебом, — тараторила Николетта, — завяжи салфетку, положи масло, а лучше сметану. Дай помешаю салат. Фу, какой ты неаккуратный.

Я внимательно посмотрел на маменьку. Выглядит она самым обычным образом. На слишком худощавом теле роскошная шелковая пижама стоимостью... Ладно, не будем о грустном. В ушах покачиваются хорошо знакомые мне бриллиантовые сережки, пальцы унизаны сверкающими кольцами, холеное лицо покрывает ровный слой макияжа. Но что-то с ней не так! Что? Николетта никогда раньше не перемешивала салат. И ей не свойственна длительная забота о сыне. Как правило, маменька способна лишь на мимолетное проявление внимания: либо она велит мне идти в ванну, либо предлагает поесть, но чтобы одновременно и то и другое... Ей-богу, странно.

— Как у тебя дела? — осторожно спросил я и почувствовал на зубах песок. Тася опять плохо помыла листья рукколы, сунула весь пучок под струю, не разобрала его на листья.

— Прекрасно, — взвизгнула маменька, — а у тебя, деточка? Устал?

Вилка выпала у меня из рук. «А у тебя, деточка? Устал?» С ума сойти! Что это с Николеттой?

Пока я пытался прийти в себя от изумления, маменька быстро нагнулась, подобрала столовый прибор и положила его на стол, не произнеся раздраженно любимую фразу: «Вава! Весь в отца! Даже поесть нормально не можешь!»

— Хочешь какао? — вдруг спросила Николетта.

И тут до меня дошло.

— Мэри, это вы!

Тетка захихикала.

— Фокус не удался, факир был пьян! Нико, иди сюда!

В комнату влетела Николетта в красном брючном костюме.

— Экая ты, — укорила она сестру, — не сумела его обмануть.

— Он сначала поверил, — отбивалась Мэри.

— Ага, на пять секунд.

— Нет, больше.

— Пять секунд! — упрямо повторила маменька, но Мэри не уступала сестре.

— Нет, больше.

— Пять секунд.

— Нет, больше.

— Пять секунд!!

— Больше!!!

— Пять!!!

У меня закружилась голова. Милые дамы внезапно прекратили трясти друг друга и налетели на меня.

— Немедленно объясни, почему ты догадался! — завопила Николетта.

— Да, признавайся, — потребовала Мэри.

Я заулыбался:

— Ну...

— Не мямли!

— Прекрати жевать мочалку!

— Живо объяснись!

— Фу! Слова сказать не может!

— Что за дурацкая манера бубнить себе под нос!

Наверное, следовало заявить прелестницам: Николетта никогда не бывает заботливой по-настоящему, но я отчего-то постеснялся сказать правду и быстро заявил:

— У Мэри слегка темнее оттенок волос.

Дамы бросились к комоду, над которым висело большое зеркало.

— Не может быть, — хором заявили они.

Воцарилась тишина. Потом Николетта взвизгнула:

— Вава, собирайся!

— Куда? — оторопел я.

— Едем красить волосы.

— Но уже поздно.

— Ничего, мастер задержится, — заверещала Николетта, — немедленно звони Рите.

— Однако...

— Вава!!!

Рука сама собой схватила телефон. Капитализм, установившийся в России, принес лично мне много неудобств. В советские времена цирюльни закрывались в четко установленное время и никакие ваши мольбы не могли заставить мастера задержаться на работе. Увы, сейчас все обстоит по-другому. Милая девочка Рита услужливо будет ждать клиенток хоть до утра.

Глава 9

Николетта и Мэри влетели в салон, чуть не сбив с ног охранника.

— Рита! — заорала маменька. — Ты где?

Хорошенькая стройная рыжеволосая девушка подбежала к ресепшен.

— Здравствуйте, здравствуйте, — радостно защебетала она, — я очень рада. Только вчера думала, вроде вам краситься пора...

Я сел в кресло, стоящее у большого окна-витрины, и вынул сигареты. Тут же подскочила еще одна хорошенькая, на этот раз не рыженькая, а черноволосая девочка и спросила:

— Чай, кофе не желаете?

— Нет, мой ангел, — покачал я головой, пытаясь вспомнить, как зовут симпатягу. Такое необычное, восточное имя... А! Гаянэ!

— Просто здорово, что выбрали время, — тараторила тем временем Рита, вытаскивая из шкафа два безукоризненно белых и идеально отглаженных кимоно, которые тут надевают на клиентов, чтобы те, не дай бог, не испачкали свою одежду.

Я спокойно обозрел зал. Уже почти десять вечера, но, похоже, никто из работников не собирается уходить домой. Маникюрша Ира старательно пилит ногти размалеванной девчонке, стилист Дима бегает с феном в руках вокруг какой-то пожилой особы, стайка девушек с ресепшен разносит кофе и чай. И все цветут улыбками. Интересно, им на самом деле приятно или это профессиональная вежливость вкупе с желанием заработать?

Я тяжело вздохнул и взял из корзинки, стоящей у моих ног, глянцевый журнал. Нет, скорей всего, здесь просто подобрались приятные люди. Лично я бы заплакал при виде клиентки типа Николетты.

Высокий, въедливый голос маменьки летал над залом:

— А здесь следует сделать так! Нет, не берите синий шампунь! Не спорьте, я лучше знаю!

— Может, выпьете чайку? — снова подскочила ко мне Гаянэ. — Ждать долго придется. Могу вам из кафе ужин принести. У них сегодня курица вкусная. Или сгонять за суши? С угрем такие классные и некалорийные!

— Спасибо, душенька, — улыбнулся я.

Девочка, сверкнув белозубой улыбкой, убежала. Я посмотрел ей вслед. Достанется же кому-нибудь такая радость: Гаянэ приветлива, красива, воспитанна и хочет сделать вам приятное не из желания получить чаевые, а от доброты характера.

— Вы льете мне на голову кипяток! — заорала Николетта.

— Ну просто безобразие! — мгновенно раздвоился ее голос.

Я вздрогнул, никак не привыкну, что маменек

двое. Правда, Мэри вроде не так избалована и капризна, впрочем, скорей всего, я просто ее не знаю как следует.

— Да что с вами сегодня, — негодовала маменька, — не видите, вода по спине течет!

Я встал, подошел к ресепшен и спросил у хорошенькой блондиночки с сережкой в носу:

— Полина, скажите, Николетта останется тут надолго?

— Ну, как всегда, — кивнула девочка, — два с половиной часа.

— Пойду пока пройдусь. Если что, позвоните на мобильный.

— Конечно, Иван Павлович, ступайте, — закивала Полина, — только, если покушать желаете, идите в наше кафе, жара в городе, не стоит в незнакомом месте ужинать.

— Я просто хотел подышать воздухом.

Полина засмеялась:

— Воздухом! Вот уж чего на Тверской не найти! Птичье молоко есть, а кислорода — ни за какие деньги не сыскать!

Я улыбнулся ей в ответ, у девочки замечательный смех: звонкий, как колокольчик.

— Значит, пойду дышать бензиновыми парами.

Полина засмеялась громче, неожиданно у меня стало легко на душе. Может, и правда существует такая вещь, как энергетика? Пришел я в салон уставшим, а посидел тут чуток, полюбовался на приветливые, улыбчивые лица и получил заряд отличного настроения и бодрости.

По Тверской, несмотря на поздний час, текла говорливая, разноцветная толпа. Нынешним летом даже мужчины влезли в голубые, розовые, красные брюки, а уж от футболок и вовсе рябит в глазах. То, что еще пару лет назад считалось кичем, теперь вошло в моду: яркие картинки на майках, обувь и пиджаки, усыпанные стразами, сочетание зеленого и фиолетового вкупе с бордовым...

Я добрался до сквера, сел на скамейку, вынул мобильный и набрал телефон Гриши.

— Да, — ответил раздраженный голос.

— Позовите, пожалуйста, Григория Юрьевича Арапова.

— Я у аппарата.

— Ваш номер дал мне Владилен Семенович Бурмистров.

— Слушаю.

— Уж извините, разговор не телефонный.

— И что?

— Не могли бы мы встретиться?

— На предмет чего?

— Мне надо задать вам один вопрос.

— Вам надо, а мне нет. С какой стати я попрусь болтать неизвестно с кем!

— Могу сам приехать сейчас к вам.

— Еще чего! О чем речь? О повидле?

— Простите?!

— Если вы решили купить джем, то мы...

— Нет, — вздохнул я, — ваш визит к Регине Коловоротовой...

— К кому?

— Регине Андреевне Коловоротовой.

— Это кто?

— Владелица дома свиданий.

— Что?!

— Григорий, очень хорошо понимаю, что никакие серьезные разговоры сейчас вы вести не можете, рядом стоит жена. Но, если не согласитесь... — строго сказал я.

— Что за дурь! — взвыл Арапов. — Вы на мобильник звоните! Вообще-то я еще в офисе парюсь!

Я растерялся:

— Но утром я набирал этот номер и нарвался на

женщину, которая сначала сообщила, будто вас нету, а затем, решив, что меня попросила позвонить некая Лена, рассвирепела, аки лев!

Гриша крикнул:

— Во блин! Я в ванной небось брился, а Ритка мобилу схватила, вечно она меня поймать хочет. Так в чем дело? Какая Регина? Что за свидания? Ничего не знаю.

— Ну хоть о Бурмистрове слышали? — с легкой ехидцей спросил я.

— Конечно, — не заметил издевки Григорий. — Владилена Семеновича всякий знает.

— Бурмистров просил оказать мне содействие. Если вас не затруднит, назовите адрес своей конторы, мигом прикачу и много времени не отниму.

— Так, — рявкнул Гриша, — давайте номер телефона и представьтесь.

Узнав мои паспортные данные, Арапов отсоединился, успев буркнуть на прощанье:

— Трубу не занимай.

Держа мобильный в руке, я вновь принялся разглядывать толпу. Завидую ли я сегодняшним молодым? Да, ужасно. У них намного больше возможностей, чем у нас, они более свободны, раскованны, способны смело сказать «нет» тем, кто пытается подмять их. Я же был взращен в жестких ограничениях, моя юность состояла из одних частиц «не». Неприлично курить на улице, нельзя не работать, невозможно поехать за границу отдыхать, не достать любимых книг, хорошей одежды и качественных продуктов, неприлично быть богатым. Люди, перешагнувшие пенсионный рубеж и вспоминающие с глубокой тоской приснопамятные времена, старики и старухи, размахивающие флагами и транспарантами с надписями «Хотим в СССР», не понимают двух простых вещей. Они наивно полагают, что вместе с советским строем к ним вернется здоровье, вырастут потерянные зубы, закудрявятся волосы, нальются силой мышцы. Но этого не случится, никакой коммунистический лидер не сумеет реставрировать молодость. И второе. Заставив всю страну жить на грани нищеты, дав людям грошовые оклады, отняв у них возможность ездить в другие страны, чтобы те не сравнивали свои условия жизни с чужими, усиленно вдалбливая в головы несчастных «совков» постулат: «Бедность лучше богатства, все, кто имеет деньги, — воры и негодяи», сами правители вели совсем иной образ жизни. Я большой любитель мемуарной литературы и с интересом читаю воспоминания жен ближайших соратников Ленина и Сталина. Дамская проза более откровенна, чем мужская. Если политические деятели описывают в своих дневниках встречи, переговоры, протокольные мероприятия, то их супруги дают иную картину жизни. Захлебываясь от восторга, они пишут о Париже, Берлине, Лондоне, о роскошных магазинах, покупках, о том, как их баловали мужья, даря шубы и драгоценности. В СССР десятки, сотни тысяч крестьян попали в лагеря за крынку молока, унесенную домой с колхозной фермы для голодного ребенка, или за десяток колосков, подобранных на общественном поле. А дочка высокопоставленного папочки строчила в дневнике: «28 сентября 1939 года. Мы с мамочкой в Париже. Это роскошный город, жаль, что нельзя тут остаться навсегда. Большие бульвары волшебны, я съела вчера килограмм засахаренных каштанов и сегодня отказалась от завтрака, смогла лишь выпить кофе с булочками. Сейчас поедем в магазин, он закрыт для простых посетителей, в Париже умеют принимать интеллигентных людей, вот у нас пока такого нет, мы вынуждены брать платья в распределителе, а там никакого выбора, ужас! Я так и сказала маме: «Хоть убей меня, а не надену ни одну вещь, привезенную из Москвы, я в них отвратительно выгляжу. Просто стыд»[1].

Что же касается лозунга: «Богатство — порочно», то я очень хорошо знаю, отчего коммунисты усиленно внедряли его в массы. Социалистические лидеры хорошо понимали: народ следует стричь под одну гребенку, иначе еще, не дай бог, думать начнут.

Когда человек беспрестанно размышляет о том, как бы прокормить семью, он не способен ни к какой другой умственной деятельности. Тот, кто сумел своим трудом, подчеркиваю, трудом, а не воровством, скопить капитал, достоин уважения, он...

Сотовый завибрировал. Я поднес его к уху. Эк тебя занесло, Иван Павлович, думай не о мировых проблемах, а о том, как побыстрей найти убийцу Риммы Победоносцевой.

— Сретенский бульвар, — сухо сказал Григорий, — за полчаса доберетесь? Если нет, то завтра!

Я встал со скамейки.

— Нахожусь возле кинотеатра «Пушкинский», мне тут две минуты ходу.

Кабинет у Григория был обставлен с купеческой помпезностью, повсюду деревянные панели, позолота, кожа и мозаика из перламутра. Но самое шокирующее впечатление производил письменный прибор: огромные куски мрамора, украшенные бронзовыми фигурками античных богов и богинь. Скорей всего, сия поделка стоила бешеных денег, но посетителю, впервые перешагнувшему порог кабинета Арапова, могло показаться, что на столешнице устроено кладбище, этакий старинный погост, нечто типа Новодевичьего или Ваганьковского мемориального комплекса.

— Что за чушь! — забыв поздороваться, восклик-

---

[1] Подлинная цитата из книги воспоминаний.

нул хозяин, поднимаясь из рабочего кресла. — Дурь полная! Бурмистров попросил отдать вам мобильный! У меня его нет! Бредятина какая-то!

Не дожидаясь приглашения, я опустился в одно из помпезных кресел, подлокотники которого были выполнены в виде бронзовых орлов с распростертыми крыльями, и вежливо сказал:

— Григорий Юрьевич, разрешите представиться, Иван Павлович Подушкин, частный детектив. У меня к вам есть пара вопросов.

— С какой стати вы приперлись сюда? — начал краснеть Арапов. — Не желаю иметь дело с мусорами!

— Я представляю не государственную структуру, а частную.

— Хрен редьки не слаще.

— Вы приходили к Регине Андреевне Коловоротовой?

— Первый раз про такую слышу, — взвился Григорий.

Я решил не обращать внимания на его хамство и спокойно задудел в свою дуду.

— Вы пригласили к Коловоротовой Римму Победоносцеву, проститутку.

Гриша крякнул.:

— Слышь, ты, наверное, того... Мне и в голову не придет подбирать на дороге сопливок. Нет никакой необходимости, я женатый человек.

— А откуда вы знаете, что Римма стояла на шоссе?

— Ничего я не знаю!!

— Секунду назад обронили фразу: «Мне нет необходимости подбирать на дороге сопливок». Отчего вы решили, что речь идет о дороге?

— А где их еще находят? Где? А? — вскипел Арапов. — Ясное дело, в подворотне. Какого черта вы вообще явились?

— Победоносцеву убили, — сообщил я, — на квартире Коловоротовой. Она, проститутка, ехала на свидание к вам. И, несмотря на то что вы загримировались, приклеили бороду, усы, натянули парик и нацепили очки, доказать вашу вину будет легко. Нож, которым вы убили ее, остался на месте, и еще там, в апартаментах, куча улик.

Григорий начал судорожно моргать.

— Вы сумасшедший, — выдавил он наконец, — я слыхом не слыхивал ни о какой Коловоротовой.

— Полноте, — улыбнулся я, — Григорий Юрьевич, вас же к Регине Андреевне Бурмистров отправил.

— Нет!

— Вы ему звонили!

— Нет!!!

— Ей-богу, глупо отпираться.

Арапов внезапно перестал злиться.

— Дурацкая ситуация, — вполне нормальным тоном сказал он, — идиотская, кретинская. Ни о чем таком я не просил Владилена Семеновича.

— Кто же звонил ему?

— Понятия не имею. Просто кто-то воспользовался моим именем.

— Зачем?

— Спросите у него.

— И Владилен Семенович не понял обмана? Голос-то был не ваш.

— Мы тесно не общаемся, — объяснил Арапов, — очень редко беседуем по телефону, Бурмистров, скорей всего, и не помнит, как звучит мой голос. Мужик сказал: я Арапов. Владилен Семенович и не усомнился.

— Да? — протянул я. — Интересно.

Григорий покрутил в руках скрепку, сломал ее, швырнул остатки на пол и вздохнул:

— Ну ладно, вижу, от вас так просто не отделаться! Всю прошлую неделю я был в Питере, на конкурсе красоты. Грешен, люблю женщин, здесь мы с

Бурмистровым два сапога пара. Я спонсор мероприятия под названием «Мисс обаяние». Жена у меня ревнивая сверх меры, вот и солгал ей, будто улетел в Надым по делам бизнеса, а сам в Питер. Имею я, в конце концов, право на отдых?

— Безусловно.

— Прибыл лишь сегодня утром.

— Вас в Северной столице кто-нибудь видел?

Арапов засмеялся:

— Да полно народа, человек сто, могу многих назвать. Более того, в тот день, о котором вы ведете речь, мы катались на пароходе, ночевали там. У меня стопроцентное алиби, в каюте находилась девушка. Честно говоря, мне не слишком приятно трепать ее имя, но уж если речь идет об обвинении в убийстве... Ищите виноватого в другом месте.

— И где? — растерянно спросил я.

Арапов пожал плечами:

— Вам видней, я не специалист в таких вопросах. В окружении Бурмистрова кто-то знает, где проводит досуг Владилен Семенович, и тоже решил воспользоваться квартиркой.

— Но эта личность должна знать и вас, — протянул я, — быть в курсе ваших хороших отношений и иметь уверенность в том, что Владилен Семенович станет с ним разговаривать, если он представится Араповым.

— Действительно, — протянул Григорий.

— И кто бы это мог быть?

— Понятия не имею.

— Подумайте!

— С какой стати терять время на дурь? Это не моя проблема.

Я хотел было сообщить Арапову о том, что милиция тоже ведет поиски убийцы, и вполне вероятно, следователь Роман Андреевич доберется до Григория Юрьевича, и тогда жди беды. Жена Арапова узнает о конкурсе красоты и покажет муженьку небо в алмазах. Но только я приготовился к длительному монологу, как дверь без стука распахнулась, и в кабинет, окруженная облаком дорогих духов, влетела девушка необыкновенной красоты, одетая в мини-юбочку и обтягивающую кофточку, очень короткую, открывающую всем пупок с пирсингом.

Глава 10

— Гри-гри, — капризно протянула она, — ну сколько можно? Я кушать хочу!

— Сейчас, — ласково сказал Григорий, — погоди минутку.

— Больше часа сижу! — ныла красотка. — Сначала один клиент пришел, потом второй, теперь третий. Гри! Я устала.

— Уже освобождаюсь.

— Гри! Ты меня не любишь.

Арапов усмехнулся:

— Просто обожаю, видишь, Иван Павлович уже уходит.

Незнакомка уставилась на меня бездонно голубыми глазами, и я вдруг понял: она старше, чем мне показалось сначала.

— Гри! Он сидит! — возмутилась красавица.

— Уже встает.

— Гри! Он не двигается.

— Все, милая!

— Гри! Он молчит!

Что мне оставалось делать? Опершись о чудовищные подлокотники, я стал медленно подниматься, и тут дверь снова распахнулась. В кабинет влетела женщина, нет, простите, бабенка, баба, бабища, целый центнер живого веса, впихнутый в чудовищный ярко-красный сарафан с люрексом. Тонкая ткань туго обтягивала кусок мяса, тут и там под тканью бугрились валики жира. Толстые коленки торчали из-под подола. Ей-богу, некоторые прелестницы специально покупают уродующую их одежду. Если натянуть на эту водонапорную башню свободную тунику длиной почти до щиколоток, то она, может, приобретет более приличный вид. Хотя вряд ли, сначала ей надо посидеть на диете, сходить в парикмахерскую и научиться пользоваться косметикой.

— А-а-а, — завопила нежданная гостья, — сука, дрянь, скотина!

— Рита, — воскликнул Григорий, — ты зачем приехала?

— А-а-а! Зачем? Затем! Поглядеть!

— Сядь и успокойся, — велел муж.

— Я? Я? Я? — заталдычило чудище, надвигаясь на испуганно вжавшуюся в стену девушку. — Ты тут со шлюхами трахаешься!

— Рита! — взвыл Гриша. — Ты с ума сошла.

— Потаскун! А она б...! ...! ...!

Девчоночка пискнула и стала в панике озираться. Маргарита схватила со стола мраморную подставку для карандашей, размахнулась... Гриша и девушка отреагировали одинаково, они моментально присели, прикрыв голову руками. Я же подлетел к буянке, крепко ухватил ее за локти и спросил:

— Маргарита, кто дал вам право оскорблять мою жену?

Туша замерла, потом, слегка снизив тон, спросила:

— Жену?

— Ну да, — кивнул я, — просто безобразие! Я пришел к Григорию Юрьевичу с разговором о вагоне повидла, прихватил с собой Машеньку, тут налетаете вы, сыплете оскорблениями...

Рита растерянно глянула на девушку, потом, ткнув в нее толстым пальцем с перстнем, рявкнула:

— Это кто?

— Ж... ж... ж... — затряслась красавица, — ж... ж... ж...

Ее по-детски пухлые щечки покраснели, красиво изогнутые губки искривились, у крошки начиналась истерика.

Я подошел к ней, обнял и, подталкивая к двери, с чувством сказал:

— Мы покидаем сей негостеприимный кабинет.

— Ага, — выдавил из себя Гриша.

— Навсегда.

— Угу.

— Никаких сделок с вами более иметь не хотим!

— Понятно.

— Нас оскорбили.

— Да, да.

Рита растерянно молчала, а девушка вдруг решила выступить, она разинула ротик:

— Гри! Не...

Но я сильным толчком выпихнул дурочку за дверь и поволок по коридору.

На улице красавица обрела дар речи.

— Ты с ума сошел! — взвизгнула она.

— Тебя как зовут?

— Маша.

Надо же, я случайно угадал.

— Я тебе не жена! — воскликнула идиотка.

— Конечно.

— И не собираюсь никуда ехать!

— Естественно!

— Гри!

— Хочешь вернуться? — прищурился я. — Ступай, там как раз сидит жена твоего Гри. Можешь сообщить ей, что я ее обманул. Только если думаешь, что Гри после этого позовет тебя под венец, то жестоко ошибаешься!

— Больно надо, — фыркнула Маша, — я есть хочу! Покорми меня ужином. Только, имей в виду, по забегаловкам я не хожу.

В моем кармане затренькал мобильный.

— Иван Павлович, — устало сказал Гриша, —

ступайте в казино через дорогу, там сбоку, с правой стороны, есть VIP-вход, скажете, Арапов кабинет заказывал. Уведите, пожалуйста, от входа в офис Машку. Рита пошла умыться, отправлю ее домой с шофером и к вам присоединюсь.

Я взял Машу за костлявый локоток.

— Пошли.

— Куда? — закапризничала красотка.

— Ужинать.

— Место приличное? Соответствует моему статусу?

— Стопроцентно, — заверил я, — элитное казино.

— Ладно, — смилостивилась Маша, — где машина?

— Заведение в двух шагах, пешком дойдем.

— Где?

— Вон, через улицу.

— Офигеть! Только на авто, — уперлась Маша.

Вот противное создание! Но годы жизни при Николетте научили меня справляться с подобными ситуациями.

— Как хочешь, дорогая! — воскликнул я и указал на одну чужую машину, припаркованную чуть поодаль. — Вон мой кабриолет, доставлю в лучшем виде.

Маша проследила за моим пальцем.

— «Ока», — взвизгнула она, — ты смеешься?

— Нет, — стараясь сохранить серьезность, ответил я, — на другую пока не заработал.

— «Ока»?!

— Ну да.

— Мне на ней ехать?!

— Ты не хочешь ведь прогуляться. Я не спорю с дамами, занимай место в «Оке».

— Лучше пешком, — заявила дурочка.

— Как пожелаешь, просьба красавицы для меня закон.

Покачиваясь на высоких каблуках, Маша поковыляла к подземному переходу.

— Офигеть, — бубнила она себе под нос, — надеюсь, никого из знакомых не встречу! «Ока»! Отвратительно.

Я спокойно шел рядом, заботливо поддерживая под локоток тщедушное тельце. Ну почему некоторым мужчинам нравятся кости, обтянутые кожей? Грудь, правда, у Маши красивая, пышная, ее хорошо видно в слишком низком вырезе кофтенки, но внутренний голос мне подсказывает: шикарный бюст дело пластического хирурга, Машеньке вставили силиконовые протезы. Лично мне не доставляет никакого удовольствия нежно гладить две резиновые клизмы. Может, я становлюсь брюзгой? Другие-то мужчины в восторге и даже посылают своих дам на операцию по увеличению груди. Я же пребываю в старомодной уверенности, что не с лица воду пить. Конечно, лестно иметь около себя молодую красавицу, ну так — день, месяц, полгода... Потом она надоест, придется либо менять ее на новую, такую же силиконовую, либо подыскивать нормальную спутницу, женщину не модельной внешности, без накладных прелестей, обычную, которая не предаст, не продаст, родит детей и станет тебе лучшим другом и опорой.

Оказавшись в небольшом уютном помещении, где стоял накрытый на четверых столик, Маша плюхнулась на длинный диван и принялась листать меню.

— Фу! У них одну гадость подают, — заныла она, — хочу спаржу на пару! Закажи!

— Ее нет в карте.

— Ну и что? Пусть сгоняют в магазин, купят и приготовят, другое есть не стану, — куксилась красотка, — ой, Гри! Зачем мы сюда пришли! Гри!

Только что вошедший Григорий упал на стул,

потом схватил минералку, одним махом выдул воду прямо из бутылки и с чувством сказал:

— Спасибо тебе, спас меня.

Я улыбнулся:

— Всякое бывает, сам один раз в форс-мажорную ситуацию попал.

— Гри! Хочу спаржи, — не успокаивалась Маша.

— Сейчас принесут.

— Ее нет в меню!

— Тогда возьми морские гребешки.

— Не-е-е, — надула губки Маша.

— Дорадо на пару.

— Гри!

— Или улитки.

— Блевотина!

— Тогда черную треску, маринованную в шампанском.

— Га-адость.

— Десерт закажи.

— Гри! От них толстеют! Фу! Хочу спаржу-у. Гри! Вели достать!

Я с интересом наблюдал за Араповым. Интересно, сколь велико терпение парня? Когда он треснет Машу по кумполу пустой бутылкой из-под воды?

— Гри! Спаржу-у! С трюфелями-и-и!

Арапов вытащил бумажник.

— На, иди в общий зал, поиграй!

— Вау! — оживилась Маша. — В покер!

— Лучше в автоматы.

— Гри-и!

— Ладно, ступай куда хочешь, — сдался любовник, — покер так покер. Три раза продуешь и возвращайся.

— Противный Гри! Кто ж такое под руку говорит!

— Иди, иди, оттянись.

Маша выскользнула за дверь, Григорий схватил вторую бутылку.

— Как только вы их выносите, — вырвалось у меня.

Арапов улыбнулся:

— Машку и Риту? Сам не понимаю.

— Но зачем живете с ними?

Григорий потянулся к корзиночке с хлебом.

— Рита ревнива до умопомрачения. Просто взрыв гранаты. Бабах — и все в ошметки. Но мой бизнес начинался на деньги тестя. Кстати, в молодости Ритуля была красавицей, располнела она после операции, детей родить из-за нее не смогла и превратилась в жирный окорок. Конечно, она покушать любит, но в основном виновата гормонотерапия. Вся надежда на один препарат, называется ксеникал. Один мой приятель, боров, купил пару упаковок и в кипарис превратился. И что самое интересное, мы посоветовались с врачом, и он нам тоже ксеникал посоветовал. Говорит, это новое эффективное средство — и действует очень просто: съел ксеникал вместе с сытным обедом или ужином, и весь жир из тебя вышел. Может, оно и Ритке поможет? Бросить супругу мне совесть не позволяет, хотя жить с ней тяжело. Но Рита очень умна, она дает крайне дельные советы и, по сути, давно является моим компаньоном. Официально приводить ее на фирму не хочу, мигом лишусь мелких радостей вроде Маши, понятно?

— В отношении жены да, но эта Маша?

— Она дура, и с ней отлично отдыхать, у самого в мозгах ни одной мыслишки не остается, — засмеялся Гриша, — ума мне и дома хватает, а с такой, как Машка, просто и забавно. Она манекенщица, при агентстве состоит, «Стиль жизни» называется. Надеется во вторую Водянову превратиться. Но, думаю, ничего у нее не получится, в результате выскочит замуж, обабится. Девочек в «Стиле жизни» много, надоест Маша, поменяю. Ладно, фиг с ними, с бабами, ты мне еще раз расскажи: в чем дело?

Я открыл было рот, но тут появилась страшно расстроенная Маша:

— Гри! Я проиграла!

— Эка печаль, не в первый раз, — утешил дурочку любовник, — садись и ешь.

Маша, всхлипнув, устроилась за столом и принялась методично ощипывать гроздь винограда, глаза ее уставились на экран телевизора, где носился патлатый парень с гитарой.

Я захлопнул рот.

— Говори, — махнул рукой Гриша, — при ней можно, уж поверь, у Маши в голове вакуум, пустота, она ни хрена не понимает, а когда в телик уставится, и вовсе последние крохи ума теряет.

Пока он давал оценку своей спутнице, та начала тихонько подпевать:

— Та-та-ля-яля-ля...

Я улыбнулся, похоже, Григорий прав, Маша нечто вроде мебели, вы же не боитесь, что кресло разболтает ваши секреты?

Некоторое время мы с Гришей обсуждали создавшуюся ситуацию. На этот раз Арапов проявил полнейшую доброжелательность и искренне пытался помочь мне. Но как он ни старался, так и не сообразил, кто мог воспользоваться его именем. Маша нам, как ни странно, не мешала, она была занята сначала телевизором, а потом ужином. Забыв про спаржу, красавица слопала дораду и принялась за ананас.

Я же, устав от бесконечно повторяемого Гришей вопроса: «Ну что за падла мою фамилию назвала?», подвел итог беседы:

— Значит, ничего путного в голову не приходит?

Гриша развел руками:

— Нет. Одно обещаю точно: если додумаюсь, сразу тебе позвоню.

Я кивнул, попрощался с бизнесменом и двинулся к выходу. Но в тесном коридоре мне неожиданно стало нехорошо. Пол в помещении устилал темно-красный ковер, стены были обтянуты бордовой тканью, на потолке мерцали маленькие галогеновые лампочки, а еще здесь странно пахло, то ли духами, то ли свежей выпечкой. Аромат казался приятным, но у меня жутко закружилась голова. Чтобы не упасть, я схватился за стену. Вот незадача! С чего бы мне валиться в обморок?

В конце коридора показался мужчина, одетый в черный костюм и белую рубашку. Почти бегом он кинулся ко мне.

— Вам плохо?

Наверное, в VIP-зоне было установлено видеонаблюдение, и секьюрити заметил на мониторе перекошенное лицо гостя.

— Уже ничего, — пробормотал я, ощущая, как отступает липкая дурнота, — первый раз со мной такое.

— Вызвать врача?

— Нет, спасибо, лучше покажите дорогу в туалет.

— А вот он тут, за дверкой.

Я оглядел две одинаковые створки.

— Мужской где?

— Без разницы, занимайте свободную кабинку, — улыбнулся охранник.

Я толкнул тяжелую, сделанную из натурального дуба дверь и вошел в клозет. Белый с золотом кафель, роскошный умывальник, дозатор с жидким мылом, коробка с бумажными полотенцами, ящик с одноразовыми кругами для унитаза и какое-то дамское барахло...

— Ты меня слышишь? — раздался за спиной мелодичный, очень знакомый девичий голос.

Я вздрогнул и обернулся. Никого.

— Я в казино, — снова прозвенело сопрано, — да, с идиотом. Луис, у нас проблема. Большая. К Григорию сейчас приходил какой-то странный мужик, представился частным детективом.

Мое тело окаменело, а мозг моментально оценил ситуацию. Я вошел в одну кабину, а во вторую чуть позже влетела Маша. Это был ее голос, только сейчас из него самым волшебным образом исчезли капризные нотки.

— Я не волнуюсь, — продолжала Маша, — такой тихий дядечка, по виду недотепа. А говорил он о... Ой, погоди! Кто там стучится?

— Долго еще сидеть будете? — послышался полупьяный голос.

— Слышь, Луис, — понизила тон Маша, — тут какая-то кретинка лезет. Я тебе попозже позвоню.

— Выходи! — заорала подвыпившая особа.

— В соседнюю кабинку зайдите! — крикнула Маша.

— А я сюда хочу, — заявила накачавшаяся коктейлями дама.

— Во дура, — в сердцах воскликнула Маша, — ладно, около полуночи подробности изложу! Есть же идиотки на свете!

Дверь хлопнула, из соседней кабинки донеслись булькающие звуки, пьянчужку тошнило.

Я метнулся к двери, чуть приоткрыл ее и увидел Машу. Девица стояла в коридоре, лицо ее кардинально изменилось — налет идиотизма исчез. Мне вдруг стало понятно: Маша умная женщина! А через секунду пришла уверенность: сия особа талантливая актриса. В этот момент Маша потрясла головой, ее рот растянула кретинская улыбка, голубые глаза стали пустыми, как у куклы Барби. Выпятив нижнюю губу, Маша пошла вперед, изредка капризно вскрикивая:

— Гри, я проиграла-ась! Гри-и-и! У них автоматы дубовые! Гри!

Я подождал пока она исчезнет, быстро выбрался из туалета, достиг выхода и смешался с толпой, текущей по Тверской.

Ай да Маша! Зря Григорий Арапов считает любовницу равной по интеллекту табуретке. Если кто и дурак в создавшейся ситуации, так это он сам. Завтра же отправлюсь в агентство «Стиль жизни», узнаю адрес красавицы и поговорю с ней совсем в ином ключе и в более подходящей обстановке, чем казино.

Глава 11

Домой мы с Мэри и Николеттой вернулись поздно.

— Ну как? — заверещали дамы, когда я вошел в парикмахерскую. — Теперь что?

Я улыбнулся:

— Удивительное сходство.

— Назови мое имя, — потребовала Николетта, одетая в свой любимый брючный костюм розового цвета.

Чтобы доставить маменьке удовольствие, я уверенно сказал:

— Конечно, ты — Мэри.

— Он узнал, — разочарованно протянула та.

— Вава! — завопила вторая особа, в зеленой юбке. — Быстро объясни, каким образом ты догадался? Мы специально переоделись!

Я растерянно молчал. Если честно, то разобрать, где маменька, а где тетушка, практически невозможно. Я ориентировался по одежде и фатально ошибся.

— Вава, быстро, — топнула ножкой Николетта.

— Ваня, мы ждем, — подхватила Мэри.

— Ну, — выдавил я из себя, — у Мэри цвет губной помады слегка отличается, он более розовый.

— Ясно, — кивнула Николетта, — значит, гоним сейчас в магазин за косметикой, и можно начинать.

— Что? — насторожился я.

— Все, — хором ответили сестры и довольно засмеялись.

Следовало выяснить, какая очередная глупость поселилась в их вздорных головенках, но меня опять стало слегка подташнивать, поэтому я молча сел за руль и попытался абстрагироваться от действительности.

Бесцеремонный звук телефонного звонка ударил по голове в семь утра. Сначала я решил не обращать внимания на вызов, вяло отметив сквозь прерванный сон: «Что за дурно воспитанный человек беспокоит в такую рань?», но потом вдруг сообразил: наверное, меня разыскивает Нора, и вскочил с кровати.

— Ванечка Павлович, — защебетала Лиза, — еще спим-с? Ай-ай! Этак и жизнь пройдет. Вставайте, дружочек, нас ждут великие дела. Плитка!

— Плитка? — растерянно повторил я, пытаясь прогнать остатки сна. — Газовая?

Лиза засмеялась.

— Не варочная, а напольное покрытие. Ну же, топ-топ в ванную, мыться-бриться — и в магазинчик. Выбор материала за вами.

— Это надолго? — осведомился я.

— На пару минут, — бодро воскликнула Лиза, — долго мучить вас не стану. Я уже провела маркетинг, нашла лавчонку, где цена товара совпадает с его качеством. Ну же, Ванечка Павлович! Не топчите огурцы! Жду вас через час, как раз к открытию поспеем, народу никого. Пишите адресок. Ау, Ванечка Павлович, отреагируй! Хоть кашляни.

— Да, конечно, уже одеваюсь.

— Особо не кутайтесь, — заботливо сказала Лиза, — духотища страшная, сильно парит, небось гроза собирается. Пиджак или куртка вам ни к чему. Лично на мне шорты.

Я положил замолчавший сотовый в карман. Лично на мне шорт не будет, эта одежда совершенно не пригодна для города. Ладно, женщине дозволяется демонстрировать красивые, стройные, гладкие ножки. Но Ивану Павловичу лучше спрятать свои волосатые, слегка кривые нижние конечности в легкие брюки. Вот льняной пиджак, в котором я был вчера, надевать не стану. Кстати, его нужно повесить в шкаф.

Я подошел к стулу, снял со спинки вконец измятый пиджак и внезапно ощутил приступ дурноты, настолько сильный, что чуть не упал. Кое-как, держась за стену, я добрался до гардероба, сунул туда пиджак, закрыл дверки и плюхнулся в кресло.

Тошнота отступила, руки перестали трястись, перед глазами более не мелькали черные точки, лоб начал высыхать. Честно признаюсь, испугался я до крайности. Вчера вечером со мной приключился точь-в-точь такой же приступ. Тогда я решил, что мое состояние объясняется духотой в коридоре казино. Но сегодня! Может, я попросту не выспался? Или среагировал на очередное изменение погоды? Почувствовал приближение грозы?

Вот глупости. Я не завишу от капризов окружающей среды, не принадлежу к людям, которые жалуются: «В дождь маюсь мигренью».

Я встал, двинулся к гардеробу и вновь распахнул дверцу. Вытащил светлые брюки, нежно-кремовую рубашку, ощутил новый приступ дурноты и рухнул в кресло.

Ей-богу, положение становится аховым, похоже, я не способен выйти из квартиры. Да, ранее я не реагировал на погоду, но ведь время неумолимо бежит вперед, мне уже не двадцать и даже не тридцать лет. До сих пор все системы организма работали слаженно, но рано или поздно на любого человека начинают наваливаться болячки. Пришел и мой черед. Только бы не инсульт! Больше всего на свете я боюсь превратиться в беспомощное, полностью зависящее от чужой воли существо. Уж лучше сразу умереть или покончить жизнь самоубийством.

Волна тошноты откатилась, но я продолжал сидеть, боясь пошевелиться. К сожалению, медицина идет вперед семимильными шагами. Вы не ослышались, я употребил именно это выражение: к сожалению. Сейчас большинство заработавших удар людей выживает, сразу погибнуть вам не дадут, отобьют у дамы с косой и усадят в инвалидное кресло. В виде растения, поддерживаемый уколами и таблетками, протянешь долгое время, мучая себя и других. Может, составить завещание, написать в нем: «Запрещаю меня реанимировать!»?

Телефон начал надрываться.

— Ванечка Павлович, — зажурчала Лиза, — не могу вас никак найти. Где вы припарковались?

Я неожиданно легко вскочил на ноги.

— Простите, я в пробку попал.

— Не беда, — спокойно ответила Лиза, — в нашем сумасшедшем городе невозможно вовремя прибыть к месту встречи. Поубивала бы всех чайников, едут в левом ряду со скоростью сорок километров!

Чем жарче погода, тем откровеннее дамские наряды. Лично мне именно из-за этого лето нравится намного больше зимы. В декабре женщины похожи на кули, замотанные в меховые одежды. И не понять, кто там под шубой: милая девочка со стройной фигуркой или расплывшаяся матрона. Сейчас же все прелести перед глазами, любуйся на здоровье. По проспекту стаями бегут красавицы в мини-юбочках. Я не принадлежу к племени ханжей и с удовольствием гляжу на женские тела, но наряд Лизы был просто неприличен.

Сначала мне показалось, что она, торопясь на встречу, забыла надеть платье. Верхняя часть ее тела прикрывал лишь красивый темно-красный, низко

вырезанный лифчик. Аппетитная грудь так и норо-
вила выскочить наружу. Шея, руки и живот оставa-
лись голыми. Круглый зад обтягивали кружевные
шортики цвета давленой клубники. Они скорее по-
ходили на трусики. Больше на Лизе не было ничего,
не считая босоножек в виде тонкой подошвы с неве-
роятными каблуками, загадочным образом держа-
щихся на ступнях, и десятка золотых цепочек с брас-
летами, тут и там болтающихся на загорелом теле.
Увидав мой приоткрывшийся рот, Лиза хихикнула:

— Ну и жарища!

— Да, — выдавил я из себя, — солнце палит во
всю мочь.

— Плитка тут, — Лиза ткнула пальчиком в двух-
этажное здание, — пошли живенько.

Она влетела в холл магазина, я с опаской последовал за ней. Сейчас секьюрити выставит ее вон,
строго заявив:

— Здесь не пляж.

Лиза подскочила к охраннику.

— Где менеджер Нина?

— Ща позову, — лениво ответил тот, даже не ше-
лохнувшись.

— Ну, — напряглась Лиза.

— Ща, — вновь протянул разомлевший от жары
амбал.

Лиза потянула меня в зал:

— Вот смотрите.

Я застыл в недоумении. Вокруг на стенах висело
нечто напоминавшее огромные книги, только вместо страниц в них были стенды, заполненные кафе-
лем. От разноцветья зарябило в глазах.

— Здрасьти, здрасьти, — раздался вначале дис-
кант, а потом в поле зрения появилась маленькая
вертлявая девушка, облаченная в белое платьице.
Сверху оно было расстегнуто до пояса. Наряд держался на одной пуговице, пришитой в районе талии.

Из-под одежонки выступал такой же комплект, как у Лизы: лифчик и трусики. Только у подскочившей девицы он был ярко-зеленого цвета.

— Вы заставили нас ждать, — рявкнула Лиза.

— Только что прибежала на работу, — неудачно оправдалась девчонка.

— Твоя проблема, — взвилась Лиза, — клиент стоит! Мы не желаем иметь дела с необязательным партнером. Позовите другого менеджера.

— Ой, — испугалась Нина, — извините!

— Бог простит.

— Ну, пожалуйста!

Лиза смилостивилась:

— Уговорила, пользуйся моей добротой. Давай, шевели ластами, показывай ассортимент.

— Да, да, — забегала вокруг нас Нина, — конечно, сейчас. Вам на пол, на стены?

— На все, — разозлилась Лиза, — совсем, что ли, беспамятная? Вчера ведь беседовали.

Нина подскочила к одной «книге».

— Вот, лучшее на сегодняшний день. Керамогранит.

— И как? — повернулась ко мне Лиза.

— Наверное, скользкий, очень блестит, — протянул я.

— Тогда неполированный, смотрите.

— А вон то что? — поинтересовался я.

— Плитка, простая, вчерашний день, — отозвалась Нина.

Лиза сдвинула брови и оттеснила меня в сторону. Дальнейшая беседа потекла без Ивана Павловича, тщетно пытавшегося понять, о чем толкуют две полуобнаженные красотки.

— Лучше натуральный камень.

— А если перепад температуры? И вообще, он плохо себя ведет! Не накручивай цену, не на лохов напала.

— Искусственный гранит...

— Дерьмо. Расколется при первой возможности.

— Тогда металлизированная керамика.

— Ваще, блин! Фильтруй базар! На клиента глянь, не дудон в коже, интеллигенция. Еще фарфорину с вензелями предложи.

— Есть состаренная прессовка.

— Зерновая?

— А то!

— Засунь ее себе в...! Знаешь, сколько нам надо! Во, план «фатеры»!

— Вау!

— Ага! «Зерновая прессовка»!!! Теперь врубилась, с кем дело имеешь?

Нина метнулась влево.

— Вот, Италия.

— Ха! Не парь.

— Ей-богу, родная. На фриз глянь.

— И чё? Ты срез покажи! Брёхало! Ведь я предупредила, лохай кого хочешь, меня не выйдет. Веди к наборам.

— Там дорого, я хотела как лучше.

— Ага, дерьмо сбагрить, увидела, что человек не врубается, и в раж впала.

Нина пошла в коридор. Лиза улыбнулась и нежно пропела:

— Ванечка Павлович, тут ничего хорошего, нам в другой зальчик.

Через полчаса мои глаза перестали воспринимать окружающий мир. Розовые, зеленые, синие, желтые, красные плитки сменялись перед взором калейдоскопом. Я периодически впадал в ступор, из которого меня вырывал тычок Лизы.

— Ванечка Павлович, — напоминала она, — не спите, проявите заинтересованность.

Наконец плитка была выбрана. До сих пор в моей жизни была лишь одна ситуация, во время которой я впадал в эйфорию: это когда стоматолог, милейшая Наталья Алексеевна Колесникова, после проведенного лечения вытаскивая из моего рта железки и тампоны, произносила:

— Все. Финиш.

Но в тот момент, когда Лиза удовлетворенно кивнула головой, я ощутил невероятный подъем настроения и закричал:

— Отлично, сейчас я расплачиваюсь и бегу.

— Куда? — насторожилась прораб.

— По делам.

— А плитка?

— Мы же ее выбрали!!

— На стены. Еще нужен декор, фриз и напольное покрытие.

— О господи, — вырвался из моей груди стон.

— Ну-ка, принеси человеку чай, — рявкнула Лиза на Нину, — всему учить надо, шевели ластами!

Продавщица порысила в глубь помещения.

— Ванечка Павлович, — защебетала Лиза, — соберитесь. Мы быстренько. Ну представьте себе, что попали в пустыню Сахару и идете к оазису. Впереди песок, сзади барханы, ну не погибать же? Миленький, любименький, красивенький, хотите вам мороженое купят или пирожное?

Мне стало смешно.

— Спасибо, я небольшой любитель сладкого, в основном специализируюсь на мясе.

— Сейчас пошлю гонца, — оживилась Лиза, — притащит вырезку.

— Спасибо, не надо. Вы со мной цацкаетесь, как с ребенком!

— Шевели ластами, — завопила Лиза, — придурина гребаная! Человек чай уже сколько времени ждет! Понабрали работничков! Черепахи безногие, морды тупоголовые!

Я вздохнул. Лиза изобретает удивительные речевые обороты. Морды тупоголовые!

— Свиньи эфиопские, козы австралийские, кенгуру собачьи, — злилась прораб, — лапы у вас из... растут. Чай где, а? Дайте кружечку клиенту, который тут немереные кастрюли денег оставить решил! Эй, ластоногие!

Я сначала хихикал, но потом попытался замаскировать неприличный смех интеллигентным кашлем. Из-за угла вылетела задыхающаяся Нина.

— Вот, пейте на здоровье, — бухнула она передо мной чашку.

Я хотел было взять ее, но тут Лиза нахмурилась и указала своим идеально наманикюренным пальчиком на принесенную посуду.

— Этта чё за утопленник? — почти ласково осведомилась она.

— Где? — растерялась Нина.

— В...! Сюда гляди!

— Это пакетик.

— С чем?

— Ну... с чаем, — окончательно растерялась Нина, — Эрл Грей, запах бергамота.

— Это не чай! — каменным голосом припечатала Лиза. — А упаковка...! Сама пей! Моему клиенту подай нормальный, цейлонский, в чайнике. Где лимон? Сахар? Салфетки? Печенье? А? Черепаха мальтийская, болонка тихоокеанская, шевели ластами!

Нина, приседая от ужаса, вновь улетела в служебные помещения. Я вынул носовой платок и сделал вид, будто вытираю пот с лица. Нет, Лиза неподражаема. Свинья эфиопская, коза австралийская, кенгуру собачья! А теперь еще черепаха мальтийская и болонка тихоокеанская. Скорей всего, Лиза в запале перепутала животных. Это болонка бывает мальтийской, а черепаха тихоокеанской, хотя я очень плохо разбираюсь в братьях наших меньших.

— Может, не стоит просить чай? — сказал я, бросая скомканную бумажку в урну.

— Ванечка Павлович, — прощебетала Лиза, — вы у них самый дорогой клиент!

— Ну да!

— Точно! Только так надо вести себя. Требовать и настаивать.

— Увы, я этого не умею, — честно признался я.

— Не беда, — улыбнулась Лиза, — я не дам вас в обиду. Полюбуйтесь! Вот это я понимаю! Нормальный сервис! Пошевелила ластами, и классно получилось.

На столе появился поднос, а на нем чайничек, изящная чашка, ложечка, салфетки, коробка шоколадных конфет, вазочка с курабье, блюдечко с тонко нарезанным лимоном и сахарница.

— Ванечка Павлович, пейте на здоровье, — загундосила Нина.

Лиза подняла вверх указательный палец.

— Имя вашего лучшего, наивыгоднейшего, единственного в своем роде клиента — Иван Павлович! Без фамильярности, дорогуша! А теперь греби к стендам.

И все началось сначала.

Вырваться от Лизы я сумел только после обеда и, ощущая себя выжатой мочалкой, сначала соединился со справочной, узнал адрес агентства «Стиль жизни», а потом поехал в самый центр через все пробки, проклиная собственное скопидомство. Ну почему я пожалел денег и не стал покупать в машину кондиционер? Решил, что в нашем городе зима длится одиннадцать месяцев и охладитель воздуха мне не понадобится?

Холл агентства очень напоминал внутренность парикмахерского салона, который посещает Николетта. Стойка ресепшен, а за ней тройка хорошеньких, тощих, похожих на зубочистки девочек-блондиночек.

— Здравствуйте, здравствуйте, — защебетали они хором, — чем вам помочь?

— Скажите, Маша у вас работает?

— У нас их целых четыре штуки, — хихикнула одна администраторша, — Белинская, Кроева, Лаптева и Сютен.

— Ну Сютен-то не Маша, — улыбнулась другая блондинка, — имечко у нее такое, национальное, ихнее, бурятское или монгольское, и не выговорить.

— Моя Маша славянской внешности, — сказал я.

— Тогда это не Сютен и не Кроева. Остаются Белинская и Лаптева.

— Увы, фамилию я не знаю.

— Не беда, — засуетились служащие, — присядьте, айн момент. Чаю, кофе хотите?

Я покачал головой и умостился с опаской на одном из странных предметов мебели, и не понять, то ли стул, то ли пуфик, нечто квадратное, низкое, на уродливо толстых ножках, с коротко усеченной спинкой.

— Звали? — спросила высокая светлая шатенка, входя в холл.

— Вон мужчина тебя ищет, — прозвучало с ресепшен.

Я быстро встал.

— Нет, увы, это не та Маша.

— Хороша Маша, но не ваша, — хмыкнула девушка и ретировалась.

— Лаптева, значит, — подвели итог девицы, — она совсем беленькая с голубыми глазами, а вот тут на шее родинка!

— Верно, — обрадовался я.

— Нет ее.

— Куда же подевалась?

— Не знаем, не вышла на работу.

— Может, она дома?

— Ну, — протянули девчонки, — и такое, конечно, случается, но Лаптева аккуратная. Луис дико разозлился.

— А это кто? — среагировал я на знакомое имя.

— Ника, Соня, сюда, — раздалось из переговорного устройства, висящего на стене.

Две администраторши мгновенно юркнули в коридор, третья осталась со мной.

— Луис фотограф, — пояснила она, — самый суперский. Все к нему попасть хотят, а Машка сегодня не пришла. Луис обозлился до крайности, так орал! Хотя...

— Что? — с надеждой поинтересовался я.

— Ну у них съемка была в городе назначена, — задумчиво протянула девушка, — Луис давно звонил. Может, Маня и явилась, опоздала на пару минут. Луис он такой, ой-ой! Чуть что, начинает орать и злиться! Пальцы веером, круче нас только яйца! А зачем вам Маня?

— Замуж позвать ее хочу, — улыбнулся я, ожидал, что администратор начнет смеяться, но совершенно неожиданно девушка восприняла шутку всерьез.

— Замуж?! Ой, здорово! Повезло Маньке! А я тут сижу, и никаких женихов! Классно! Когда у вас свадьба?

Глаза глупышки вспыхнули огнем, мордочка озарилась радостью, я стушевался.

— Свадьба... э... вот-вот. Собственно говоря, потому я и пришел. Хотел купить Маше кольцо.

— Вау! — взвизгнула девчонка.

Я с огромным изумлением смотрел на нее. Ну и дурочка! Только что «жених» не смог назвать фамилию «невесты». Хотя данные друг друга можно выяснить и после бракосочетания. В конце концов жене все равно предстоит смена паспорта. Была Иванова, стала Петрова.

— С бриллиантами, — продолжал я, — а Маша как в воду канула. Может, у меня неправильный номер мобильного?

— Сейчас проверим! Вот, ага! Какой у вас?

Услышав названные мной от фонаря цифры, девушка улыбнулась.

— Не, вы перепутали, вот вам правильный.

— И подскажите ее адрес, — попросил я, ожидая услышать: «Эй вы, жених! Неужели не знаете?»

Но администраторша мигом схватила листочек, нацарапала на нем пару строк и сунула его мне в руку.

— Вот Машка в центре живет. И чего хорошего? По мне, чем дальше от шума, тем лучше!

Глава 12

Дверь в квартиру Маши оказалась незапертой. Я толкнул ее и мгновенно очутился в просторной пустой прихожей.

— Есть тут кто-нибудь?! — крикнул я.

Из коридора выглянула женщина.

— Разве можно так кричать? Кого вам?

— Машу, — вежливо ответил я, — Лаптеву.

Тетка принялась качать головой.

— Ой, беда, беда, горе! Вот ведь как... ну за что, а? Да этих подонков расстреливать надо!

Мне внезапно стало не по себе.

— Что случилось?

Баба зашмыгала носом:

— Убили Машу.

Я попятился:

— Как?

Тетка прислонилась к косяку.

— Ой, не знаю! Ваще ничего!

— Вы кто?

— Домработница, Зина.

— Зиночка, — я попытался разобраться в ситуации, — вы уверены, что Маша погибла? Видел ее вчера здоровой и веселой.

Зина схватила меня за руку.

— Прихожу, значит, сегодня на работу. У меня ключи свои. Ну, пылесос вытащила, убираюсь.

Вдруг телефонный звонок, мужик, да такой злой, как рявкнет:

— Нестеренко Александр Николаевич. Лаптева тут прописана, Мария Эдуардовна?

— Ага, — испугалась Зина.

— Родственников позовите.

— Кого?

— Ну мать Лаптевой, отца.

— Они померли, — растерянно сказала Зина.

— Мужу трубку дайте.

— Так не расписаная она ни с кем, одна живет, — просветила его Зина.

— А вы кто?

— Помощница по хозяйству.

— Опознать можете?

— Что? — чуть не упала Зинаида.

— Труп Лаптевой, — сухо сообщил Нестеренко.

Бедная Зина плохо помнила, как добралась до милиции, хорошо хоть смотреть ей пришлось не на мертвую хозяйку, а на экран компьютера.

— Отчего умерла Маша? — попытался я направить разговор в нужное русло.

— Не знаю.

— Вам не сказали?

— Нет.

— А вы не спросили?

— Нет, — растерянно бубнила Зина, — ну и чё теперь делать? Родных у ей нет никого. Кто хоронить станет? Небось мне придется! Вот маета.

— Возьмите телефонную книжку, — велел я, — и обзвоните ее знакомых, методично, по буквам. Думаю, люди сбросятся на похороны.

— А где взять ее книжку?

— Вот лежит, прямо у входа на столике.

— А-а-а... И как ей пользоваться?

Глупость Зинаиды поражала.

— Очень просто, — вздохнул я, — открываете, допустим, на букву П, и читаете первую фамилию. Победоносцева Римма, Победоносцева Надя, тут и телефон есть...

Я замер. Победоносцева? Лаптева знала убитую проститутку? Фею магистрали звали Риммой. А Надя кто? Наверное, ее сестра.

— Поняла, — простонала Зинаида.

Я быстро вытащил мобильный и «вбил» в него координаты незнакомой мне Нади.

— Вот докука, — ныла Зина, — а еще этот Нестеренко Александр Николаевич велел звонить, ежели чего, и номерок дал. Что он имел в виду? «Ежели чего», это что?

— Успокойтесь, — протянул я, — ну-ка, дайте телефон Нестеренко!

Едва Нестеренко понял, что ему звонят по поводу Маши Лаптевой, как моментально сказал:

— Можете сюда приехать?

— Да, диктуйте адрес, — отозвался я.

Нестеренко впустил меня в комнату и спросил:

— Кем вы Лаптевой приходитесь?

Я спокойно вытащил служебное удостоверение, но не то, украшенное надписью «Агентство Ниро», а другое, с золотыми буквами — «Фонд Милосердия». Нестеренко молча изучил документ, потом насупился.

— И чего?

Я сделал вид, что не замечаю его внезапно появившейся угрюмости.

— Домработница Лаптевой, Зинаида, обратилась к нам с просьбой оказать материальную помощь на погребение хозяйки, одинокой женщины. Мы охотно поддерживаем людей в трудную минуту, но, увы, порой сталкиваемся с вульгарным мошенничеством. Поэтому, перед тем как принять решение выдать деньги, я должен тщательно изучить ситуацию. Скажите, Лаптева на самом деле погибла?

Александр Николаевич кивнул.

— Что же с ней случилось?

— Обычная история.

— Какая?

Нестеренко выдвинул ящик стола, потом с грохотом вернул его на место и неожиданно зло воскликнул:

— Своего ума бабам в голову не вложишь. Сколько раз говорено: не шляйтесь по ночам полуголыми, не садитесь в машину, набитую парнями, не пейте с незнакомыми, не бегайте по пустырям и паркам в одиночестве. Так ведь нет! Хотите, список дел покажу? Одна дурочка ловила в полночь такси, остановилась «девятка» с тремя парнями, мерзавцы сказали, что им по дороге, подвезут ее бесплатно. Чем все закончилось? Изнасиловали и бросили, хорошо жива осталась. Другая умница поругалась с мужем и в три утра, хлопнув дверью, отправилась к маме, нацепив на себя нечто размером с почтовую марку. Результат прогулки? Вырванные с мясом серьги, сотрясение мозга, сломанная рука. Впрочем, этим еще повезло, а вот третью девчонку, решившую в прозрачной кофточке побродить по лесу, попросту убили. Лаптева опять же! Пошла домой через стройку, темнота, глаз выколи! В девять вечера уже стрёмно там показываться. Надо бы по освещенной улице топать. Так они же ленивые. Все норовят угол срезать. Каблучищи нацепят и ковыляют, лишний шаг сделать на таких ходулях тяжело, вот она и попёрла мимо недостроя. Ну и что? Убили. Побрякушки сняли, часы тоже, сумочку унесли. Хорошо паспорт у нее в кармане лежал, опознали быстро. Хрен теперь преступников найдешь. То ли наркоман на дозу ширялова искал, то ли кто из рабочих польстился. Там сплошные гастарбайтеры, большинство спит в вагончиках, регистрация у одного из десяти. Никакие меры не помогают. Выгодно подобных личностей нанимать, они всего боятся, платить им копейки можно, в случае чего из этих урюков слова не выдавить. Мотают головой и бормочут: «Русский нет! Плохо понимай!» А то и убегут. Начнешь спрашивать, твердят: «Ахмед был и ушел. Куда — не знаем. Лучше место нашел. Ищи, пожалуйста! Телефона нет, родственников не видели, откуда в Москву приехал, понятия не имеем. Сирота он, может, его вовсе и не Ахмедом зовут».

Я молча слушал раскипятившегося Нестеренко. Неожиданно Александр Николаевич стих.

— Красивая девушка, — произнес он с горечью в голосе, — молодая, жить бы и жить! И по собственной глупости на тот свет ушла. Я просто из себя выхожу, когда с таким сталкиваюсь! Хочется выйти на улицу, схватить всех красоток, кто в одном белье разгуливает, притащить в морг и показать трупы. Вот, смотрите, дуры, и делайте выводы!! У меня дочь растет, так я ей конкретно сказал: одежду тебе сам покупаю, никакие сопли не помогут. В семь вечера домой, позже на улицу только со мной или с матерью. Все. Точка!

Нестеренко стукнул кулаком по столу. Ворох бумажек веером взлетел вверх и дождем осыпался на столешницу.

— Вы уверены, что Лаптева стала случайной жертвой убийцы?

— Ясное дело!

— А вы не допускаете, что смерть Марии могла быть преднамеренно спланированным актом? Кто-то замыслил убрать манекенщицу и организовал дело таким образом...

— К сожалению, ситуация ясна, — перебил меня Нестеренко, — она не одна такая.

Выйдя на улицу, я вытащил мобильный и набрал номер Нади Победоносцевой.

— К-к-то? — спросил кто-то слегка заплетающимся языком.

— Простите, Надю можно?

— К-кого?

— Надю Победоносцеву, сестру Риммы.

— А-а-а, это я.

— Не уделите мне минутку для разговора?

— А?

— Мне надо задать вам пару вопросов.

— Ага, приезжайте, — сказала Надя.

— Адрес подскажите.

— Ага, пишите.

Я нацарапал пару строчек, держа на весу блокнот.

— Куркино, не ближний свет, боюсь, быстро не доеду.

— Я дома буду, — заверила меня Надя.

Дом, где жили Победоносцевы, оказался относительно новым и довольно высоким. Увидав на пороге квартиры худенькую девушку, я спросил:

— Вы Надя?

— Ага.

— Можно войти?

— Ага. Чего вы хотите?

— Надюша, вы хорошо знали тайны Риммы?

— Чего?

Я вздохнул. Девушка выглядела странно. Не успел я сообразить, что настораживает меня в облике Нади, как она икнула. Я учуял запах спиртного. Очевидно, я не сумел скрыть гримасу отвращения, потому что Надя вдруг сказала:

— Я не пьяная, валерьяновки обпилася. Жуть, да! Знаете, чего с Римкой приключилось!

— Наденька, — решил я повторить попытку, — вы с сестрой дружили?

— Ну...

— Она вам о своих проблемах рассказывала?

— Не-а.

— Может, ей кто угрожал?

— Не, — снова икнула Надя, — с какой стати?

— Римма ни на кого не жаловалась?

— Не-а.

— У нее был любовник?

— Не-а. Не знаю ваще. Не интересовалась.

— Никто не пугал вашу сестру?

— Не-а.

— И ни про какие неприятности она не говорила?

— Не-а.

— То есть все было хорошо?

— Не-а.

— Ничего плохого не случилось?

Неожиданно Надя закрыла лицо ладонями и зарыдала так горько, что у меня заныло сердце.

— Ничегошеньки хорошего, — всхлипывала Надя, — денег нет совсем. На что Римму хоронить? Нельзя ж ее в морге оставить! У меня десятка есть, одна! На нее даже цветочек не купить. А вы все спрашиваете, спрашиваете... Ну ничего я про Римму не знаю! Она ж меня за маленькую держала, о своих делах не рассказывала.

Я осторожно обнял ее худые плечи.

— Надюша, успокойтесь, попробую вам помочь.

— Как? — с детской надеждой подняла на меня глаза девушка.

— Сейчас объясню, во всяком случае, ситуация с финансами разрешима. Но вы все же попытайтесь вспомнить хоть какие-нибудь подробности личной жизни Риммы.

— Не знаю, — вновь принялась плакать Надя.

...Так и не добившись ничего путного от Нади, я пошел к машине, вынимая на ходу сигареты и пытаясь привести в порядок свои мысли.

Вчера я очень хорошо понял: Маша дурит голову Григорию, прикидывается идиоткой. Зачем она так себя вела? Хотела угодить богатому любовнику? Гриша прямым текстом сказал: «Мне и нужна дурочка, одна умная уже дома сидит. Спасибо, накушался!»

Может, в голове у Лаптевой был простой, как сапог, расчет? Сейчас Гриша привыкнет к ней, она начнет потихоньку прибирать его к рукам, доведет кавалера до развода, устроит свою судьбу. Очень частая ситуация. Сколько мужчин попалось на удочку, считая своих любовниц очаровательными глупышками, «тихоокеанскими болонками», а когда спохватились, оказалось поздно, осталось только грести ластами в сторону загса.

Я потряс головой. Тесное общение с Лизой явно наложило отпечаток на мой лексикон, обогатило словарный запас. Тихоокеанская болонка, грести ластами! Уже сам стал употреблять сии выражения.

Так вот. Теперь необходимо срочно отыскать Луиса и постараться вытянуть из него все, что он знает о Маше. Только действовать следует не нахрапом, а крайне осторожно. Похоже, что Маша с Луисом затеяли какую-то аферу. Может, этот парень и убил манекенщицу?

Наметив план действий, я открыл «Жигули», влез в салон и чуть не задохнулся от духоты. Машина простояла час на самом солнцепеке, и теперь в ней запросто можно устраивать террариум для особо теплолюбивых гадов. Опустив все окна, я отъехал в тень и принялся названивать в «Стиль жизни».

— Слушаю, — прочирикал тоненький голосок.

— Позовите Луиса, пожалуйста.

— Ой, а его нет.

— И когда он будет?

— Сложно сказать. Луис на съемке, он может и не вернуться в агентство. А вы по какому вопросу?

— Заказать у него снимки хочу.

— Луис свадьбы не снимает, — высокомерно отбрила девушка, — он фотохудожник высшей категории.

— Как Владимир Клавихо? — не удержался я.

— Ха! Круче, — фыркнула девчонка.

Я покачал головой. Навряд ли кто снимает лучше Клавихо. Владимир на редкость талантлив, он, простите за банальность, умеет запечатлеть не лицо, а душу. Одно время я сам пытался заниматься фотографией и понял, что для удачной работы надо не просто иметь качественную пленку и супераппараты с шикарными объективами. Есть еще нечто такое, что невозможно приобрести в магазине. Я убедился в этом, увидев один раз фотографию некрасивой девушки, которую «щелкнул» Клавихо. Посмотрев на его работу секунду, вы понимаете: девочка — красавица под маской чудовища, нежный цветок в обличье монстра. Вот это и называется искусством, а все остальное — снимок на паспорт. «Щелк, щелк, поднимите подбородок, а то тень на шею падает».

— Видите ли, — прервал я служащую агентства, — я секретарь господина Скрябина, слышали о таком?

— Ну... — промямлила девица, — вроде это актер?

Нет, Александр Скрябин композитор, живший на рубеже девятнадцатого и двадцатого веков, но я на самом деле не его имел в виду, просто произнес первую пришедшую в голову фамилию.

— Иван Иванович Скрябин — владелец нефтяной компании, он имеет единственную дочь, красавицу Таню. Девушка хочет сделать карьеру на подиуме, вот господин Скрябин и хотел заказать у

Луиса портфолио. Но если сей супермастер занят, тогда Иван Иванович обратится к другому.

— Погодите минутку, — быстро прочирикали из трубки.

Я улыбнулся: подействовало.

— Слышь, Лу, — донеслось издалека, — тут один тип звонит, похоже, деньгами нафарширован, хочет свою уродку дочку на «язык» поставить. Решил у тебя портфолио заказать. Ага, ладно. Вы слушаете?

Последняя фраза явно относилась ко мне.

— Да, — отозвался я, — весь внимание.

— Пишите мобильный Луиса да звоните прямо сейчас, у него перерыв в съемке.

Я вытащил ручку. Ясное дело, фотограф решил не упускать выгодный заказ.

Глава 13

Луис предложил мне приехать в его студию, которая находилась недалеко от Тверской, в старом, пережившем не одно поколение жильцов доме. Не успел я подойти к двери, как та распахнулась и выглянул черноволосый, смуглый парень с огромными карими глазами.

— Вы Иван Павлович?

— Да. А вы Луис?

— Вот и познакомились, — прищурился красавчик. — Входите спокойно, цепных собак не держу, у меня одни девки. Хотя они порой хуже питбулей бывают.

Засмеявшись собственной глупой шутке, Луис вежливо посторонился, пропустил меня в квартиру и с очаровательной улыбкой, сверкая неправдоподобно белыми зубами, сказал:

— На правах хозяина покажу вам дорогу.

Мы двинулись по бесконечному, извивающемуся под разными углами коридору. Я почти задевал головой потолок.

— Осторожно, — предупредительно воскликнул Луис, — тут балка.

Я покорно пригнулся.

— Здесь был подвал, — объяснил Луис, — жуткое место, крыса на крысе. Я привел его в порядок, в общем, недурно получилось, одна беда — потолки низкие. Мне-то по барабану, а девки все каланчи пожарные, вот и ноют, воздуха им тут не хватает, дышать нечем.

Продолжая трепаться, он привел меня в просторный зал, битком набитый всякой всячиной. В правом углу была современная кухня с барной стойкой и высокими стульями. В центре — алело кресло, обитое бархатом, на нем лежала голая кукла, вернее, манекен вроде тех, что стоят в витринах магазинов. Длинные ноги гипсовой девицы были перекинуты через подлокотники, руки лежали на животе, голова запрокинута, грива ярких, иссиня-черных волос свисала до полу.

— Чай, кофе? — приветливо предложил Луис. — Коньяк, виски? У меня не хай-класс, но пить можно, лед, содовая, лимон, кола. Кстати! Могу коктейль «Махито» соорудить! Классная штука, освежает лучше вентилятора! Знаете такой?

— Мята, лайм, много льда и чуть-чуть рома?

— Верно.

— Действительно, отличный рецепт, но я за рулем.

— Мне «Махито», — вдруг лениво протянуло хрипловатое меццо.

Я повернул голову и обалдел. Манекен сел, он оказался живой девушкой. До сих пор я считал, что Барби — это фантазия производителя игрушек, ну не может существовать на свете женщина с подобными пропорциями. И вот, нате вам! Ожившая игрушка находится прямо перед моими глазами: неправдоподобно длинные, тонкие руки и ноги, «рюмочная» талия и неожиданно высокая грудь. Да и лицо напоминает кукольное: пухло надутые губки, огромные, как у больного лемура, глаза и точеный, слегка вздернутый носик.

— Хочу «Махито», — повторила «Барби» и, совершенно никого не стесняясь, встала и пошла к стойке.

— Элис, — сердито одернул ее Луис, — прикройся!

Элис хлопнула слишком черными ресницами, взяла большую махровую простыню ярко-синего цвета, набросила на плечи и продолжила путь. Я смотрел на нее словно завороженный. Чем ближе фотомодель подходила ко мне, тем красивей казалась. Иссиня-черная шевелюра ровными волнами падала на плечи, голубые глаза, оттененные простыней, были прекрасны, словно горные озера. Взобравшись на стул, Элис уставилась на фотографа. Тот принялся ловко орудовать бутылками, потом протянул манекенщице стакан, почти до краев наполненный мятой со льдом.

— Держи, дорогая.

— Спасибо, — кивнула Элис.

Я невольно вздрогнул. Голос девушки напоминал звук виолончели, а у меня всегда слишком сильно колотится сердце во время симфонических концертов в Консерватории.

— Так в чем дело? — решил взять быка за рога Луис.

Я опомнился и спел песню про богатого хозяина и его дочь.

Луис покусал нижнюю губу, потом решительно сказал:

— Не в моих правилах обманывать людей. Портфолио сделать недолго, обычному человеку цена завышенной покажется, но для вашего босса — это копейки. Одна беда, если в девочке ничего нет, то ничего и не получится, хоть я весь на мыло изойду!

— Значит, дело плохо! — озабоченно воскликнул я.

— Девица жуткая?

— Нет, самая обычная, — начал фантазировать я, — лицо простое, без изюминки.

— Это хорошо, — кивнул Луис.

— Почему? — удивился я.

— На белом листе рисовать удобно, — широко улыбнулся фотограф, — если посмотрите на модели после съемок, то вам все они похожими покажутся, словно ластиком выражение с морды стерли. По моему убеждению, чтобы сделать карьеру на подиуме, надо, по сути, не так уж и много: рост, фигуру, приближенную к вешалке, отсутствие жизненного опыта и ума, трудолюбие, послушание, работоспособность, стрессоустойчивость, хорошее воспитание...

Я засмеялся:

— Ничего себе «немного».

— Но главное, — назидательно продолжал парень, — самое основное, это попасть в нужные руки, оказаться около такого мужчины, который вылепит из тебя богиню.

— Это должен быть именно мужчина?

— В фэшн-бизнесе слишком мало талантливых женщин, чтобы вести о них речь, — поморщился фотограф.

— Минуточку, — удивился я, — а все эти супермодели, извините, я плохо знаю их по именам... э... Твигги.

— Твигги, — усмехнулся Луис, — это было еще до моего рождения. Супер, как вы выразились, модели — просто бродячие платья. Не о них речь. Ладно, есть еще один путь — мужчины, которые тратят деньги. Если ваш хозяин готов платить, мы можем попробовать.

Я протяжно вздохнул:

— Ему не слишком нравится идея дочери бегать полуголой по сцене. Но чего не сделаешь ради любимого чада. Откровенно говоря, господин Скрябин хочет попросту удачно сбагрить Таню замуж. Она очень бесшабашная, ей нужна твердая рука. Материальное положение и происхождение жениха никого не волнуют, у Тани рано умерла мать, Иван Иванович ворочает огромным бизнесом, нефть, бензин, девочка воспитывалась нянями, гувернантками...

— Понимаю, — кивнул Луис, — видел таких.

— Таня недавно познакомилась с девушкой-моделью, она и посоветовала к вам обратиться.

— Да? И кто же это?

— Маша Лаптева.

— Кто?

— Мария Лаптева.

— Не слышал про такую, — не дрогнув соврал Луис.

— Ну как же, — улыбнулся я, — очень хорошенькая, голубоглазая блондиночка, у нее сейчас роман с Григорием Араповым.

В темных глазах Луиса мелькнула тень.

— Арапов? Не знаю его.

— А Машу? Она из агентства «Стиль жизни».

— Тоже.

— Ну что ты, — неожиданно ожила Элис, — Машка! Ты ее на календарь снимал.

Тень снова пронеслась в очах Луиса.

— Элис, ты что-то путаешь. Сделать еще один «Махито»?

— Нет, — стояла на своем «Барби», — я хорошо помню, как увидела вас в кафешке, где Гера работает.

— Гера, Гера, — забормотал фотограф, — ах, Гера! Конечно! Маня! Календарь «Ожившие фигуры»! Ты его имела в виду?

Элис кивнула:

— Да.

Луис повернулся ко мне.

— Точно, я вспомнил девушку! Только я ее как

Маню знал, а фамилия мне ни к чему, выпала из памяти. Приятная особа, мы хорошо поработали. Значит, это она вас ко мне отправила? Очень мило с ее стороны, передавайте Мане привет. Ладушки!

Луис соскочил с табуретки, взял лежавший на подоконнике ежедневник, полистал страницы и деловито сказал:

— Так. Будем считать, что вам повезло. Обычно мое время расписано на месяц вперед, но вчера одна фирма отменила заказ, и образовалась дыра. Если приведете Таню на следующей неделе, я посмотрю на вашу протеже и наметим план съемок. Понедельник подойдет?

— А какая предоплата?

— Ни копейки, расчет по факту. Вдруг вам моя работа не по вкусу придется, — широко улыбнулся Луис, — хотя без ложной скромности замечу — я лучше всех. Давайте покажу кое-что.

Он подошел к стеллажам и стал вытаскивать папки. Перед моими глазами замелькали снимки.

Я машинально смотрел на фото. Интересно, почему Луис вызывает у меня гадливость? Он воспитан, ведет себя безукоризненно, сварил великолепный кофе. Парень аккуратно выбрит, прилично одет, пользуется дорогим одеколоном с ненавязчивым ароматом... Почему же я испытываю острое желание кинуться в душ и тщательно помыться? Может, оттого, что Луис врет? Он тесно общался с Машей, более того, похоже, в курсе того, что ее убили. Хотите объясню, почему я пришел к такому выводу? Луис только что, когда Элис вынудила его признаться в знакомстве с Лаптевой, воскликнул: «Точно, я вспомнил девушку. Только я ее как Маню знал...»

Почему глагол «знать» был употреблен им в прошедшем времени? Логично было бы сказать: «Только я ее как Маню знаю!»

И о чем свидетельствует оговорка красавчика?

Может, о многом, но, может, и ни о чем... Ясно одно, сейчас «дожимать» Луиса опасно. Надо уходить, а дома спокойно поразмыслить над ситуацией.

— Спасибо, — сказал я, — сообщу начальству о назначенном дне и позвоню вам.

Луис захлопнул очередную папку со своими работами и, по-прежнему улыбаясь, проводил меня до выхода.

Я подошел к своей машине, порылся в карманах, обнаружил отсутствие сигарет и двинулся к ларьку.

— Вон те, пожалуйста, — попросил я.

— Лайт или обычные?

— Нормальные, если они есть.

На крохотный прилавочек шмякнулась пачка, я взял ее, повернулся и увидел стройную, смуглую девушку, облаченную в очень короткий, обтягивающий, изумрудно-зеленый сарафан. Грациозно ступая длинными ногами, красавица приблизилась ко мне вплотную, и тут только я узнал Элис.

— Вы на машине? — отрывисто спросила она.

Я кивнул.

— Поеду с вами, — бесцеремонно заявила модель.

Даже учитывая тот факт, что Элис удивительная красавица, мне совсем не хотелось катить в противоположную от дома сторону, поэтому я проявил крайнюю невоспитанность.

— Я направляюсь в сторону Садового кольца, — сообщил я, — очень тороплюсь.

— Хорошо, — кивнула Элис, — открывай тачку.

И куда было деваться?

Но не успел я проехать и двух кварталов, как Элис внезапно сказала:

— Стоп.

— Уже прибыли? — обрадовался я.

— Я живу на шоссе Энтузиастов, — сообщила она.

— Но это совсем в другой стороне!

— Я великолепно на метро доберусь, — серьезно заявила Элис, — честно говоря, меня укачивает в машине.

— Зачем же тогда вы сели в мои «Жигули»? — удивился я.

Элис вытащила золотой портсигар, выудила из него тоненькую коричневую папироску, щелкнула элегантной, судя по всему, очень дорогой зажигалкой и ухмыльнулась.

— Вы Таню ненавидите?

— Кого? — окончательно потерялся я.

— Дочь своего хозяина. Ведь так?

— С чего бы мне плохо относиться к ней? — быстро спросил я, мигом вспомнив про мифического Ивана Ивановича Скрябина.

— Всякое случается, — протянула Элис, — может, она вас третирует, капризами изводит. Детки богатых людей порой с большими заморочками.

— Таня очень хорошая девушка.

— Это плохо.

— Элис, — возмутился я, — прекратите говорить недомолвками. Что вам надо?

— Вас действительно направила к Луису Машка Лаптева?

— Да.

— Значит, Таня чем-то ей досадила, — констатировала Элис.

— Вовсе нет, Маша дружит с Таней!

Элис засмеялась:

— Ага! И отправила ее к Луису.

— Немедленно объяснитесь, — рассердился я, — в конце концов, просто неприлично разговаривать намеками.

Легкая улыбка скользнула по губам Элис.

— Луис сволочь.

— Вы о чем?

Элис вышвырнула окурок в окно.

— Ладно, слушайте. Луиса зовут Леша Иванов. Он всем врет, будто его мать испанка, а отец итальянец. Только на самом деле они обычные россияне из дикой глубинки. Лешка несколько лет назад в Москву с копейками в кармане заявился и начал делать карьеру. Туда толкнулся с фотографиями, сюда, только не везло ему.

Я внимательно слушал Элис, не понимая пока, куда она клонит. Ничего экстраординарного в сообщаемых ею сведениях не было.

Еще великий Оноре де Бальзак описывал молодого человека по имени Растиньяк, который решил во что бы то ни стало покорить Париж любой ценой. Сотни таких Растиньяков из маленьких городов прибывают в огромные мегаполисы с одним желанием: сделать карьеру. Луис не был исключением. И, как многие, он хорошо понял: провинциалу в Москве тяжело, работать придется во много раз больше, чем тому, кому повезло родиться в столице. У москвичей есть друзья, связи, постоянная прописка, наконец, а у приезжего ничего, кроме амбиций и отчаянной мечты выбраться из трясины нищеты.

Кое-кто из штурмующих столицу, осознав, что для достижения успеха придется пахать день и ночь, ломаются и складывают лапки. Впрочем, у девушки все же есть призрачный шанс хорошо устроить судьбу. Она может выйти замуж за обеспеченного человека, юношам не светит подобное счастье, и многие, устав, перестают бороться. Но есть и другие личности! Эти засучивают рукава и принимаются работать день и ночь, хватаясь за любой шанс, за малейшую удачу. Луис оказался из таких сообразительных и трудоспособных. Он упорно делал карьеру и через какое-то время, будучи, безусловно, человеком талантливым, приобрел студию и определенное имя в фэшн-бизнесе. Но, увы, на этом его карьера уперлась в потолок. Для того чтобы сломать преграду и устремиться к солнцу, фотографу нужны были большие деньги, которые, снимая моделек, не заработаешь. И Луис решил: надо жениться на богатой дурочке и сделать из ее родителей дойных коров.

Вся его жизнь превратилась в поиск подходящей невесты. У Луиса огромное количество приятелей, при желании он может ежедневно перемещаться с одной тусовки на другую, а обнаружить там веселую стрекозу, желающую стать замужней дамой, не представляет труда. Но Луис-то метил совсем в иные сферы, он жаждал найти девушку в скромных украшениях от Картье, в элегантной одежде в светло-бежевых тонах, учащуюся в лучшем случае в одном из лондонских колледжей, в худшем — в Московском государственном университете. Но подобные девочки не бегают, задрав хвост, по дискотекам и не тусуются в открытом для всех клубе. Да, они посещают всякие мероприятия, но либо сидят в VIP-партере, либо ходят в сопровождении охраны, либо находятся под бдительным присмотром мамы, тети, бабушки.

Луис, красивый, артистичный, обладавший правильной речью, мог запросто вскружить голову кому угодно, но кто угодно ему не был нужен, охоту следовало вести не в общедоступном национальном парке, а в тщательно охраняемом заповеднике.

Но не зря говорят, кто ищет, тот всегда найдет. В конце концов Луису удалось познакомиться с шестнадцатилетней Олей Николаевой, дочерью владельца огромного состояния. Разгорелся бешеный роман, завершившийся запоминающимся скандалом. Рыдающую Ольгу отец увез из Москвы в неизвестном направлении. Луису никто не стал угрожать, с ним вообще не поговорили, родители Николаевой сделали вид, что и слыхом не слыхивали о парне. Просто Оля исчезла из родного города, а у Луиса сорвалось сразу несколько крупных, очень выгодных заказов.

Фотограф испугался, что мстительный олигарх выживет его из столицы, но богач посчитал не царским делом марать руки о Луиса, и спустя некоторое время жизнь парня потекла по прежнему руслу.

Обжегшись на молоке, Луис начал дуть на кефир. И следующую «невесту» подобрал совсем другую. На этот раз счастливой избранницей стала разведенная Лена Волкова, тридцатилетняя, очень некрасивая женщина, тоже дочь богатых родителей.

Влюбить в себя Лену оказалось просто. Она, несмотря на один рухнувший брак и справленное не так давно тридцатилетие, была наивна, как пятилетняя девочка. Не прошло и месяца, и она стала смотреть на красавца-фотографа с обожанием.

И вновь в ситуацию вмешались родители. На этот раз с Луисом поговорили, правда, не сам отец с матерью, а их представитель, некто в темном костюме, назвавшийся Петром Петровичем. Он предложил Луису на выбор два варианта: а) парень женится на Лене. Но после бракосочетания Волкова переезжает на съемную квартиру к Луису, и дальнейшая судьба дочери предков не волнует. Никаких денег они давать им не станут, на внуков даже не посмотрят и вычеркнут дочь из завещания. И б) Луис забывает о Лене. В награду за это он получит новую иномарку и энную сумму денег в конверте.

Парень недолго колебался, выбрал второй вариант. Родители Волковой его не обманули. Луис стал обладателем отличной машины, Лена исчезла из столицы. Потом до фотографа доползли слухи: его пассию отправили в Италию и там выдали замуж за какого-то богатенького Буратино.

Глава 14

Обломавшись два раза, Луис не оставил желания удачно жениться, он постоянно находился в поиске подходящей кандидатуры. Более того, теперь фотограф уже не хотел иметь дело с молоденькой дурочкой, у такой обязательно будет либо папа, либо мама, мгновенно выхватывающие дочурку-щенка из пасти крокодила — Луиса. Может, лучше искать женщину много старше себя, вдову с огромным состоянием? Но подобные кадры ему не попадались.

Сами понимаете, что, строя матримониальные планы, Луис не жил монахом. Около него постоянно были девушки, фотомодели, зависимые от Луиса и страстно в него влюбленные. Луис специально выбирал самых безответных, таких, которые не станут показывать свой характер, и издевался над ними.

Любовницы служили ему верой и правдой. А Луис обещал им помочь сделать карьеру и обманывал дурочек. Олесю Крюкову он снимал для журнала, а потом забрал весь гонорар себе, Люда Маркова неоднократно позировала Луису и тоже не имела за работу ни копейки. Чаще всего парень переезжал жить к девушкам, не платил за квартиру, не покупал еду и не давал им денег. Через какое-то время у дурашек раскрывались глаза, и они избавлялись от Луиса, но, вот странность, даже после разрыва сохраняли с фотографом хорошие отношения и помогали ему. Впрочем, откровенно по-хамски Луис поступил лишь с одной девушкой, Риммой Победоносцевой.

— С кем? — подскочил я.

— Риммой Победоносцевой, — спокойно повторила Элис, — вот уж кто в Луиса по уши влюблен был, ну просто караул, как собака в рот мерзавцу смотрела, а он ее продал.

— Продал? Как?

— За деньги, — усмехнулась Элис, — глупая история, но тебе она не интересна. Запомни другое: Луис подонок, охотник за приданым, его ни в коем случае нельзя знакомить с дочкой твоего хозяина. Если она хочет портфолио, могу дать телефон Миши Рыбкина. Он сделает работу чуть хуже, зато никаких проблем не будет. Очень странно, что Лаптева тебя с Луисом свела. Как-нибудь открой Тане глаза на Машку, хорошая подруга так поступать не станет! Уж кто-кто, а Лаптева отлично знает, какой подонок Луис.

— А что случилось с Риммой Победоносцевой? — быстро спросил я.

— Да какая разница, — отмахнулась Элис, — главное, усеки: Луиса познакомить с дочерью твоего хозяина можно, и поначалу все ей классно покажется. Портфолио делать начнет, нащелкивать девочку, только чем эта затея закончится? Вот вопрос. Впрочем, ответ на него ты уже знаешь.

— Расскажи про Римму!

— Зачем? — прищурилась Элис. — К тебе ее история отношения не имеет.

— Я заплачу за информацию.

— Сто долларов, — мигом выставила цену Элис.

Я кивнул:

— Идет.

— Давай деньги, — деловито сказала девушка.

Получив купюру, она быстро сунула ее в сумочку и улыбнулась:

— Хороший у меня сегодня день, в третьем месте гонорар получаю, так бы всегда. А насчет Римки... Луис в отношении ее слегка ошибся, из-за этого весь сыр-бор и разгорелся.

— Какой?

— Ты слушай, — рассердилась Элис, — а то слова сказать не даешь!

Я покосился на девушку, вообще-то я не болтлив, но сообщение о том, что Луис был знаком с убитой Риммой, сильно взволновало меня.

Некоторое время назад, находясь, как всегда, в

состоянии поиска супруги, Луис был приглашен в качестве фотографа на день рождения одного богатея. Владелец заказал ему шикарный альбом о празднике. Луису велели снимать всех подряд. Парень бегал по залам, выполняя свою работу. В какой-то момент ему захотелось пить. Луис огляделся по сторонам, схватил за плечо одну из официанток и велел ей:

— Ну-ка, притащи колу.

— Вон она стоит, — подавальщица указала пальцем на длинный стол.

— Ваще, блин, — обозлился Луис, — мне самому ее наливать? А ты тогда тут зачем?

Девушка улыбнулась и пошла за бутылкой. Не успела она отойти от парня, как к нему подлетел старый знакомый Веня Полтавский, корреспондент одной из желтых газет.

— Как дела? — спросил он.

— Шоколадно, — улыбнулся Луис.

Завязалась ничего не значащая беседа, прерванная появлением официантки.

— Вот, — перебила она мужчин, протягивая фотографу бутылку.

— А стакан? — обозлился Луис. — Ты совсем больная? Прикажешь из горла хлебать?

— Но на столе нет чистых, — попыталась оправдаться девица.

— Жуть, убогая, — рявкнул Луис, — откуда вас только понабрали. Сбегай живенько к старшему и потребуй бокал.

Девушка снова улыбнулась и исчезла в толпе гостей.

— Ничего себе, — воскликнул Венька, — в каких ты с ней отношениях?

— С кем? — удивился Луис.

— С Риммой.

— С кем? — повторил фотограф, не поняв, кого имеет в виду Полтавский.

— Кого ты сейчас за стаканом погнал, знаешь?

— Официантку.

Веня начал смеяться:

— Ну ты даешь! Позволь процитировать тебе заезженную, но очень верную фразу: «Начальство надо знать в лицо». «Официантка» — дочь хозяина праздника.

Луис чуть не уронил фотоаппарат.

— Врешь!

— Нет, спроси кого угодно, ее тут многие знают.

— Но она одета как последнее чмо, — изумился Луис, — в черную юбочку и белую блузку, прямо как сикозявки с подносами! Ты ничего не путаешь?

— Нет.

— И драгоценностей на ней никаких нет, — продолжал недоумевать Луис.

— Тем не менее она дочь владельца всего этого, — стоял на своем Веня, — ты, однако, фраернулся!

Посмеиваясь, Полтавский отошел к другому знакомому, а Луис остался на прежнем месте, ожидая возвращения Риммы. Та не замедлила появиться через пару минут с пластиковым стаканчиком.

— Извини, — пробормотал Луис, — я принял тебя за прислугу.

Римма звонко рассмеялась:

— Ерунда, мне не трудно принести воды.

— Ты супер! — воскликнул фотограф. — Другая бы охрану позвала.

— С какой стати? — продолжала смеяться Римма.

Естественно, Луис сделал все возможное, чтобы девушка согласилась встретиться с ним завтра в городе. Римма, кстати, совсем не кривлялась, охотно пошла на контакт, и через месяц Луис впал в эйфорическое состояние. Наконец-то он нашел тот вариант, о котором мечтал.

Римма была вполне привлекательная внешне, и

из нее могла выйти фотомодель. Она имела ровный, не вздорный, не капризный нрав и оказалась совершенно не избалованной. Одевалась дочь банкира очень просто, никаких дорогих, эксклюзивных вещей и драгоценностей не носила, по городу передвигалась на метро и получала образование не в МГИМО, не в МГУ, не в Лондоне или Нью-Йорке, а в заштатном институте. Никакой охраны у девчонки не было, никто ей постоянно не названивал на мобильный и не задавал вопросов типа: «Ты где?» или «Когда вернешься?»

Римма без проблем оставалась на ночь у Луиса, а тот старался изо всех сил влюбить в себя богатую наследницу. Дело продвигалось вперед семимильными шагами, и в конце концов Луис произнес слова, которые мечтают услышать от своих любовников тысячи женщин:

— Дорогая, выходи за меня, вот мои сердце и рука.

Римма отреагировала на предложение восторженно. Сначала она бросилась Луису на шею, потом затараторила:

— Прямо завтра понесем заявление. Ой, хочу платье белое-белое, широкое, со шлейфом... Луис, ты меня очень любишь?

— Очень, — кивнул фотограф.

— Понимаешь, у меня есть младшая сестра, Надя. Пусть будет моей свидетельницей, ты разрешишь?

— Конечно, дорогая, — заулыбался жених.

— Ей тоже надо платье! Красивое! Мы его купим?

Луис удивился, но виду не подал.

— Естественно, приобретем любые шмотки, — согласился он, — кстати, ты уверена, что мы должны завтра идти в загс?

— А почему нет? — испугалась Римма.

— Твои родители не будут против? — осторожно начал прощупывать почву Луис. — Скандала не поднимут?

— Мама умерла, — грустно ответила Римма.

— Прости, — воскликнул Луис, — но отец-то...

И тут Римма впервые рассказала будущему мужу о себе.

Богатый Буратино не родной ее папа. Жил-был на свете Петр Шмаков, он женился на вдове с двумя дочками. Шмаков был беден, а мать Риммы и Нади богата. На ее деньги Петр и сумел раскрутить банк. Девочек Шмаков не притеснял, но особой любви к ним не испытывал, хотя они и жили все вместе несколько лет. Потом жена Шмакова скончалась, и тут выяснились совершенно удивительные вещи. Все имущество принадлежало вдовцу, у девочек не было ничего. Шмаков решил избавиться от обузы. Он купил дочкам умершей жены две комнаты в коммунальной квартире и отселил туда Римму и Надю со словами:

— Взрослые уже, нечего у меня на шее сидеть.

Может, будь сестры позубастее, они бы стали качать права, обратились к адвокатам, но девочки были тихими и предпочли покинуть дом, в котором прошло их детство. Жить им стало очень тяжело, потому что Шмаков денег никаких не давал, он постарался забыть о детях умершей жены.

Неизвестно, как разворачивались бы события дальше, но тут Петру ударило в голову пойти в политику, денег у него было много, захотелось власти. Шмаков нашел специально обученных людей, которые вели бы предвыборную кампанию и агитировали народ отдать голоса за него.

Пиарщики принялись за дело. Спустя месяц они представили Петру свои наработки. Там было много всякого, начиная с того, какие костюмы следует носить кандидату, и заканчивая планом предвыборной кампании. Один из пунктов возмутил Шмакова до глубины души.

— Что за гнусь! — заорал он, тыча пальцем в строки. — «Продемонстрировать любовь к дочерям». Это не мои девки!

— Знаем, — закивали пиарщики, — но конкуренты не дремлют. Рано или поздно они начнут рыть на вас компромат и узнают про девиц.

— И что с того? — злился Шмаков. — Эка печаль.

— Многие женщины, а они самая активная часть электората, отвернутся от вас, — задудели специалисты, — а надо, наоборот, привлечь к себе простых баб, для этого вам лучше выглядеть заботливым отцом сироток.

— Мне их у себя в особняке поселить прикажете? — взвился Шмаков. — Ни за что, хоть убейте!

Доверенные лица почесали затылки и нашли выход из создавшегося положения. В газетах появилось несколько статей, посвященных Шмакову. В частности, там рассказывалась его семейная история, тщательно подкорректированная пиарщиками. Выглядела она так: Шмаков женился на женщине с детьми и воспитывал девочек, как родных. Но после смерти матери дети взбунтовались и показали отчиму небо в алмазах. Они обвинили его в преждевременной кончине мамы, хотя всем вокруг было известно, как Шмаков любил жену и сколько сделал для того, чтобы вырвать ее из лап неизлечимой болезни. Но девушки не хотели ничего знать, скандал достиг накала, и детки стали жить отдельно. Шмаков очень переживал, даже попал в больницу с сердечным приступом. Но сейчас положение более или менее устаканилось. Девочки, правда, по-прежнему изображают самостоятельность, но Петр содержит их: одевает, обувает, кормит. Отношения между ним и Риммой с Надей налаживаются, похоже, неразумные финтифлюшки взрослеют и скоро вернутся в дом к человеку, который заменил им в свое время отца. Во всяком случае, Римма встречается со Шмаковым, присутствует на его днях рождения и праздниках, которые устраивают в банке. Надя на подобные мероприятия не ходит, она еще мала для тусовок. Шмаков не принадлежит к той категории отцов, которые позволяют детям до двадцати лет пить спиртное. Выходные Надя проводит в особняке отчима и никогда не уходит оттуда без подарка.

— Вам придется всего лишь пару раз сняться с девками, — пели пиарщики, — убьем сразу несколько зайцев: лишим конкурентов возможности использовать семейную историю в качестве компромата и вызовем к вам сочувствие электората. Проблемы с детьми в нашей стране есть у всех. Вы резко вырастете в глазах публики, ведь заботитесь не о родных по крови девочках. Беспроигрышный вариант.

— Ладно, — скрипя зубами, согласился Шмаков, — если иначе никак нельзя, то действуйте. Только девки противные, они мне подыгрывать не захотят.

— Не беспокойтесь, мы и не таких уговаривали, — заверили его спецы.

Вопрос решили деньги, которые предложили сиротам. Римма и Надя очень нуждались, они согласились сыграть написанные роли. Было сделано несколько фотосессий: Шмаков и дочери в особняке, банкир с девочками в магазине, они же в театре. Потом Надю оставили в покое, а Римму обязали за определенную мзду появляться на всяких тусовках, которые затевал «папенька».

Представляете, что испытал Луис, поняв, какая «богатая наследница» попала в его жадные лапки? Фотограф тут же дал задний ход, в загс он так и не пошел, Римма из будущей жены мигом превратилась в обычную любовницу, призванную обслуживать Луиса. Несчастная девушка была влюблена в него, как кошка, и безропотно подчинялась всем его требованиям. А тот, почувствовав полнейшую безнаказанность, делал с Риммой что хотел.

Потом Шмаков, несмотря на активные действия имиджмейкеров, с треском проиграл выборы и сразу перестал давать Римме деньги, девочкам стало совсем туго, Луис тоже не спешил помогать любовнице, и в конце концов та не выдержала и взмолилась:

— Найди мне хоть какую-нибудь работу!

Луис окинул взглядом стройную фигурку Риммы и предложил:

— Есть один дядечка, большой любитель клубнички.

— Сниматься голой? — испуганно воскликнула Римма.

Луис пожал плечами:

— Чего особенного! Легкая эротика, вон посмотри каталоги выставок, кругом обнаженка. Только мещане боятся открыть тело. И потом, тебе хорошо заплатят.

Римма поколебалась и согласилась. Легкая эротика превратилась сначала в обычное порно, а потом в полное непотребство. Но такие фотографии имеют хороший спрос, впрочем, основная масса заработка оседала в карманах Луиса, Римме доставались жалкие крохи.

Элис познакомилась с Риммой случайно. Луис пригласил фотомодель для съемок на календарь, а девушка, перепутав час, заявилась намного раньше. Фотограф скривился, впихнул ее в маленькую комнатку и велел ждать. Элис устроилась в кресле и услышала тихий плач. Удивившись, манекенщица обозрела комнатенку и поняла, что рыдания несутся из-за стенки, там была крохотная кухонька.

Манекенщица сделала вид, что захотела кофе, решительно направилась в чуланчик, где находилась плита, и обнаружила там горько рыдающую Римму. Видно, той было совсем плохо, раз она выложила незнакомой Элис всю правду о себе.

С тех пор Римму и Элис связало некое подобие дружбы. Иногда манекенщица, испытывавшая к Победоносцевой острую жалость, приглашала глупышку в кафе, кормила ее ужином и горячо советовала:

— Брось урода!

— Он меня любит, — лепетала Римма.

— И заставляет сниматься в порнухе.

— Нам с сестрой жить не на что, — отбивалась Римма.

— Если парень тебя любит, он деньги и так даст, — кипятилась Элис.

— Луис не может двоих содержать, — возражала Римма, — у него сейчас трудный период, финансовые неурядицы. Ничего, все будет хорошо, я Луису помогаю, как могу. Он выкрутится, и мы поженимся...

Элис только вздыхала. Пожалуй, второй такой дуры, как Римма, и не найти. При первом взгляде на Луиса становится ясно: такому прощелыге верить нельзя ни в чем. Если он воскликнет: «Какой замечательный день, следует выглянуть в окно!», — вполне вероятно, что Луис опять соврал.

Элис думала, что хорошо знает, чем закончится этот «роман». Съемки в порнухе быстро старят женщину. Через некоторое время Римма потеряет товарный вид, и Луис найдет себе новую дойную корову.

Но ситуация стала складываться нестандартно. Римма позвонила Элис и тихо сказала:

— Я уезжаю.

— Куда? — удивилась подруга.

— Далеко.

— Зачем? С кем? — продолжала расспросы Элис.

— В Америку, — слегка замявшись, ответила Римма, — я нанялась в домработницы.

— А сестра?

— Она со мной.

— Значит, с Луисом ты рассталась?

— Да, — коротко ответила Римма, — спасибо тебе за все и прощай.

Дружба между Элис и Риммой не была тесной, поэтому манекенщица, решив, что порномодель взялась за ум и избавилась от гадкого любовника, быстро забыла Римму. Похоже, что та и впрямь уехала за океан. Она больше нигде не появлялась с фотографом, около того теперь вертелась другая курица. Победоносцева словно в воду канула. Но история имела неожиданное продолжение.

Глава 15

Некоторое время назад Элис ехала по проспекту и захотела пить. Она притормозила около старухи, торговавшей всякой всячиной, и потребовала:

— Открой минералку.

Бабка принялась рыться в сумке, но тут к ней подлетела проститутка и заверещала:

— Тетя Клава, дай в долг шоколадку, вечером деньги верну.

— Возьми, зануда, — разрешила торговка, отыскивая открывалку.

Фея магистрали наклонилась, схватила батончик, и с ее головы слетела бейсболка, прикрывавшая огромным козырьком пол-лица.

— Римма! — вскрикнула Элис. — Ты! Тут! Не может быть!

Проститутка вздрогнула, вероятно, ей больше всего хотелось убежать, но она пересилила себя и приветливо сказала:

— Элис! Надо же, как мы неожиданно встретились!

— Более чем, — пробормотала манекенщица, разглядывая Римму. — Что с тобой случилось?

— Ничего, работаю.

— На проспекте?!

— И чего особенного?

— Ты же вроде в Америку уехала.

Римма вздохнула:

— Погоди минутку.

Элис послушно осталась сидеть в машине. Римма сбегала куда-то, потом вернулась и предложила:

— Вон там кофейня, пошли?

За чашечкой капуччино Римма рассказала правду. Ни в какой Нью-Йорк она никогда не собиралась, история про Америку была ею придумана от начала и до конца.

— Зачем ты мне наврала? — удивилась Элис.

Римма молчала.

— С какой стати ты на шоссе стоишь? — не успокаивалась Элис.

Римма тяжело вздохнула и рассказала историю, от которой у Элис волосы встали дыбом. Оказывается, Луис, решив открыть агентство, взял деньги в долг у одного ну очень крутого человека. Фотограф рассчитывал, что бизнес пойдет хорошо и он в короткий срок сумеет расплатиться. Но случилось несчастье: в купленном для агентства помещении уже после ремонта, в который было вложено немало средств, вспыхнул пожар. Луис мигом лишился всего, оставшись с огромным долгом.

Заимодавец, человек, как все ростовщики, безжалостный, не захотел учитывать форс-мажорные обстоятельства и начал требовать деньги, счетчик тикал, и в конце концов Луису начали угрожать. Бедный парень оказался на грани самоубийства, он уже совсем было решил свести счеты с жизнью, но тут неожиданно в конце тоннеля забрезжил свет. Ростовщик согласился взять в счет долга Римму. Девушке предстояло стать одной из «ночных бабочек», обслуживающих клиентов. Семь восьмых ее заработка пойдет на погашение кредита, оставшиеся медные копейки Победоносцева может забирать себе. Вот почему Римма оказалась здесь.

— Давай увезу тебя, — мгновенно предложила Элис.

— Куда?

— Ну... придумаем, убежишь от своих мучителей.

Римма мягко улыбнулась:

— Меня не держат здесь силой. В принципе, я в любой момент могу спокойно уйти. Живу дома, вместе с Надей, та, естественно, не знает, чем я занимаюсь.

— Неужели нет возможности найти нормальную работу? — почти закричала Элис. — То, чем ты занимаешься сейчас, ужасно!

Римма без всяких проявлений эмоций допила кофе.

— И как мне заработать? — спросила она. — Я ничего не умею делать.

— Да хоть полы мыть пойди! — заорала Элис.

Римма усмехнулась:

— А с Луисом что будет? Его сразу убьют. Долг-то не погашен.

Манекенщица пробормотала:

— Деньги брал Луис. Он тебе кто? Ни муж, ни брат, ни сват, и потом, я сильно сомневаюсь, что нужно себе судьбу корежить даже из-за родни. Уходи отсюда, еще не поздно начать жизнь сначала.

— Мы с Луисом очень любим друг друга, — тихо ответила Римма. — Отработаю долг, и поженимся.

Вот тут Элис окончательно лишилась дара речи. Дальнейший разговор с Риммой показался ей совершенно бессмысленным.

— Больше вы с Победоносцевой не встречались? — поинтересовался я.

— Нет, — вздохнула Элис, — жалко мне Римму. Луис сейчас клинья под Нику Кострову подбивает. Слышал про такую?

— Нет, — честно признался я.

Элис вздернула брови:

— Да? Ее все богатенькие знают. Дочь Андрея Кострова, владельца сети супермаркетов «Объедение». Луиса с Никой вместе на кинофестивале видели, и, что интересно, ее папа рядом стоял. Вот так! Кажется, нашел себе Луис наконец невесту! А Римма, дурочка, на дороге скачет!

Я постарался уложить информацию в голове.

— Но с какой стати тогда Луис решил делать портфолио дочери моего босса?

Элис скривилась:

— Шут его знает. Может, запасной вариант готовит, кому ж известно, что в его подлой головенке вертится? Мне он о своих планах не рассказывает, впрочем, я этого жиголо терпеть не могу.

— А снимаешься у него, — подлил я масла в огонь.

— Кушать хочется, — сердито отозвалась Элис, — Луис хоть и мерзавец, но работает отлично, у него много связей, с таким ругаться не надо, а вот гадость ему исподтишка сделать — милое дело. Ты хозяину все объясни, пусть он свою дочь к другому фотографу отправляет.

Я довез Элис до метро и медленно покатил по проспекту, ощущая каменную усталость. Ну вот, похоже, делу конец, оно выеденного яйца не стоит, очень банальная история. Итак, список действующих лиц: наивная, если не сказать глуповатая, Римма Победоносцева, безоглядно влюбленная в мерзавца, Луис, беспринципный, жадный до денег негодяй, и дочь богатого человека Ника. Теперь фабула: Луис продает Римму сутенеру, получает от того энную сумму и спокойно забывает Победоносцеву. Та, обманутая и любовником, и хозяином, думает, что отрабатывает долг, надеется на свадьбу с любимым.

Луис же затевает роман с Никой и, похоже, наконец-то попадает в десятку, отец девушки появляется вместе с парочкой на кинофестивале, а это, согласитесь, похоже на помолвку. Что же происходит дальше?

Я припарковался возле небольшого кафе, вошел внутрь, заказал эспрессо и уставился в окно, за которым, радуясь теплому летнему вечеру, текла толпа. Что же случилось потом? Да на эту тему было создано много книг, в частности, замечательный роман Теодора Драйзера «Американская трагедия». Там описана похожая ситуация. Парень имел отношения с простой девушкой, обещал жениться, а потом закрутил роман с богачкой. Первая любовница могла помешать счастливому браку с денежным мешком, и пришлось юноше убить глупышку. Похоже, Луис пошел тем же путем. Наверное, у Риммы неожиданно открылись глаза, кто-то ей рассказал правду о фотографе. Победоносцева потеряла голову, стала следить за женихом, узнала про Нику и пригрозила Луису рассказать той все. Тут-то обозленный мачо и зарезал Римму. Дело за малым: найти доказательства совершенного им преступления.

Неожиданно мне захотелось спать, сказывался тяжелый день, проведенный в разговорах. Сейчас поеду домой, лягу в кровать...

И тут ожил сотовый, я с подозрением глянул на светящееся окошечко, номер не знаком, кто бы это мог быть? Нора! Как правило, при звонке из-за границы на дисплее высвечивается всякая ерунда с нолями, прямо как сейчас. Я поднес трубку к уху.

— Слушаю.

— Вава, — затараторила Николетта, — скорей приезжай в супермаркет «Объедение», ну тот, что около нашего дома, поторопись!

— Может, скажешь сразу, что купить? — спросил

я. — В «Объедении» запредельные цены, то же самое можно приобрести...

— Вава, — взвизгнула Николетта, — рысью сюда! Меня арестовали.

— За что? — подпрыгнул я.

— Ужасно! — заорала маменька. — Я уже вызвала Сергея Никаноровича! Скорей! Сюда!

Я ринулся к машине. Что за бред? С какой стати милиции задерживать маменьку? Почему она пошла в «Объедение»? Николетта никогда не занимается закупкой продуктов. Ладно, будем надеяться, что Сергей Никанорович Литвинов, адвокат Николетты, прибудет на место происшествия раньше меня и начнет разбирательство.

Когда я вошел в кабинет заведующего магазином, Литвинов уже сидел в кресле возле большого письменного стола.

— Что случилось? — вырвалось у меня.

— Произвол, — заявил Сергей, — мы на них в суд подадим.

— Ее поймали на месте преступления, — мигом отреагировал начальник торговой точки, потом оглядел меня и нервно спросил: — А вы кто? Еще один законник?

— Сын Николетты Адилье, Иван Павлович Подушкин.

— Он врет, — взвизгнула маменька, — это мой брат! Ну сами посудите, разве у молодой женщины может быть престарелый ребенок?

— Родственник, значит, — протянул заведующий, — ладно, я Игорь Сергеевич Монькин. Давайте решим ситуацию миром. Платите штраф за украденное печенье в десятикратном размере, спонсорский взнос в адрес магазина, и все.

— Печенье? — вытаращил я глаза. — Что вы имеете в виду?

— Ваша мать... — начал было Игорь Сергеевич.

— Сестра, — перебила его Николетта.

— ...украла печенье, и ее задержала служба безопасности.

— Какое? — растерянно спросил я.

— Курабье, — быстро ответил Монькин.

— Отечественного производства?

— Да.

— Не может быть! Николетта никогда не употребляет российские продукты.

— Вы ответите за произвол, — ожил Сергей, — давайте разберемся в ситуации! Когда ваши охранники, применив грубую силу, схватили госпожу Адилье, пачка печенья была у нее в руках?

— Нет, упаковка валялась на полу.

— Следовательно, Николетта не виновна, печенье мог обронить кто угодно!

— Николетта не ест продукты российского производства, — тупо повторил я. — Ну не бред ли! С какой стати маменьке тащить из магазина то, на что она даже не взглянет?! Курабье! Право, смешно.

— Я лично видел, как сия мадам тырила сладкое, — упер палец в монитор заведующий. — У меня весь торговый зал как на ладони.

— Вы меня с кем-то спутали, — весело воскликнула Николетта. Я удивился еще больше. Мало того что маменька по непонятной причине отправилась в «Объедение» и решила спереть совершенно ненужный продукт, так еще, похоже, она получает настоящее удовольствие от сложившейся ситуации. По идее, сейчас Николетта должна рвать и метать, топать ногами, призывать на голову заведующего все небесные кары, но нет! Она сидит и мило улыбается.

— Спутал? — ехидно воскликнул Монькин. — Как бы не так! Вы слишком нестандартно выглядите! Этот костюм с перьями, прическа, серьги в виде бочонков. Да и лицо ваше я великолепно рассмотрел! Вы неповторимы!

Николетта кокетливо поправила рукой волосы.

— Спасибо за комплимент, но вы ошибаетесь!

— В чем? — взвился Игорь. — В описании вашего ярко-красного прикида с воротником из темно-синих перьев? Да такого второго днем с огнем не найти.

Николетта ткнула пальцем в экран:

— Так вон там еще один!

Мы все уставились на монитор.

— Матерь Божья! — воскликнул директор и схватил телефонную трубку.

— Не может быть, — подскочил Сергей.

Один я мигом понял, в чем дело. У стойки, забитой пачками и коробками, стоит Мэри. Одета она точь-в-точь так же, как Николетта. Тетушка быстро запихивает под кофточку какую-то пачку.

— Немедленно задержите ее, — рявкнул Игорь, — живо, бегом!

— Так я пошла, — вскочила на ноги Николетта.

Прежде чем Монькин успел выдавить из себя хоть слово, маменька взвилась над стулом и вихрем вылетела в коридор.

Директор вытер вспотевший лоб.

— У вашей клиентки есть сестра-близнец? — обратился он к Сергею.

— Нет, — обалдело покачал головой адвокат, — слава богу, нет. Ее одну-то выдержать проблема, а от двух и вовсе с ума сойти можно. Ой, простите, Иван Павлович!

— Ничего, — махнул я рукой, — понимаю вас!

Через несколько минут в кабинете появилась Мэри.

— Что за ерунда! — завизжала она. — Видели же преступницу! И опять меня схватили?

Заведующий покраснел.

— Вы кого привели? — зашипел он на охранников.

— Так эту... воровку, — забасили парни, — сами велели хватать бабу в красном костюме с перьями.

— Я вам не баба, — затопала ногами Мэри, — вы за все ответите! Уроды! Кретины...

Легкое подозрение закралось в мою душу. Похоже, это как раз Николетта, а до этого была Мэри!

— Вы ее знаете? — повернулся ко мне Игорь.

— Да.

— И кто это?

— Моя м... э... сестра... Николетта Адилье!

— С ума сойти, — покрылась пятнами дама, — я твоя мать! Вава!

Я схватился за сигареты. Мать! Значит, это Мэри. Николетта даже под угрозой расстрела не признается, что она родила меня на свет.

— Опять притащили! — бушевала тетка. — Вон же воровка, крадет конфеты.

Тонкий пальчик с изящным ноготком указал на монитор.

— Вау! — взвизгнул Игорь и схватился за телефон.

— Ваще офигеть, — по-детски разинул рот адвокат.

— Ладно, надеюсь, больше меня не приведут в сей кабинет, — рявкнула Мэри и с достоинством удалилась.

— Со мной первый раз такое, — признался директор.

Адвокат нервно дернул шеей, а я, встав, тихо сказал:

— Пожалуй, я тоже пойду.

Но покинуть кабинет мне не удалось, потому что в него вновь ввели одну из сестричек, уж и не знаю которую.

— В суд на вас подам! — заорала с порога дама. — Издеваетесь, да? Не успела до двери дойти, как меня хватают! Имейте в виду...

Монькин посерел и уставился на монитор. На экране хорошо было видно, как женщина в костюме с перьями быстро направляется к дверям, ведущим на улицу.

— Ловите ее, недоумки, уроды, балбесы! — завизжал потерявший всякое самообладание заведующий.

Но поздно, Николетта-Мэри благополучно выскользнула на проспект. Монькин обмяк в кресле.

— Воды, — прошептал он.

— Охотно налила бы вам стаканчик, — мигом отреагировала то ли маменька, то ли Мэри, — но за бутылкой придется идти в зал, а там меня снова схватят. Надеюсь, теперь вы отдадите приказ своим дуракам отпустить меня? Сергей Никанорович, благодарю вас, счет за визит оплатит в течение трех дней мой брат.

Брат! Ага, это Николетта.

Когда мы вышли к кассам, охранники с обалделыми лицами уставились на нас.

— И что? — прищурилась маменька. — Опять на невинную женщину напасть хотите?

— Ответите за произвол, — ожил Литвинов, — а ну, кто старший по смене? Немедленно тащите сюда пофамильный список тех, кто занимался безобразием!

Оставив адвоката на поле битвы, мы с Николеттой пошли к моей машине.

— И зачем вы дурацкую забаву придумали? — вырвалось у меня.

— Это идея Николетты!

— Ты Мэри?

— Да, не узнал?

— Нет!

— Здорово.

У меня закружилась голова, а тетка продолжала весело тараторить:

— Мы в детстве всех так дурили, нас никто отличить не мог, даже на свидание бегали по очереди. Но с магазином круче вышло! Чистый адреналин! Как этот идиот-директор растерялся, ха-ха-ха! Ой, умора! Мы специально два одинаковых костюма купили и серьги! Вау! Здорово получилось!

— Ну и смехота! — подхватила маменька, выскакивая из-за угла. — Теперь надо Коку разыграть! Вава, ты нам поможешь! Завтра! У нее в восемь суаре[1]. Я, конечно, приглашена, о Мэри Кока не знает! Только на этот раз платья у нас будут разными и прически тоже! О, я такое придумала!

— Какое? — с жадностью поинтересовалась Мэри.

— Быстро садитесь в автомобиль, — велел я, — а то еще, не дай бог, кто-нибудь из сотрудников супермаркета поймет, в чем дело!

Дамы шмыгнули в «Жигули».

— Фу, бензином воняет, — сказала одна.

— Что за бардак на заднем сиденье, — отреагировала другая.

Я молча повернул ключ в зажигании, до дома две минуты езды, придется им потерпеть.

Высказав недовольство, тетушка и маменька зашептались, потом за моей спиной раздалось веселое хихиканье и возгласы:

— Кока с ума сойдет!

— Точно!

— Ее в психушку отправят.

— Верно!

— Вместе с остальными.

— Ага, и их!

Хихиканье перешло в громкий хохот. Я не выдержал и сказал:

— По-моему, вы ведете себя, как неразумные дети.

— Фу, Вава, ну ты и зануда, — заявила маменька.

— Даже странно — каким тухлым может быть мо-

---

[1] С у а р е *(испорченный французский)* — вечеринка.

лодой мужчина, — подхватила Мэри, — мы не делаем ничего плохого! Просто шутим, потому как...

— Девушки нашего возраста имеют право на беззаботное веселье, — быстро закончила ее фразу Николетта.

Глава 16

С утра небо над городом нахмурилось тучами, и я решил на всякий случай прихватить с собой пиджак из льна. Мне предстояло вместе с Лизой выбирать унитазы и раковины.

Вынув из шкафа светло-бежевый наряд, я придирчиво осмотрел его. Лен замечательный материал, лично мне в этом пиджаке очень комфортно: ни жарко ни холодно, одна беда, такая верхняя одежда мгновенно мнется, стоит только сесть за руль. Разгладить вещь практически невозможно, сколько бы моя бывшая няня, а теперь домработница Николетты Таисия ни размахивала утюгом, складки не расправляются. Хотя, если честно, Тася просто не умеет гладить.

Я в задумчивости смотрел на пиджак, ощущая, как во мне по непонятной причине нарастает раздражение. Согласен, сейчас, когда лен и стопроцентный хлопок вошли в моду, измятые костюмы считаются хорошим тоном. Более того, всем понятно: если на тебе жеваные шмотки, значит, они сшиты из натурального материала и стоили хозяину немалых денег. Идеально отглаженный сюртук и брюки с безукоризненными стрелками свидетельствуют о том, что ты приобрел одежду с примесью синтетики, отстал от современных веяний. В наши дни люди увлекаются всем естественным: дома из бруса, подушки, набитые шелухой, еда без консервантов. А во внешности: легкая небритость, взлохмаченные волосы, мятые рубашки...

Но лично мне очень некомфортно щеголять в пиджаке, который похож на половую тряпку.

Я вышел в коридор и позвал:

— Тася.

— Чего? — высунулась из кухни домработница.

— Сделай одолжение, приведи в порядок мой пиджак.

— Почистить надо или пуговицу пришить? — задала, как всегда, дурацкий вопрос Тася.

Обычно я спокойно реагирую на ее «выступления». Тася живет с Николеттой очень много лет, уж не помню сколько. Во всяком случае, когда я появился на свет, она уже работала у маменьки. Сами понимаете, что я привык к Тасе и великолепно изучил все ее реакции. Но сегодня отчего-то ее идиотизм начал меня злить.

— Возьми утюг, — сухо сказал я.

— Зачем? — уставилась на меня Тася.

— Чтобы сварить суп, — процедил я сквозь зубы.

— Суп? — изумилась домработница. — Ваняша, ты, похоже, перегрелся на солнце. Вона жарища какая стоит! Бульон на мясе гоношат! Утюг! Может, ты в кроватку ляжешь?

— Это была шутка, — объяснил я, — утюгом гладят! Немедленно займись пиджаком.

— Чего?

— Не видишь, какой он мятый!

— Сейчас так носят, лен не распрямить, — протянула Тася.

У меня потемнело в глазах. Чтобы окончательно не рассвирепеть, я попытался заняться аутотренингом. Спокойствие, Иван Павлович, только спокойствие. Тася никогда ничего не делает сразу. Домработница всегда сначала пытается избавиться от навязываемого дела. Если сунуть ей грязные ботинки, то непременно услышишь в ответ:

— И чего их чистить? На улице дождик льет! Опять испачкаются.

Если возмущенно спросить: «Послушай, когда ты из-под кровати пыль выгребала? — то тут же узнаешь про все Тасины болячки: радикулит, высокое давление, головную боль, насморк и кашель, обрушившиеся на нее разом. Тасе нужно как минимум восемь раз напоминать о необходимости почистить столовое серебро. Не нервничай, Иван Павлович, начни сначала. Ну-ка, дорогой, протяни лентяйке пиджак и тоном, не допускающим возражений, заявил:

— Немедленно погладь, да смотри, чтобы ни одной, даже крохотной складочки на вещи не осталось.

И вообще, тот, кто хорошо знаком со мной, великолепно знает: я никогда не повышаю голоса на женщин, даже если они глупы, ленивы...

Неожиданно волна злобы накрыла меня с головой, руки затряслись, перед глазами замелькали радужные круги, телу стало жарко. Горячая волна достигла головы, рот мой сам собой раскрылся, и из него полились такие слова, что напечатать их не представляется возможным даже в наше весьма раскованное время. Если честно, я и сам не подозревал, что владею ненормативной лексикой столь виртуозно. Нецензурная брань сыпалась из меня горохом, некоторыми перлами мог бы гордиться вечно пьяный маргинал, проводящий жизнь в придорожной канаве.

Испугавшись самого себя, я попытался захлопнуть рот, но тут мой взгляд упал на правую руку Таси. Она сжимала пульт от телевизора. Домработница, очевидно, только что пила кофе, наслаждаясь одной из дурацких утренних передач.

Вихрь злобы закрутил меня с новой силой. Я сделал шаг вперед, выхватил у Таси пульт дистанционного управления и швырнул его о пол. Осколки пластмассы разлетелись веером вокруг, две батарейки покатились к ногам домработницы.

Тася сначала присела, потом ойкнула, выхватила у меня пиджак и скрылась, как тень в солнечный полдень.

Я внезапно затрясся, словно озябший щенок, и рухнул на стул. Ног я не чувствовал, голова кружилась, к горлу подступала тошнота, спину покрывал липкий пот. Потом на смену холоду пришел жар, я почувствовал, как кровь прилила к щекам. Боже! Это ужасно! С какой стати я наорал на пожилую женщину, свою бывшую няню? Видел бы меня сейчас отец, Павел Подушкин, не устававший внушать сыну:

— Ваняша, интеллигентный человек вежливее всего разговаривает с прислугой. Только хам способен вопить на человека, зарабатывающего на жизнь мытьем полов.

Мне стало совсем плохо. Память услужливо подсунула очередное воспоминание.

Вот я, маленький, наказанный Николеттой за какую-то невинную шалость, тихо сижу в своей комнате. Мне грустно, потому что вздорная маменька лишила сына любимого лакомства — пирожного с заварным кремом. Жизнь кажется ужасной, и, чтобы хоть чем-то порадовать себя, я вытащил с полки много раз читанную книгу про пиратов. В конце концов, она лучше эклера. И тут дверь тихонько распахивается, появляется Тася с тарелочкой.

— Слышь, Ваняша, — говорит няня, — слопай-ка ты мое пирожное! Живенько!

— Меня наказали, — напоминаю я Тасе.

— И чего? — упирает она руки в крутые бока. — Запретили есть твой эклер, а мой-то можно! Никто ничего и не узнает. Станет Николетта пирожные на блюде пересчитывать — одно и останется, твое. Скушай, ангел, выручи няню, меня от заварного крема пучит!

А вот летняя ночь в Переделкине. Над нашей

дачей грохочет гром, и мне делается дико страшно, сейчас молния попадет прямехонько в деревянный дом, а тот развалится на бревна. С громким визгом я несусь в спальню к родителям и натыкаюсь на крепко запертую дверь.

— Немедленно иди в свою кровать, — слышится из-за створки сердитый голос Николетты, — такой большой мальчик, а трус!

Громко плача, я кидаюсь в каморку, где спит Тася, влезаю к ней на лежанку. Няня садится, на ее голове топорщатся железные бигуди, она облачена в фланелевый мешок, именуемый ночной сорочкой.

— Испугался? — спрашивает Тася.

— Да, — рыдаю я, — сейчас меня молнией убьет, как Мартина! Из книжки! Там мальчика гроза настигла-а-а.

— Ой беда, — бормочет Тася, откидывая одеяло, — а ну лезь сюда.

Я ныряю под пуховую перину, слишком жаркую даже для прохладного подмосковного лета, и прижимаюсь к Тасе. Няня пахнет детским мылом и ванилином.

— Зря ты так много читаешь, — укоряет меня она, — надо по деревьям лазить, стекла бить, а не в книжку носом сидеть, больно умным быть плохо. Ладно, спи, если молния сюда влетит, я веником ее выгоню.

— Молния — это электричество, — пытаюсь я образовать Тасю и получаю легкий шлепок вкупе со словами:

— Спи, умник! Электричество в лампочке, а молния от грома.

Сил спорить с няней нет, объяснять ей, что грохот появляется после электроразряда, а не наоборот, я не могу, глаза закрываются, тело наполняется покоем, сон мягко кладет теплую руку мне на веки.

Господи, отчего сейчас в голову лезут эти воспоминания?

— Тася! — крикнул я.

Домработница тут же принеслась на зов.

— Ванечка, — захлопотала она, — иди чайку глотни, я заварила свеженький и тостики пожарила. Ступай, милый, покушаешь и успокоишься.

— Прости, бога ради, — прошептал я, — сам не пойму, что на меня накатило!

— Ерунда, — отмахнулась Тася, — с любым человеком приключиться может. Вон Николетта цельными днями визжит, так я ее и не слышу, как к радио к ней отношусь! Дудит себе и дудит! Правда, сейчас, когда их две стало, надоедает чуток, но и то не беда. Не майся, Ваняша. Накось спинжачок, я отгладила его, будь он неладен. Кто ж такую моду ввел? Вот, к примеру, шерсть с лавсаном, махнешь утюжком, и ладно, а тут топчись у доски, пока не посинеешь.

Я встал со стула и неожиданно ощутил жуткую усталость. Если Николетта так же не способна руководить собой в момент припадка гнева и ей столь же плохо бывает после истерики, то маменьку следует пожалеть. Я, до сих пор считавший, что крикливость сродни распущенности, впервые понял: иногда скандальность симптом болезни. Очень надеюсь, что я не заразился какой-нибудь болячкой, которая превратит меня в психопата, топающего ногами и визжащего от ярости.

Я пошел к двери и вдруг замер. Владилен Семенович Бурмистров, бизнесмен, который дал мне координаты Григория Арапова! Он на моих глазах впал в ярость, превратился в безумное существо, причем совершенно ни за что оскорбил официанта, а потом в полном недоумении повторял:

— Господи! Да что это со мной происходит! Сам на себя не похож стал!

Неужели существует инфекция, вирус злобы? Вдруг он воздушно-капельным путем передался мне от Бурмистрова?

Сегодня Лиза, несмотря на жару, нарядилась в костюм с длинными брюками. Под ним была глухая кофта до горла, на голове сидела белая бейсболка, щедро украшенная разноцветными стразами.

— Ванечка Павлович, — замахала она наманикюренными ручками, — сюда, скорей, я нашла классный унитазик. Пошли быстрей, он с лифтом.

— Вы о чем говорите? — изумился я. — Имеете в виду, что нам сейчас предстоит воспользоваться подъемником?

Лиза звонко рассмеялась.

— Нет, Нора просила найти унитаз с лифтом, вот я и выполнила ее просьбу.

У меня, к сожалению, очень развито воображение. Перед моими глазами мигом возникла дивная картина. Вот вхожу я в клозет и вижу нечто огромное, устрашающе белое, фарфоровое. Сбоку доносится шум океанского прибоя, это гудит вода в трубах огромного диаметра. Где-то в вышине, почти под самым небом, висит бачок, а сбоку притулился лифт. Я подхожу к кабине и натыкаюсь на табличку «Ремонт». Глаза судорожно обшаривают туалет, и в конце концов я замечаю лестницу наподобие той, что ведет к вершине Останкинской телебашни. Ужас охватывает мою душу. Мне ни за что не успеть добежать до верха, сейчас случится конфуз.

— Ванечка Павлович, — вернул меня из грез в действительность бодрый голосок Лизы, — мы пришли.

Я вздрогнул и уставился на самый обычный унитаз.

— А где лифт? — вырвалось у меня.

— Показывай, — велела Лиза парню с бейджиком «Глеб» на груди.

— Замечательная модель, — заученно затарахтел юноша, — во-первых, то, о чем вы сразу спросили: лифт. Вот, действует безотказно.

Хитро улыбаясь, Глеб вытащил из кармана плоскую коробочку и ткнул в нее пальцем. Пластиковый круг медленно поднялся вверх.

— Опустится он сам, автоматически, — радовался Глеб, — представляете, сколько скандалов не состоится? Вечно женщины орут на мужчин, если те сиденье поднятым оставляют. Далее. Тут совмещены функции биде и фена.

— Фена? — переспросил я.

Глеб снова ткнул в коробку. Из недр унитаза послышалось мерное гудение.

— Вы руку поднесите, — предложил продавец, — чувствуете теплый воздух? Еще здесь есть пульверизатор для духов, диспенсер с мылом, радио и диктофон.

— Диктофон? — снова пришел я в изумление. — Зачем?

— Не знаю, как вам, — вздохнул Глеб, — а мне самые дельные мысли приходят в голову в момент... э... ну, в общем, вы поняли. Только выйду из туалета и сразу все идеи забуду, а так можно их мгновенно записать, крайне удобно. Естественно, унитаз подключен к Интернету.

— Что? — подскочил я. — При чем тут Всемирная паутина?

Глеб покосился на Лизу, потом вздохнул.

— Ритм жизни теперь суровый, у людей ни секунды свободной нет. А тут взял комп и сиди. Тут у нас на днях эту модель один брокер покупал, так радовался как ребенок от того, что ни на минуту от работы теперь отвлекаться не станет!

Я уставился на чудо сантехники. У меня есть приятели, вернее, бывшие однокашники, мы вместе учились в Литературном институте, Кирилл Шоков и Никита Мартемьянов. Оба они были неплохими, подающими надежды поэтами и при других жизненных обстоятельствах могли бы заниматься литературным трудом. Но сегодня в нашей стране, сочиняя вирши, ничего не заработаешь, поэтому Кирилл и Никита переквалифицировались в брокеров. Они достигли определенных успехов, и мне никогда не понять, чем они занимаются. Раньше приятели были вполне нормальными людьми, теперь же похожи на сумасшедших, ни о чем, кроме как о своей работе, они разговаривать не в состоянии. Этой зимой Никита праздновал день рождения, пригласил нас в ресторан, где угостил великолепным обедом. Но насладиться в полной мере медальонами из телячьей вырезки мне мешала беседа, которую вели два невменяемых брокера. Мало того что я не понимал почти ни одного слова: друзья произносили странные фразы, напичканные специфическими терминами, так у них еще постоянно трезвонили многочисленные мобильные телефоны. Кирилл с Никитой хватали трубки и рявкали:

— Бери.

— Покупаю.

— Сбрасываю.

— Поднимаю.

В какой-то момент неожиданно воцарилась тишина. Кирилл вдруг глянул в окно и воскликнул:

— Снег падает.

— Немедленно продавай, — тут же отреагировал Никита.

Вот для таких, полувменяемых людей унитаз, подключенный к Интернету, самая необходимая вещь. Но зачем он понадобился Норе?

Глеб, не замечая настроения потенциального покупателя, продолжал рекламировать товар.

— Естественно, в комплект входит СД-плеер.

— А СВЧ-печь? — еле сдерживая смех, с самым серьезным видом спросил я.

Глеб поперхнулся словами:

— Печка? К чему она?

— Как же! А вдруг я проголодаюсь?

Глеб заморгал, Лиза засмеялась:

— Ванечка Павлович, вы озорник, не конфузьте менеджера, покушать на кухню сходите.

Юноша снова затараторил:

— Функции переключаются посредством пульта. Все очень просто, кнопочки с цифрами, нажал, и готово! Теперь главная фишка! Дистанционное управление действует на расстоянии километра от объекта. То есть, выйдя из метро и направляясь домой, вы можете «рулить» унитазом.

Я усмехнулся. Нынче, похоже, вся сантехника с дистанционным управлением. Раковину мне уже такую предлагали. Теперь унитаз!

— Зачем? — спросил я. — Вам не кажется это глупостью?

Глеб растерялся.

— Ну... так... придумали. Это основная фишка. Гостей удивить. Вы, допустим, во дворе, а приятель в туалете, ну и включили ему сначала фен, потом музыку! Прикольно.

— И сколько стоит подобное чудо? — осведомился я.

— Пять тысяч, — ответил продавец.

Я посмотрел на агрегат. Совсем даже недорого, учитывая многофункциональность вещи.

— Сколько же это в долларах? — задумчиво пробормотала Лиза. — Никак не подсчитаю.

— Минуточку, — улыбнулся Глеб, — сейчас.

Продолжая лучиться, он крикнул:

— Серый, какой там сегодня курс у евро?

— Европейская валюта? — насторожился я. —

Унитаз стоит пять тысяч евро? Не рублей? Но за такие деньги можно хорошую машину купить!

— И чего? — прищурился Глеб. — На фиг она вам в сортире!

Глава 17

Приобретать унитаз за невероятную цену я отказался наотрез. Лиза пыталась переубедить меня и даже сама позвонила Норе.

— Вот, поговори, — сунула она мне в руки трубку.

— Ваня, — воскликнула Элеонора, — ты жалеешь мои деньги? Не переживай, голубчик, я еще заработаю, бери самое лучшее.

Я внезапно опять почувствовал приступ злобы и, с трудом погасив в себе желание завопить дурниной, попытался объяснить хозяйке суть дела.

— Мне не трудно купить этого урода, только с какой стати приобретать унитаз с массой ненужных функций!

Элеонора неожиданно не стала спорить.

— Поступай, как знаешь, — согласилась она, — наверное, ты прав. Кстати, деньги на похороны и поминки девочке Наде выдай, отметь там по ведомости «Милосердия».

— Да, конечно, — ответил я, — сейчас разберусь с сантехникой и поеду к бедняжке.

Все-таки с Норой приятно иметь дело, я попросил ее помочь девушке, потерявшей единственную родственницу, и хозяйка сразу согласилась. Несмотря на ехидство, Элеонора очень добра и отзывчива.

Проведя на рынке еще несколько часов, мы с Лизой отыскали нормальный унитаз и обычную раковину. Прораба, правда, потом потянуло к супермодным смесителям, сделанным в виде водопадов, но я был начеку и настоял на своем: у обычного рукомойника и краны простые. Лиза осталась недовольна.

— Хозяин барин, — протянула она, — конечно, каждый покупает то, что хочет, только вы же не греете чайник на костре, ставите его на современную плиту.

— Все равно не приобрету унитаз с Интернетом и умывальник, способный делать маникюр, — уперся я.

— Тогда давайте на кухне очаг сложим, — ехидно заявила Лиза, — из камней! Будем на нем тушу барана, убитого дубиной, жарить. Кстати, зачем вам цветной телевизор? И электричество проводить не надо, при свечах вечерок скоротаете. Опять же, машиной пользуетесь! Очень нелогично! Ежели отрицаете научно-технический прогресс, так будьте последовательны! Рассекайте по городу на лошади, не пользуйтесь антибиотиками и пишите гусиным пером.

Мои ноги стали ватными, по спине побежала жаркая волна, испугавшись очередного немотивированного припадка гнева, я изо всех сил стиснул зубы. Потом, еле-еле справившись с собой, дотащился до машины, снял ставший каменно тяжелым льняной пиджак, сунул его в багажник и, не сказав Лизе более ни слова, сел за руль и покатил к Наде. Нужно передать потерявшей последнее родное существо девочке деньги на похороны и поминки любимой сестры.

Квартира Нади оказалась запертой. Я сначала позвонил, потом постучал в створку, но никакого результата не добился. Похоже, девушка куда-то ушла. Порывшись в барсетке, я нашел блокнот, ручку и написал записку: «Наденька, как придете, позвоните, вот мой номер телефона. Общество «Милосердие» готово оплатить все расходы, связанные с похоронами. Иван Павлович». Бумажку я сунул в щель между створкой и косяком, потом вернулся в машину и набрал номер Литвинова, адвоката Николетты.

— Да, — бойко отозвался Сергей, — весь внимание.

— День добрый, — начал я разговор.

— Привет, Иван Павлович, — сразу же узнал меня юрист, — как дела? Кто под следствие попал? Надеюсь, не ты? Или Николетта вновь в краже подозревается? Лучше сразу о проблеме расскажи, без долгих предисловий.

— У нас все нормально.

— А у кого плохо?

— Я не по вопросу защиты. Скажите, Сергей, вы слышали про бизнесмена по имени Андрей Костров?

— Кто ж его не знает, — засмеялся Литвинов.

— Вы дружите?

— Нет, конечно, — совсем развеселился адвокат, — я ему не чета, маленький винтик без особого капитала, не депутат, не олигарх, не известный шоумен.

— Никогда не работали с Костровым? Он не нанимал вас?

— Нет, у такого человека имеются свои юристы.

— Очень жаль.

— Почему? Мне клиентов хватает.

— Я надеялся на вашу помощь, — пробормотал я.

— Что надо? Говорите, Иван Павлович, — велел Сергей, — если сам не сумею поспособствовать, так знакомых найду, я почти со всей Москвой в дружбе.

— Я наслышан о ваших многочисленных связях, поэтому и рискнул обратиться, — начал я заранее приготовленную речь. — Вот решил заняться журналистикой, не зарывать же талант в землю, да и подработать хочется.

— Правильно, — одобрил Сергей, — что натопаешь, то и полопаешь!

— Есть такой журнал «Оптимист»...

— Никогда не слышал о нем.

— Ерунда, обычный глянец, рассчитанный на молодых мужчин.

— Я подобные не читаю.

— Понятное дело, я тоже не беру их в руки, собираюсь не изучать содержимое издания, а писать туда статьи.

— Чукча не читатель, чукча журналист, — засмеялся Литвинов.

— Верно. Так вот, «Оптимист» регулярно помещает большие очерки под рубрикой «Лучшие невесты России». У Кострова имеется дочь, Ника, мне предложили...

— Понял, — перебил меня Литвинов, — не занимай телефон, сейчас перезвоню.

Я положил мобильный на сиденье и закурил. Может, и правда начать сотрудничать с каким-нибудь изданием? Сейчас журналистам неплохо платят. Чувство языка у меня есть, профильное образование тоже, знакомых полно, я легко смогу сделать карьеру репортера. И потом, никто не отменял такую вещь, как генетика. Если ваш отец писатель, то сам бог велит вам попытаться заняться литературным трудом.

Только, увы, в придачу к таланту должно даваться и трудолюбие. Я бы даже поставил умение регулярно и упорно работать на первое место. Очень многих щедро одаренных литераторов сгубила элементарная лень, не всякий человек способен ежедневно усаживаться за стол, не имея за спиной начальника с поднятым кнутом, кое-кто малодушно думает: «Ага, сегодня весело проведу время, а уж завтра сумею заставить себя».

Но дни неумолимо бегут вперед, а великие произведения так и не рождаются на свет, остаются в чернильницах. Вот мой отец, Павел Подушкин, был из иной когорты, настоящий каторжник, прикованный к галере. Очень хорошо помню, как ребенком, заглядывая к папе в кабинет, я видел его согнутую над столом спину. В ушах моментально зазвучал глухой голос:

— Ванечка, зайди попозже, я занят. Вечером поговорим, когда норму напишу.

Увы, я не принадлежу к самозабвенным трудоголикам, полнокровную многостраничную книгу написать не способен, но, может, сумею кропать статьи? Хотя если вдуматься, то зачем? Служба у Норы вполне меня устраивает.

Мобильный загудел, я схватил трубку.

— Знаешь клуб «Улей»? — спросил Литвинов.

— Название слышал, но в нем не был, вроде он в самом центре?

— Ты, Иван Павлович, соткан из одних добродетелей, — хмыкнул адвокат, — тяжело, наверное, белому лебедю в стае стервятников. Значит, так, «Улей» имеет VIP-зал, но тебе надо не через парадную дверь и не через вход для особо любимых клиентов топать. Обойди дом с торца, там со стороны переулка имеется крохотная створка без всяких опознавательных знаков, сбоку найдешь звонок. Нажмешь кнопку и ответишь на вопрос секьюрити: «Иван Павлович Подушкин, меня в голубом кабинете ждет Ника Кострова».

Поторопись, встреча назначена через час, опаздывать нельзя. Говорят, дочь Кострова без понтов, она, кстати, начинающая певица, поэтому и согласилась на интерью, но ждать припозднившегося журналюгу она не станет. Бери ноги в зубы и действуй.

— Огромное спасибо, — обрадовался я, — просто гигантское мерси! Не ожидал, что дело так оперативно повернется.

— Давай, шевелись, — перебил меня Литвинов, — хорош в благодарностях рассыпаться.

Адвокат подробно описал дорогу, я без всяких проблем отыскал малоприметную дверь, поговорил с суровой охраной, продемонстрировал сначала паспорт, потом содержимое барсетки. Шкафоподобная мрачная личность поводила по моему телу металлоискателем и предупредила:

— Кино- и фотосъемка запрещены.

— У меня нет с собой ни камеры, ни цифрового аппарата, — вступил я в диалог с человекоподобным существом.

— Съемка запрещена.

— Я не смогу ее произвести даже при огромном желании.

— Съемка запрещена.

— Так чем снимать?

— Съемка запрещена, — бесстрастно талдычила гора мышц, преграждая вход.

Я уставился на юношу. Огромное, накачанное тело венчала маленькая голова. Похоже, парень не собирается пускать меня внутрь. У него заклинило программу? Мальчик завис? Его следует перезагрузить? Но как сие сделать? Задрать его пиджак и поискать кнопку с надписью «Reset»?

— Съемка запрещена.

— Хорошо, — кивнул я, — понял.

Гора отодвинулась и сообщила:

— Вторая дверь налево.

Я улыбнулся парню:

— Спасибо, дружок.

Огромное недоумение появилось на лице цербера.

— Съемка запрещена, — вдруг выпалил он.

Ну просто беда с этими однопрограммными биороботами!

— Хорошо, я понял.

— Вторая дверь налево.

Не говоря больше ни слова, я пошел по коридору. Интересно, он женат? Если да, то как он беседует с женой?

Отчего голубая гостиная получила подобное название — неизвестно. Пол в ней покрывал ковер темно-бордового цвета, обои имели оттенок сливочного масла, а мебель оказалась из дуба, тонированного под выдержанный коньяк. Огромный диван тянулся вдоль одной из стен, чуть поодаль стояли низенький журнальный столик и два огромных кресла. В одном, совершенно утонув в нем, сидела хрупкая девушка, на вид лет шестнадцати, не больше. На ней были самые простые, голубые джинсы, кроссовки, украшенные блестящими камушками, и белая майка с изображением двух весело улыбающихся мышей.

— Вы Иван Павлович? — звонким голосом спросила она.

Я кашлянул:

— Да, а вы Ника Кострова?

Девушка рассмеялась:

— Точно. На диктофон записывать беседу будете? Что предпочитаете: чай, кофе? Обед? Сладкое? Тут хорошо готовят!

Я улыбнулся ей и приступил к исполнению роли журналиста. Через час наивная девочка рассказала о себе почти все.

Нике восемнадцать лет. Мама у нее умерла, а папа очень успешно занимается коммерцией. На дочь у бизнесмена практически не остается времени. Ника ходила в частную школу и там же начала заниматься вокалом. У девушки есть слух, небольшой, но приятный голосок и музыкальное образование, может, и недостаточное для серьезной певицы, но с избытком годящееся для девочки, желающей скакать по сцене с микрофоном. Когда папа узнал о мечте дочери стать второй Глюкозой, он, в отличие от многих других родителей, не пришел в ужас, не начал кричать, что за кулисами толкутся одни шлюхи, и не отправил Нику на частном самолете в Англию. Нет, добрый родитель расстегнул кошелек и дал Нике денег на песню, клип, костюмы и музыкантов. А еще он пристроил девочку к одному из лучших отечественных продюсеров и сказал:

— Пой, пока молодая. Потом за ум возьмешься.

— Папа очень любит меня, — щебетала Ника, осторожно выбирая из вазочки слишком крупную для экологически чистой ягоды клубнику, — он считает, что я могу делать все, что хочу.

— Это навряд ли, — улыбнулся я.

— Не, точно! — воскликнула Ника. — Во, глядите, золотая кредитка! Знаете, как люди делают? Родители в одном банке деньги держат, а детям в другом счет открывают, чтобы сын или дочка только маленькой частью денег попользоваться могли, а мне, пожалуйста, хоть все бери!

— Наверное, отец считает вас взрослым, разумным человеком, — польстил я глупышке, — но обычно любое родительское попустительство заканчивается в тот момент, когда девочка говорит: «Хочу замуж». Поэтому мой следующий вопрос звучит так: «Станет ли господин Костров оказывать давление на дочь, если та выберет в спутники жизни самого простого, не слишком обеспеченного мужчину?»

Ника захихикала:

— Ну, мне о замужестве рано думать, у меня другие цели. Во-первых, я хочу сделать хорошую шоу-программу, во-вторых, победить на конкурсе Евровидения, в-третьих, продать сто миллионов своих дисков по всему миру. Нет, семьей я обзаведусь потом, ближе к старости, годам этак к тридцати.

— Любовь нечаянно нагрянет, когда ее совсем не ждешь, — бодро процитировал я популярную в советские годы песню.

— Ну только не ко мне, — решительно возразила Ника.

— То есть ваше сердце свободно?

Девушка засмеялась:

— Нет, конечно, там музыка и папа, еще кошка Маркиза.

— Тогда как вы прокомментируете слух о вашей предстоящей свадьбе?

Ника искренне изумилась:

— С кем?

— С модным фотографом Луисом.

— С кем? — повторила вопрос девушка.

— С Луисом, — улыбнулся я. — Слышали это имя?

— Да, — кивнула Ника, — я хорошо знакома с Лу. Он мне фотографии делал. Знаете, такую сессию, чтобы журналистам раздавать. Папе не хочется видеть посторонних людей в доме, а ваши коллеги любят публиковать семейные фото, кстати, они всегда идентичные получаются! Какой журнал ни возьму, такое ощущение, что один человек работал! Звезда сидит на диване, поджав ноги, потом она в детской с ребенком или с мужем в гостиной, ну и завершает репортаж кадр, сделанный на кухне. Почему-то всех запечатлевают с чайником в руках, ну прям смешно! Мебель почти у всех одинаковая, итальянская, «кипятильник» тоже одного вида, смехота! А вот Луис такой ерунды не делает. Смотрите, я специально принесла. Вам же понадобятся фотки для интервью?

Я кивнул.

— Ну и здорово, — щебетала Ника, вытаскивая из довольно объемистой сумки пухлый конверт. — Можете взять любой, только нужно обязательно указать авторство и заплатить фотографу гонорар.

Я начал перебирать карточки и совершенно искренне воскликнул:

— Великолепная работа!

— А то! Папа с плохими мастерами не связывается, у него все только суперское: и шофер, и охранники, и секретарь, и экономка.

— Значит, с Луисом вас связывают только рабочие отношения?

— Ага!

— Но вас видели вместе на тусовке!

— На какой?

Я улыбнулся:

— Насколько я знаю — на кинофестивале!

Ника собрала морщинками совершенно гладкий, чистый лоб.

— Вспомнила! — вдруг радостно вскрикнула она. — Ну конечно! Ой, от журналистов я просто тащусь! Такое придумать могут! В голову нормальному человеку не придет. Я и Луис! Ну зачем мне этот старик? Ему небось уж к тридцатнику подкатило! Ерунда получилась! Мы с папой приехали, вышли из машины и столкнулись с Луисом, тот тоже на сейшн спешил. Естественно, перебросились парой слов, мы ведь хорошо знакомы, ну и получилось так, что вместе в зал вошли, я впереди, Луис около меня, а папа сзади. Тут же народ фотоаппаратами защелкал. Луис наклонился ко мне и шепнул:

«Ну, держись! Завтра все газеты напечатают: «Ника крутит роман с тем, кто снимает голых баб, а господин Костров наплевательски относится к дочери, позволяет ей все».

И точно! Папа сначала обозлился, а потом рукой махнул, дескать, не заткнешь же всем глотку! Хотя, на мой взгляд, кое-кого из журналюг следовало бы за язык на заборе повесить! Ой, вы не обиделись?

— Нисколечко, мой ангел, — улыбнулся я. — Значит, между вами и Луисом ничего не было?

— Нет, — абсолютно спокойно ответила девочка.

Потом она взяла со столика небольшую пластмассовую коробочку, ткнула в нее пальцем и приказала:

— Еще кофе и клубнику со сливками.

Мгновенно, словно он ждал под дверью, в кабинет черной кошкой проскользнул официант с подносом в руке.

— Газеты очень много врут, — продолжала возмущаться Ника, — про меня столько глупостей писали! Ну ваще! Прикиньте, я играла в школьном спектакле роль старухи, для выступления понадобилось платье, такое широкое, бесформенное, ну чтобы под него подушек напихать, пожилые женщины ведь не бывают худыми. И где взять наряд? Если купить какой-нибудь пятьдесят шестой размер, он с плеч свалится. Еле додумались! Поехали с подружкой в магазин для будущих мам и приобрели прикид. Верх сорок второй, а от груди вниз мешок...

Я краем уха слушал разболтавшуюся девочку, испытывая глубочайшее разочарование. Лопнула такая хорошая версия. Луис вовсе даже не собирался расписываться с Никой, значит, у него не было причин убивать Римму. Проститутка не могла нарушить планы своего любимого, потому что их не существовало, во всяком случае, в отношении начинающей певицы. Кострова не врет, она очень откровенна, рассказала кучу историй, о которых никогда не следует болтать журналистам. С какой стати ей скрывать предстоящее бракосочетание с Луисом? Нет, это просто очередная утка, растиражированная желтой прессой.

— ...написали: «Кострова ждет ребенка, — щебетала не обращавшая внимания на выражение моего лица Ника. — Она щеголяет в сарафане для беременных». Вот так и рождаются сенсации. И с Луисом то же самое получилось! Стоило вместе с ним в зале показаться, а потом около него пару минут постоять, как гвалт пошел: у них свадьба на носу! Вот идиотство. Нас с Луисом связывают только рабочие отношения, фотки! Ну еще он папе фирму порекомендовал, которая ремонт делает. За что ему отдельное спасибо. Мы мигом красоту навели и очень недорого заплатили. Но это и вся любовь.

— У вас недавно ремонт был? — сочувствующе кивнул я. — Паркет, кафель, сантехника! Очень хорошо вас понимаю, сам сейчас в этой проблеме.

— Хотите, у папы телефон спрошу? — оживилась Ника.

— У меня уже работает бригада, и потом, думаю, ваши мастера мне не по карману, но все равно спасибо за желание помочь, — улыбнулся я.

Ника сверкнула хорошенькими глазками:

— Вовсе они не много взяли, папа очень удивлялся, сами по магазинам мотались, а еще на дизайнере сэкономили, Луис проект разработал. Вкус у него отменный, оригинальные решения нашел, ни в одном журнале таких нет. Знаете, как он нам батарею в прихожей оформил?

— Нет.

— Там две «гармошки» висят рядом, — охотно защебетала Лиза, — дура-архитекторша ошиблась! Ой, как папа дом строил! Ну это отдельный анекдот! Ладно, не о том речь. В общем, полнейшее идиотство! Едва входишь в особняк — и сразу батареи видишь! Мрак! Мы пятерых дизайнеров наняли — и что? Все только одно дудят: экран сделаем: белый, черный, красный, никелированный... Фу! А Луис только глянул и идею выдал: «Да, экран, но какой! Над одной батареей вешаем карниз и превращаем ее в окошко». Прикиньте? Так стёбно! Тюль, занавески с ламбрекеном, кисти, золотая бахрома. А соседнюю «нагревалку» Луис предложил оформить под дверь: деревянная панель, ручка, крохотный номер, звонок, почтовый ящичек. Мы так и сделали. Кто входит, так и падает. Я же мигом говорю: «У нас дома гномики живут, это вход на их половину».

Глава 18

Попрощавшись с излишне откровенным ребенком, я сел в машину и бездумно уставился в ветровое стекло. Что делать? Да уж, излюбленный русским человеком вопрос! Сравниться по значимости с ним может лишь тот, который слишком часто звучит с экранов телевизора: кто виноват? Кстати, о телевизоре. Если забуду купить новый пульт, Николетта сделает из Таси форшмак. Значит, мой дальнейший путь должен лежать в магазин, где торгуют техникой.

Слава богу, сейчас приобрести необходимые для дома приборы не проблема. Я очень хорошо помню, как в начале девяностых годов совет ветеранов нашего дома распределял талоны. Николетта тогда чуть не заработала инфаркт, ей дали розовую бумажонку со штампом «утюг», а соседке из соседней квартиры вручили зеленую открытку на «телевизор».

Узнав о допущенной по отношению к ней дискриминации, Николетта побледнела и понеслась в домоуправление, убивать тетку, занимавшуюся распределением благ. Визит закончился плачевно. Вообще-то, маменька всегда ухитряется получить то, что возжелает. Люди, услыхав ее визгливо-капризный голос, сразу понимают: этой особе лучше вручить требуемое, иначе она доведет вас до истерики. Но в тот раз получилось иначе. Ветеранша, раздававшая членам кооператива талоны, в свое время дралась с фашистами на Курской дуге, поэтому ор Николетты она спокойно проигнорировала, а на ее заявление: «Сейчас вы поймете, с кем имеете дело!» — невозмутимо ответила:

— Мне после лагеря на Колыме никакой черт не страшен.

Маменька, не ожидавшая такого отпора от тщедушной, скромно одетой старушки, внезапно присмирела, и бабуля ей объяснила:

— Талоны выделил профком. Раздают их четко по категориям. Первая: живые члены Союза писателей. Им положены на выбор либо холодильник, либо цветной телевизор. Вторая: вдовы, они получают чего поменьше — магнитофоны, кофемолки, фены, электромясорубки.

Последними в списке шли утюги.

— Но почему мне досталось самое плохое? — взвизгнула Николетта. — На кой нам третий гладильный аппарат! Хочу телик!

— Ваш муж умер, — напомнила ей ветеранша.

— Тогда мясорубку, — не сдалась маменька.

Бабуся откашлялась и выдала новый спич.

— Вдовы тоже разделяются на подгруппы. К первой, элитарной, относятся те, чьи мужья занимали определенные посты, были секретарями Союза писателей, партийными и месткомовскими функционерами. Вторая категория — гении, люди, написавшие эпохальные произведения типа «Победа Красной армии над войском Колчака». Ваш супруг не являлся ни тем ни другим, в партии не состоял, общественной работы не вел, а если мы пытались его привлечь, сердито отвечал: «Я литератор, а не горлопан». И чего вы после этого хотите? Что за произведения выходили из-под пера товарища Павла Подушкина? Политически не выдержанные книжонки на историческую тему. Позиция автора в них не ясна! Вот, к примеру, одна из его последних повестей! Там действие разворачивается на Руси, в шестнадцатом веке, в богатом боярском доме. Где, спрашивается, простые крестьяне, описания тягот их жизни, невыносимого труда? Ничего подобного нет, одна любовь и сопли в барских покоях. Очень вредное произведение, которое ничему не учит современную молодежь! Скажите спасибо, что за такое хоть утюг дали. Будь моя воля, не видать бы вам ничего. И вообще, вдове пятой категории следует проявлять скромность и не приравнивать себя к женщине, муж которой написал «Историю КПСС для детей».

После этого случая Николетта перестала здороваться с Зоей Ивановной из восемьдесят второй квартиры, а мне было велено всеми правдами и неправдами достать сразу две вещи: новенький холодильник и цветной телик. Что за истерики бушевали в квартире и каким образом я ухитрился выполнить приказ маменьки, оставшись при этом психически здоровым человеком, отдельная сага, пересказывать которую сейчас нет времени. Интересен эпилог.

Узнав, что операция по добыче техники завершилась благополучно, Николетта велела привезти оба агрегата одновременно, в пятницу, в шесть часов вечера. Именно в тот день и час, когда женское население нашего околотка массово высыпает во двор, кто прогулять собачку, кто выкурить сигаретку, а кто продемонстрировать новые серьги. Последний день рабочей недели, восемнадцать часов — и это местная ярмарка тщеславия.

Представьте торжество Николетты, когда перед подъездом остановились две крытые машины и из их недр грузчики выволокли остродефицитные предметы.

Местные дамы сначала поразевали рты, а потом бросились к маменьке с вопросами: где достала и сколько это стоило?

Победоносно улыбаясь, Николетта сообщила:

— Выдали мне как вдове писателя! У нас ведь каждого оценивают по достоинству! Кому-то утюг с кофемолкой, а мне, учитывая высоту положения и статус, всучили сию дрянь, да еще бесплатно! Уж я просила, ну просто умоляла: не надо, лучше отдайте бедным, нуждающимся, их в нашем дворе полно, да хоть Зое Ивановне из восемьдесят второй квартирки, уж как она, несчастная, телик в профкоме выпрашивала, еле-еле получила! Мне-то зачем? Дом — полная чаша! Нет, рыдать начали! Павел Иванович наш гений, возьмите, умоляем, не обижайте! Пришлось их уважить!

Произнеся речь, маменька, высоко подняв голову, направилась в подъезд. Оставшиеся дамы пару мгновений молчали, а потом, по-прежнему не произнося ни звука, стартовали в домоуправление, рвать на тряпки несчастную старуху, уцелевшую в боях на Курской дуге и выжившую в сталинских лагерях. Бабушку я больше не видел, писательские вдовы — дамы решительные, это вам не жалкие эсэсовские дивизии, вооруженные всего лишь автоматами и пулеметами. Насколько я знаю, Николетта и ей подобные способны убивать взглядом.

Посмеиваясь, я вошел в магазин и вздрогнул. Четыре стены не слишком большого помещения были заняты работающими телевизорами. Причем все они демонстрировали одну и ту же передачу: криминальную хронику.

Покупателей в торговом зале не было.

— Что желаем? — бросился ко мне со всех ног продавец. — Плазменный экран?

— Нет, спасибо.

— Домашний кинотеатр?

— Нет, благодарю.

— Телевизор? Есть замечательные!

— Нет, мне надо...

— У нас акция, — перебил меня мальчик, — два телика по цене одного, грех не воспользоваться, буквально даром получите шикарную вещь.

Поняв, что продавец не утихнет, пока не выскажет весь усвоенный от старших товарищей материал, я перестал вклиниваться в плавную речь вчерашнего школьника, считающего себя огромным знатоком телеаппаратуры. «Два телика по цене одного»! Мило, конечно, а если мне попросту некуда поставить второй ящик? Ну не нужен он мне, что тогда? Уж если хочешь сделать покупателю подарок, то поступи по-другому, пусть люди, оплатившие коробку с голубым экраном, получат возможность взять даром любой предмет из ассортимента торговой точки в размере стоимости приобретенного телевизора. А то два одинаковых агрегата. Впрочем, недавно я услышал по радио восхитительную рекламу, вы можете мне не верить, но она звучала примерно так: «Цепь стоматологических клиник, удаляем два зуба по цене одного». Лично мне совершенно не хочется посещать даже одну клинику из этой «цепи», потому что разбушевавшееся воображение рисует пугающую картину.

Вот хирург, щелкая щипцами, приближается к креслу.

— Доктор, — в ужасе кричите вы, — отпустите, умоляю. Вы уже удалили один резец, я лучше пойду домой!

— Ну уж нет, — с кровожадной улыбкой сообщает стоматолог, — у нас замечательная акция, платите в кассу за один клык, а мы выламываем два.

Крепкие руки хватают вас за плечи, бесполезно плакать и напоминать, что остальные зубы абсолютно здоровы, все равно вырвут еще один в качестве подарка участнику акции.

Право, не знаю, так ли обстоит дело в действительности. Может, реклама составлена коряво? Я бы просто предупредил людей: «Дорогие, приходите в нашу лечебницу. Если вам надо удалить никуда не годные зубы, в сентябре месяце эта нехитрая операция обойдется нашим клиентам в половину своей обычной цены». Длинно, зато звучит не пугающе.

— ...а еще, — продолжал захлебываться от восторга продавец, — можно купить...

— Мне требуется всего лишь дистанционное управление, пульт, — вклинился я.

— Да? — разочарованно протянул парнишка, но тут же вновь обрел профессиональную приветливость. — Сейчас объясню все про пульты.

Через пару секунд я начал испытывать угрызения совести. Юноша вовсе не собирался «раскручивать» меня на крупную покупку. Просто он очень старателен и хочет угодить посетителю, про пульты он рассказал все, посоветовал мне взять один из самых недорогих, выписал чек, вставил батарейки и все время говорил, говорил, говорил...

У меня стала кружиться голова. В зале, до отказа набитом ярко светящимися экранами, было очень душно. Вот уж не предполагал, что одна и та же картинка, повторяющаяся несколько десятков раз, может довести нормального человека почти до обморока.

— Как вы тут работаете? — вырвалось у меня.

— Очень даже хорошо, — удивился мальчик, — зарплата достойная, ребята все классные, товар первосортный.

— У вас голова от света и звука не кружится?

Продавец засмеялся:

— Сейчас уже нет, а первые дни действительно я не очень хорошо себя чувствовал. Но иначе нельзя, люди должны сами увидеть телики. Вон у того все в розовый оттенок уходит, а у этого в сероватый. Кому какой больше нравится. Я сейчас уже так остро мерцающую стену не воспринимаю. Вот не поверите, стою в зале, и если спросят: «Что показывают?», я не отвечу, не вижу.

Правда, такой ужас, как сейчас, может и зацепить. Не люблю я криминальную хронику, но Сергей Петрович, старший по смене, от нее тащится, вот и включает постоянно, ну и кошмар! Вы только гляньте, зачем они подобное во весь экран показывают, не поздно еще, вдруг дети увидят, да и взрослым неприятно, сели ужинать и наткнулись на такое!

Я невольно повернул голову в сторону ярко горящих экранов и вздрогнул. Камера демонстрировала изуродованное женское тело. Зрелище было кошмарным, похоже, несчастная попала то ли под трамвай, то ли под колеса поезда. Нижняя часть туловища отсутствовала, верхняя представляла собой сплошную рану. Оператор изменил план, теперь перед шокированными зрителями предстала голова, лицо оказалось практически не тронуто. Тонкий заострившийся нос, искаженный судорогой рот, открытые глаза, смотрящие прямо на меня, безжизненные, остановившиеся зрачки...

— Господи! — воскликнул я, ощутив, как тяжелая плита упала на сердце. — Надя!

— При пострадавшей не оказалось документов, — звучал спокойный голос комментатора, — того, кто узнал погибшую, просим позвонить по телефону...

— Бумагу, — закричал я, — дайте скорей листок и ручку.

Кто-то быстро вложил в мои пальцы карандаш, я нацарапал на услужливо подвинутом обрывке бумаги цифры и пробормотал:

— Нет! Не может быть! Надя.

— Вы ее знаете? — испуганно спросил женский голос.

Я вздрогнул, моргнул и понял, что около меня сгрудились почти все продавцы.

— Да, кажется, да! Это Надя, сестра убитой Риммы Победоносцевой, везу ей деньги на похороны и поминки. Но как же так? Что случилось?

— Хотите чаю? — заботливо спросила одна из девочек-продавщиц.

— Спасибо, я лучше пойду.

— Пульт возьмите, — сунул мне коробочку продавец.

Я прижал к себе сверток и вышел на улицу. По асфальту текла весело гомонившая толпа, на углу бойко торговали шаурмой, жизнь продолжалась, только Надя в ней больше не участвовала.

Через четверть часа я пришел в себя и набрал записанный номер.

— Алло, — недовольно сказал мужской голос.

— Сейчас по телевизору показывали фото девушки.

— Ну и?

— Там был указал телефон.

— И чего?

— Я знаю ее!

— Кого?

— Девушку.

— Какую?

— Погибшую.

— Где?

— Ну... фотография...

— Чья?

Я растерялся.

— Это милиция?

— Нет, психлечебница, — рявкнули в ответ, — научись пальцем в нужное место тыкать, болван!

Я схватил бутылку минеральной воды, которую всегда вожу с собой, отхлебнул противно теплую жидкость и предпринял еще одну попытку. На этот раз откликнулась женщина.

— Соколова слушает.

— Наверное, я не туда попал.

— Случается.

— Простите.

— Не беда.

Я опять отсоединился, хлебнул воды, по температуре напоминавшей слегка остывший чай, и начал с предельной осторожностью набирать номер.

— Соколова слушает.

— Извините, снова я, ей-богу, не нарочно.

— Вы с мобильного звоните?

— Да.

— Попробуйте со стационарного аппарата с нужным человеком связаться, мобильники часто глючат.

— Уж простите меня.

— Ради бога.

Вода закончилась, я вытер лоб бумажным платком и медленно стал нажимать на кнопки: два, ноль, три...

— Соколова слушает!

— Это ужасно!

— Вам не нравится моя фамилия или голос? — ехидно осведомилась дама.

— Я опять к вам попал!

— Ну... случается.

— Ей-богу, не хотел.

— Вас как зовут? — засмеялась Соколова.

— Иван Павлович Подушкин.

— Давайте поступим таким образом, вы мне сейчас продиктуете номер человека, с которым желаете поговорить, я позвоню ему и сообщу, что господин Подушкин пытается с ним связаться. Пойдет?

— Не совсем. Я собирался пообщаться с незнакомым лицом.

— Все равно, давайте номер.

Я сообщил комбинацию цифр.

— Интересно! — воскликнула Соколова. — Это же мой телефон.

— Ваш?

— Именно так.

— Представляете, — возмутился я, — какая неприятность! Только что программа, рассказывающая о криминальных новостях, дала его бегущей строкой под фото погибшей Нади! Вас же замучают звонками!

— Вам известно имя погибшей?

— Да, Надежда, — растерянно ответил я.

Имя погибшей! Звучит ужасно!

— Иван Павлович, я Елена Ивановна Соколова, следователь, вас не затруднит сейчас подъехать? Запишите адрес. Паспорт у вас при себе? Я закажу пропуск, — спокойно говорила собеседница.

Я потряс головой. Женщина — следователь! Хотя чего странного, эмансипация в разгаре. Милые дамы таскают шпалы, летают в космос, служат в армии, отчего бы им не искоренять преступность? Нечему удивляться, я же сам работаю с Норой. Одно лишь непонятно.

— Откуда вы узнали мое имя?

Елена Ивановна хихикнула:

— Сами только что представились. Так едете?

— Уже в дороге, — ответил я, чувствуя себя круглым идиотом.

Глава 19

Столкни меня судьба с Еленой Ивановной где-нибудь на улице, я решил бы, что она работает в банке или служит менеджером в преуспевающей компании. Уж не знаю, по какой причине я считал, что женщина, выбивающая из преступников признание, должна быть этакой мужеподобной особой: коротко стриженной и без всяких признаков декоративной косметики. Квадратные плечи, пятьдесят второй размер одежды, желтые от табака зубы, мешковатый костюм и грубый, сиплый голос.

Но сейчас передо мной сидела особа совершенно иного вида: маленькая, хрупкая дама в симпатичном, правда совершенно закрытом платье. Тотальная измятость одеяния говорила о его модности и высокой стоимости. Красивые волосы Елены Ивановны были стянуты в хвост, на лоб падала детская челка, из-под нее блестели умело подкрашенные глаза, да и все лицо было, похоже, покрыто ровным слоем пудры, а губы, хоть и имели естественный цвет, слишком блестели. В кабинете пахло ландышами, нежный аромат цветов окутывал посетителя с порога. Я машинально окинул взглядом стол: никаких вазочек с букетами или цветов в горшках, значит, это духи. Вот уж и предположить не мог, что в милиции могут работать подобные дамы.

— Проходите, — приветливо улыбнулась Соколова, — присаживайтесь.

Я опустился на жесткий стул. Потекла беседа. Сначала я изложил известные мне факты, причем сообщил абсолютную правду, в рассказе не было и капли лжи. Просто я сказал не всю, а только часть истины. Вкратце история звучала так. В общество «Милосердие», ответственным секретарем коего я имею честь быть, обратилась девушка по имени Надежда. Она просила оказать ей материальную помощь в связи с похоронами старшей сестры, заменившей Наде мать. Я побывал у нее дома, увидел, что просительница живет в крайне стесненных обстоятельствах, и как человек, имеющий право принимать решения, взял деньги из банка. Собственно говоря, это все. Ассигнации находятся при мне, но передать их я не смог, потому что Нади не оказалось дома, решил связаться с ней после ужина, стал заниматься своими делами, заехал в магазин, где торговали телевизорами...

Елена Ивановна спокойно выслушала меня, потом очаровательно улыбнулась.

— Спасибо за то, что решили потратить свое время. Увы, придется попросить вас задержаться еще на полчаса, надо соблюсти некоторые формальности. Подождите минут пять в коридоре, а я схожу за парой бумажек. В качестве средства от скуки могу дать журнал, правда, вам он может показаться, может, не совсем в тему, это женский глянец.

— Полистаю, — усмехнулся я, — другого все равно нет.

Устроив меня на ободранном диване в небольшом холле, Соколова ушла, я начал листать страницы. Издание было рассчитано не на юных девушек, желающих как можно быстрее выскочить замуж, а на солидных семейных дам, поэтому и статьи тут оказались соответствующие: «Свекровь: друг или враг», «Стоит ли рожать много детей», «Как украсить квартиру, не потратив всех денег», «Если муж завел любовницу». Особый интерес вызвал у меня раздел: «Читаем, слушаем, смотрим». Из книг журнал рекламировал историческую хронику «Кровавые войны восемнадцатого столетия» и «Неизлечимые болезни младенцев». Читательницам рекомендовали купить фильм «Печальный конец любви» неизвестного мне российского режиссера и кассету с концертом группы «Рок в каске». Немного странный набор для рядовой семейной женщины, хотя, с другой стороны, почему бы и нет?

Последние страницы издания изобиловали рецептами, кроссвордами и анекдотами. От скуки я прочитал коротенькие истории и ни разу не улыбнулся, совсем даже не смешно, некоторые пошлые, другие откровенно грубые. Правда, ключевое слово, призванное вызвать смех у добропорядочных дам, дочитавших журнал до конца, было стыдливо заменено на ряд точек, но ведь всем понятно, что имел в виду составитель колонки.

Я отнюдь не ханжа, грубое слово не оскорбило нежную душу Ивана Павловича, просто мне стало грустно. Увы, современным журналистам лень напрягаться, вокруг так много по-настоящему смешных вещей, надо лишь открыть глаза и навострить уши. Один из моих приятелей рассказал на днях дивную историю. Его маленький сын упал и вывихнул ногу, пришлось везти пацаненка в травмопункт. Естественно, там была очередь. Чтобы побыстрей избавиться от пациентов, в кабинет к врачу страждущих запускали парами, привычно считая, что детям нечего стесняться. Пока один раздевается, другой общается с хирургом, затем его уводят либо на рентген, либо в процедурную. Когда разоблачившийся человечек подходит к «гиппократу», в кабинет вталкивают следующего ребенка. В общем, конвейер. В небольшой комнатенке, куда впихнули Илью с сыном, стоял потный старичок с мальчиком лет семи. Пенсионер был весь красный, время от времени тяжело вздыхал, нервно вытирал лицо огромным клетчатым платком и вздрагивал. Внук же выглядел спокойным и по виду здоровым, во всяком случае, никаких ран на нем не было видно. И вообще казалось, что это он привел занедужившего дедулю к врачу, а не наоборот.

Сначала доктор задал вопрос старику:

— Что случилось?

Дедушка не сумел дать ответ, из его рта вырывались лишь нечленораздельные звуки:

— Бр... др.... тык... дык...

Травматолог решил побеседовать с пострадавшей стороной.

— Голубчик, — обратился он к мальчонке, — скажи скорей, что тебя беспокоит?

— Меня ничего, — бодро воскликнул румянощекий внук, — а вот дедушка очень беспокоится. Я проглотил его часы.

Эта история может служить анекдотом, хотя в ней нет ни одного неприличного слова...

— Уж извините, — проговорила Елена Ивановна, быстрым шагом входя в холл, — что задержала вас.

— Ерунда, — галантно ответил я.

Мы вернулись в кабинет.

— Вот духота-то, — пробормотала Соколова и включила вентилятор.

— Никакого толку от него нет, — улыбнулся я, — лучше распахнуть окна.

— Они не открываются, — вздохнула дама, — вас не затруднит оставить тут свою подпись? Еще здесь и здесь.

— Бедная девочка, — завздыхал я, — что же с ней случилось?

Соколова грустно посмотрела на меня.

— Могу сказать лишь одно: она попала под трамвай.

— Ее убили? — подскочил я.

— Маловероятно. Зачем бы? Кому могла помешать девушка? Жила с сестрой и с отцом в коммуналке...

Я отбросил ручку.

— Это ошибка! Надя и Римма сироты. Их мама умерла, отец тоже, причем давно. Насколько я знаю, девочек воспитывал отчим, человек богатый, но жадный и малоприятный. После кончины супруги он выставил падчериц вон, в общую квартиру. Потом уж, не знаю каким образом, девушки переехали в Куркино, они жили в очень стесненных обстоятельствах.

Елена Ивановна побарабанила пальцами по столу.

— Никак не могу прокомментировать вашу речь, имею пока лишь общие данные. Надежда прописана в Москве постоянно, в Центральном округе, в комнате, вместе со своим отцом Петром Георгиевичем Победоносцевым, кандидатом наук, старшим научным сотрудником НИИ имени Бродкина и сестрой Риммой Победоносцевой.

— У девочек есть отец? — изумился я.

— У каждого человека, даже зачатого в пробирке, имеются родители, — отбила мяч Елена Ивановна, — ничего странного.

— Но девочки, похоже, жили одни!

— Всякое в жизни случается.

— Почему же сестры перебрались в Куркино?

Соколова поправила волосы.

— Квартиру приобрели.

— Деньги-то откуда?

Следователь пожала плечами.

— Отчего отца с собой не взяли? — не успокаивался я.

— Ну уж это не ко мне вопрос.

— Не странно ли, — бубнил я, — Надя прописана в центре, а обитает на окраине.

— Ничего удивительного. Фактическое местожительство и адрес по прописке очень часто не совпадают. Спасибо, Иван Павлович, ваши данные я записала, если понадобитесь, позвоню, — вежливо, но решительно закончила разговор Елена Ивановна.

Я распрощался и вышел на улицу. Действительно, ничего экстраординарного. Сам я официально не менял местожительство с рождения, а практически давным-давно поселился у Норы. Только сейчас в связи с ремонтом на короткое, надеюсь, что на очень короткое, время вновь оказался у Николетты. Вполне вероятно, что Римма, каким-то образом купив квартиру, не захотела терять прежнюю жилплощадь и не стала прописывать Надю в Куркине. Цены на недвижимость в столице невероятны, комната в районе Садового кольца стоит отнюдь не десять долларов. Так что намерения Риммы мне понятны, но... но! Похоже, девушка никому не сказала о себе и слова правды. Мне была преподнесена одна версия событий, манекенщице и фотомодели Элис — другая. Лишь два факта известны точно: Римма торговала собой на шоссе, я лично подобрал ее в буквальном смысле слова на обочине. И она воспитывала сестру!

Но теперь оказывается, что у сироток имеется отец, да еще ученый, кандидат наук. Знает ли он, что потерял дочерей? Отчего Римма и Надя ушли из дома? По какой причине предпочли называться сиротами? Может, разгадка всей истории кроется в семье Победоносцевых?

Я посмотрел на часы: девять вечера. Конечно, не слишком приличное время для визита к незнакомому мужчине, но, учитывая тот факт, что и Римма, и Надя мертвы, мне нужно на время забыть о хороших манерах и действовать споро.

Люди, впервые приехавшие в Москву, бывают, как правило, восхищены Садовым кольцом. Широкая магистраль обрамлена красивыми зданиями, возведенными в прошлом веке. Слава богу, у столичных градоначальников хватило ума не уродовать Кольцо огромными башнями из стекла и бетона, монстрами, призванными подтвердить: Москва ничем не хуже Нью-Йорка. Современные здания, правда, тут есть, но они, как говорят архитекторы, «гармонично вписались в эстетику городского пространства». Так что внешне одна из главных магистралей столицы выглядит замечательно, у нее другие проблемы. Жить тут может лишь сумасшедший, лишь несчастный человек, которому некуда деваться. В особенности мне жаль тех, чьи квартиры находятся на первых этажах зданий, с окнами, выходящими на проезжую часть. Эти люди дышат бензиновыми парами, выхлопами. Еще бедняг достает шум, Садовое кольцо никогда не спит. Можно, конечно, поставить особые стеклопакеты, купить кондиционеры, но лично мне непонятно, с какой стати жилплощадь на Садовом кольце стоит намного дороже, чем квартира в каком-нибудь Куркине с окнами на лес. Встань передо мной вопрос, где жить, я не колеблясь бы выбрал второй вариант. Да еще стоит зайти в переулочки, стекающие к Садовому кольцу, как мигом натыкаешься на дома, находящиеся в ужасающем состоянии, сейчас как раз я оказался у подобного здания.

Большое, пятиэтажное здание, наверное, построили когда-то для обеспеченных людей, в подъезде на лестничную клетку выходила всего одна дверь. Но косяки были щедро усыпаны звонками с табличками: «Семеновы, после 23.00 не беспокоить», «Антоновы, звоните дольше» и так далее. Я вздохнул и побрел по необъятной лестнице вверх. Когда Елена Ивановна Соколова зачитала вслух адрес Петра Победоносцева, я успел зафиксировать в памяти и название переулка, и номер дома с квартирой. И ведь я наивно полагал, что дверь с цифрой 5 окажется на первом, максимум на втором этаже. Кто ж знал, что придется лезть под самую крышу в подъезде, где лестничные пролеты состоят, похоже, из сотни ступенек?

Запыхавшись, я наконец-то добрался до нужной квартиры и удивился. На стене было всего две кнопки: «Алеутова» и «Победоносцев». Впрочем, похоже, в апартаментах когда-то обитали и другие жильцы, вон пустые места, где раньше были прикреплены звонки.

Я нажал крохотную кнопку, раздался пронзительный звонок. Но никто не спешил открывать. С той стороны двери не слышалось ни звука, квартира казалась пустой. Я не стал нервничать. Небось там полно комнат и извилистых коридоров, хозяину быстро не добежать до двери. Я продолжал звонить.

Но уже через пять минут в душу закралось сомнение. На дворе жаркое лето, вполне вероятно, что Победоносцев уехал на дачу, сидит себе на шести сотках, собирает урожай, ей-богу, в деревне сейчас намного лучше, чем в очумевшем от духоты городе. Меня просто преследуют неудачи, я не сдвинулся с мертвой точки в деле поиска убийцы Риммы. Про меня, правда, слава богу, пока забыли все. Следователь Роман Андреевич более не вызывает к себе и не обвиняет во всех смертных грехах, Макс тоже пропал, пару раз я пытался связаться с приятелем, но потерпел неудачу. На его работе разные люди сухо сообщали:

— Воронова нет.

На вопрос:

— Когда вернется? — следовал равнодушный ответ.

— Звоните в течение дня.

Дома Макс, похоже, даже не ночует, во всяком случае, в квартире у него работает автоответчик и мобильный предлагает: «Оставьте сообщение после звукового сигнала».

Вообще-то я даже рад такому положению вещей, слава богу, никто не мешает самостоятельно заниматься поисками убийцы девушки, но вот то, что до зарезу нужный свидетель испарился невесть куда, мне не по душе.

Бац! Дверь с треском распахнулась, на пороге появилась дама в широком халате, на голове у нее громоздилась чалма из полотенца.

— Сколько можно трезвонить! — рявкнула она. — Воду через час обещали отключить! Я помыться пошла.

— Простите! — воскликнул я. — Вообще-то мне нужен Петр Победоносцев.

Женщина отступила на пару шагов в глубь темнеющего за ее спиной коридора.

— Петька?

— Да, он дома?

— Нет.

— Значит, на даче, так я и думал. Может, адресок подскажете? — вздохнул я.

— А вы кто такой? — настороженно поинтересовалась женщина, придерживая одной рукой сползающий тюрбан из махры.

Я достал удостоверение сотрудника «Ниро».

— Иван Павлович Подушкин.

— Милиция, — протянула тетка, — и зачем? Петька никому ничего плохого не сделал. Если Надька с Римкой ерунду отчебучили, то отец не виноват. Да и не живут они тут, только числятся в домовой книге.

— Вы знаете сестер Победоносцевых! — обрадовался я. — Можете рассказать о них?

— Да уж, — усмехнулась женщина, — входите. Я Валя, вернее, Валентина Сергеевна Алеутова, но лучше без отчества, как-то мне привычней.

Я вдвинулся внутрь хором.

— Пошли на кухню, — велела Валя, — там можно спокойно поговорить. Петька в свое время кондиционер установил, не так жарко. Вот ведь ума у человека гора, трудолюбия немерено, только о работе и думал, а жизнь не удалась. Зря считают, что талант плюс усердие вас обогатят и прославят. Петьку это до психушки довело, себе жизнь сломал, жене-покойнице, да и девкам тоже досталось.

— Извините, не могли бы вы изложить историю последовательно, — попросил я, — сначала скажите, где Петр?

— А в психушке, — ответила Валя, — в Подмосковье. Не стать ему, похоже, нормальным. Ладно, слушайте.

Глава 20

Валя и не помнила, когда впервые увидела Петю. Ничего странного в этом нет, дети с младенчества жили в одной квартире. Валины предки очень давно, еще в двадцатые годы прошлого века получили тут три комнаты. Алеутовы были, как тогда говорили, пролетарского происхождения, приехали в Москву из города Шуя и стали работать на ткацкой фабрике. За короткий срок семья разрослась, появилось восемь детей, ну и пошло, поехало. На момент рождения на свет Вали в их комнатах проживало аж четырнадцать человек. Бабушка с дедушкой, Валина мама, ее сестра с мужем и детьми, брат, женившийся вторично и существовавший бок о бок с бывшей и нынешней супругами, дядя бабушки... всех и не перечислить, люди сидели друг у друга на головах. При этом учтите, что их три комнаты когда-то были большим залом, потом его перегородили хлипкими стенами из прессованного картона. Если бабушка чихала, то вздрагивали все, а ежели какая-нибудь из семейных пар искала уединения, то даже дети понимали, чем сейчас будут заниматься родичи. Впрочем, у жильцов из других комнат необъятной квартиры жизнь была не лучше.

У Победоносцевых все было по-другому. Начнем с того, что это их предкам и принадлежали некогда все апартаменты. Именно к прабабке и прадеду Петра подселили революционных ткачей Алеутовых. Первое поколение коммунальных жильцов не разговаривало друг с другом, но потом история квартиры стала покрываться паутиной забвения, и до Вали и Пети она дошла в виде короткого сообщения: Победоносцевы и Алеутовы живут вместе со времен царя Гороха, первые были богатыми, вторые бедными, но теперь это уже не имеет никакого значения, потому как все равны.

Но лет в семь Валя поняла, что равенства-то нет. Она спит на полу, на надувном матрасе, поставить кровать для нее негде. Ее родичи пьют, матерятся и несколько раз в неделю дерутся. За пару суток до получки у Алеутовых начисто заканчивались деньги, и Валины родители принимались разыскивать по всей необъятной квартире пустые бутылки и выпрашивать у многочисленных соседей мелочь. А еще окна Алеутовых выходили на улицу, и шум мешал Вале спать.

Победоносцевы же имели всего две комнаты, зато какие?! Квадратные двадцатиметровки, с эркерами и причудливо украшенными потолками. Очевидно, раньше в них находились спальни хозяев, потому что располагались они в самом укромном углу квартиры. Мимо дверей Победоносцевых никто не шастал. Между этими замечательными комнатами зачем-то был сделан странный чулан с крохотным круглым, располагавшимся под самым потолком окошком. Войти в него можно было только из комнаты. В этом чулане родители оборудовали Петьке личную комнату, куда никто, кроме него, доступа не имел. Представляете, как ему завидовали остальные юные обитатели коммуналки, не имевшие подчас, как Валя, даже кровати! Окна жилья Победоносцевых выходили в тихий дворик, семья состояла всего из четырех человек. Уже упомянутый не раз Петя, его бабушка Ангелина Федоровна, мама Зоя Петровна и папа Георгий Юрьевич. Женщины обитали в спальне, Петька в кладовке, а Георгий Юрьевич жил один в гостиной.

Мама у Пети была самая обычная, работала медсестрой, приходила с работы, таща на себе сумки, варила на кухне обед, делилась с соседками рублями, охотно давала в долг соль и сахар, особенно не гордилась, нос не задирала и никогда не отказывала никому в медицинской помощи. Зоя Петровна умела мерить давление, могла сделать укол, обработать рану и вправить выбитый палец. Причем денег от соседей она не брала, а вот шоколадки принимала, и у Петьки всегда водились вкусные конфеты.

В отличие от Зои Георгий Победоносцев был совершенно непонятной личностью. Он преподавал математику в техническом вузе, не пил, не курил, не бил жену. По коридорам он скользил тенью, вежливо здороваясь с соседями. Даже крохотным детям Георгий Юрьевич говорил церемонное «вы», и никто никогда не видел его в гневе, как и в тренировочном костюме с потерявшими всякую форму подштанниками.

Соседки жалели Зою. Да и понятно почему, муженек ей достался никчемушный. Ни в магазин послать, ни на рынок отправить, задумается и принесет вместо картошки с капустой табуретку или книг накупит. Можно подумать, их у него не хватает, все стены в комнатах увешаны полками. Да и руки у Георгия были пришиты не к тому месту. Молоток и гвозди вызывали у него оторопь, а от швейной машинки, на которой Зоя споро строчила себе и домашним обновки, он просто шарахался.

— Ну и чё, что ученый? — спросила один раз мама Валечки. — Какой толк с мужика? Один разор! Зойка ломается, на семью зарабатывает, а этот в белой рубашке с портфелем ходит.

— Зато не пьет, — тихо сказала бабушка Евдокимова, — не буянит, не дерется, чистенький и вежливый.

— От скуки с ним сдохнешь, — засмеялась Алеутова, — прямо скулы от его правильности сводит, и не понять: любит тебя или нет! Вот я живу, как на гранате, интересно ведь!

Бабушка Евдокимова перекрестилась и продолжила:

— Зато Петя у них золотой. От родителей лучшее взял: от него голову, от нее руки.

И это было правдой. Петя начисто опровергал утверждение, что отпрыскам переходят лишь дурные качества родителей.

Читать мальчик научился в четыре года, совершенно самостоятельно. Никто не показывал ему буквы, не объяснял, каким образом их надлежит складывать в слова, просто Зоя один раз услышала, как сынишка бойко читает вслух статью из газеты. В школу Петя пошел, зная все арифметические действия и выучив таблицу умножения. Сей материал он тоже освоил без особого труда. Один раз Георгий, отвлекшись от собственных дел, показал сыну, как нужно складывать, вычитать, умножать и делить числа. Отец потратил на ребенка один час, прочел ему лекцию, как студенту, совершенно не делая скидки на возраст. То, что другие дети усваивают за год, а то и за два, Петя выучил за шестьдесят минут.

В первом классе малыш просидел всего неделю, его сразу перевели в третий. Зоя с Георгием посетили школу только дважды: сначала отвели Петечку в сентябре учиться, а потом через энное количество лет присутствовали на торжественной церемонии вручения аттестатов. У Пети там стояли одни пятерки, а в придачу к «корочкам» он получил коробочку с золотой медалью.

В отличие от других детей Петя всегда выполнял домашние задания, тратил он на них от силы двадцать минут и потом начинал заниматься любимым делом: изобретательством. Чего он только не придумывал! Когда бабушка Евдокимова свалилась с инсультом, Петя пришел в ее комнату, почесал в затылке, приволок кучу железок и превратил лежанку старухи в суперкровать. Дочь Евдокимовой, рыдая, обнимала мальчишку. Ей теперь стало легко менять постельное белье, переодевать мать и сажать ее на горшок. Не надо было, напрягая все силы, ворочать неподъемное грузное тело. Стоило лишь покрутить ручку, приводившую в действие хитрую систему блоков, и старуха сама собой поднималась.

Когда же Евдокимова смогла сидеть, Петя сконструировал из обычного кресла с деревянными подлокотниками инвалидную коляску с мотором, и бабка стала рассекать по коридору. В зубах она теперь всегда держала свисток. Господь отнял у нее речь, но Петька оказался предусмотрителен, повесив Евдокимовой на шею цепочку, он сказал:

— Вы, бабушка, свистите громче, когда на кухню помчитесь, а то задавите кого из мелких ненароком.

Интеллигентная Евдокимова кивнула, и утро в коммуналке теперь начиналось со звуков, которым мог позавидовать Соловей-разбойник. Боясь помешать рабочему люду, бабка мчалась умываться на рассвете.

Фантазия била из Петьки фонтаном. Он придумал многоразовую крышку для домашнего консервирования и снискал любовь всего женского коллектива квартиры. Банки теперь не взрывались, «закатывались» очень легко, без всяких усилий, и крышку можно было после употребления помыть и спрятать до будущего года.

Затем мальчик сконструировал водонагреватель. Конечно, счета за электричество сначала возросли, но зато жильцы квартиры перестали злиться, обнаружив, что ЖЭК снова отключил бойлер. Вся столица стонала летом в жару без горячей воды и грела на газу кастрюльки, чтобы хоть как-то смыть с тела грязь, а в одной из коммуналок вблизи Садового кольца в ус не дули. Затем мозговитый Петька опять поскреб в затылке, и счетчик волшебным образом перестал накручивать киловатты, деньги за электричество стали прежними, а народная любовь просто затопила пацана, теперь стоило ему приблизиться к туалету, как оттуда пулей вылетал кто-нибудь со словами:

— Садись, Петечка, я обожду!

Другой бы загордился, но только не Петя. Для Нюрки Постиной он придумал электрокачалку, теперь, пока она бегала в магазин или толкалась на кухне, коляску с ее хныксой дочерью туда-сюда толкал моторчик. Из огромного бака Петька соорудил отличную стиральную машину, потом присобачил на кухне ящик, прообраз современного кондиционера, и женщины перестали задыхаться от жары. Еще свет в коридоре квартиры гас сам собой через минуту после включения, унитаз автоматически спускал воду, когда открывалась дверь, а в ванной стоял душ Шарко.

В четырнадцать лет Петя огорошил родителей сообщением: его каморка — это не чулан, а... ванная комната.

— Ты путаешь, сынок, — вздохнула Зоя, — ну зачем людям лишние ванные в квартире городить? Чего, первым хозяевам одной не хватало?

Петя посмотрел на наивную маму, вздохнул и начал детально изучать поэтажный план. Через год он переехал жить в комнату, где обитал папа, а в каморке и впрямь получилась ванная. Проложенные когда-то трубы великолепно работали. Семья получила личный санузел.

Все вокруг: и соседи, и учителя пророчили Пете великое будущее. Вначале казалось, что окружающие правы. Петя легко поступил в институт и занялся изучением математики с физикой.

Шли годы, Георгий Юрьевич умер, успев порадоваться успехам сына, тот с блеском защитил кандидатскую диссертацию и был принят на работу в «почтовый ящик», абсолютно закрытое учреждение, где сотрудникам платили большие оклады, давали паек, путевки в Крым и кредит на крупные покупки. Очень многие специалисты, мечтая в советские времена оказаться в подобном месте, искали влиятельных рекомендателей, давали взятки. Петя же попал на эту службу, не прилагая особых усилий. Дорогу ему проложили талант и редкостное трудолюбие.

Бежали годы, старшее поколение квартиры вымерло, жильцов стало меньше, дети уже не плодились так, как их родители. У Вали был только один сын, у Пети, правда, появились на свет две дочери. Алеутова, не выказывавшая в детстве никаких особых талантов, мирно получила свой аттестат с тройками, выучилась на парикмахера и стала работать в салоне. Мужа она себе нашла непьющего, тихого, практически бессловесного, зато отлично зарабатывающего. В общем, можно сказать, что жизнь у Вали удалась, чего нельзя сказать о Пете.

Началась перестройка, и большинство НИИ стало погибать голодной смертью. Многие научные работники побежали кто куда. Встретить в те приснопамятные времена профессора, торгующего у метро сигаретами, было обычным делом. Люди науки выживали кто как умел: переводили аннотации на харчи, не виданные доселе советскими людьми, переучивались на маникюрш и собачьих парикмахеров, шли прислугой или гувернантками в дома стихийно народившихся нуворишей, пытались организовать собственное дело. Огромные просторные здания научно-исследовательских институтов теперь сдавались в аренду. «Режимные» предприятия, куда раньше без пропуска было не попасть, превратились в некое подобие рынков. Наука ютилась в паре самых неудобных комнат, а на работу выходила только горстка наиболее самоотверженных сотрудников. Это были либо совершенно апатичные, либо фанатично преданные делу люди. Петя относился к разряду последних.

Чем занимался сосед, Валя не знала. Петина супруга лишь вздыхала, приходя к ней одолжить кусок хлеба.

— Муж прибор делает.

— Какой? — один раз поинтересовалась Валя.

Вера, жена Победоносцева, пожала плечами:

— Не спрашивай, я ничего не понимаю в технике. Волны изучает, вроде от них умнеют.

— Умнеют? — удивилась Валя. — От чего? От волны?

Вера кивнула:

— Ага, изобретает такую штуку, с излучением. Вот направит на тебя, и сразу талантливой станешь, начнешь петь, рисовать...

— Скажите, пожалуйста, — изумилась Валя, — ну и башковитый же у вас Петька!

— Чего мне с его ума? — грустно спросила Вера. — Сама воз тяну, и девок, и мужика. Сколько раз скандалила, плюнь на изобретательство, девчонок кормить-поить-одевать надо. Как не слышит! Кивнет и в бумаги уткнется.

Валя сочувственно вздыхала. У нее-то денежки водились, Алеутова даже подумывала об открытии собственной парикмахерской.

Через год Вера стала чахнуть. Сначала она похудела, причем очень сильно.

— Ты ешь больше, — посоветовала Валя похожей на скелет соседке.

— Неохота, — вяло отвечала та, — ничего в рот не лезет.

— К врачу сходи, — не успокаивалась Валя.

Вера послушалась, побегала по поликлинике и сказала подруге:

— Здорова я, пахать на мне можно.

— А чего тощаешь?

— От нервов, говорят, да и на работе выламываюсь, сама знаешь — в трех местах лямку тяну.

— Гони своего профессора на приличную службу!

— Он не пойдет, — мрачно ответила Вера, — прибор изобретает, ему эта дрянь дороже меня.

Валя обозлилась:

— Хочешь, я с ним поговорю?

— А смысл? — усмехнулась Вера. — Ничего не изменится. Уж говорено-переговорено, слез море вылито.

Спустя несколько месяцев после этого разговора Вера умерла, причем, похоже, совершенно здоровой. Врач, производивший вскрытие тела, был немало удивлен, никаких ужасных болезней у умершей не нашлось, у Веры просто внезапно остановилось сердце.

Петя, казалось, даже не заметил кончины супруги, в морг Валя его буквально приволокла, говоря:

— С ума сошел! Жена померла, а он железки перебирает. Заморил бабу голодом. Не ела Верка последнее время ничего, оттого и на тот свет отъехала.

Но еще до смерти Веры на квартиру словно чума напала. Умерло подряд пятеро соседей, причем все здоровые, ничем не болевшие. Людей косили разные болячки. Один умер от простуды, другой начал ломать кости, третья получила заражение крови. Валя лишилась мужа. Уж как она выхаживала больного, положила его в отличную больницу и ведь почти спасла. В стационаре к супругу вернулся аппетит, он снова набрал вес, зарумянился, но стоило вернуться домой, и все, помер.

После кончины Веры по двору поползли слухи: пятая квартира проклятая. Люди начали съезжать с насиженного места. Куликовы, занимавшие две комнаты у кухни, поменялись с парой из Подмосковья, не успели новые жильцы въехать, как оба умерли, и полгода не прожив в столице. После того как из пятой квартиры вынесли еще два гроба, среди жильцов началась настоящая паника. Очень быстро все разбежались кто куда. Среди московских риэлторов распространились слухи о «плохой» квартире. Те, кто занимается жилищным бизнесом, могут рассказать «страшилки», связанные с тем или иным зданием. В одном очень хорошем доме в самом центре Москвы смерть косила жильцов одного подъезда, именно одного, в остальных жили нормально, а вот из дверей третьего периодически выносили гробы и около него постоянно дежурила машина реанимации. Дурной славой пользуется и здание на одном из бульваров, там, правда, никто не умирал, просто на жильцов ворохом сыпались несчастья: они теряли деньги, их выгоняли со службы, рушились семьи. Кое-кто рассказывает историю о том, как бывшая хозяйка дома, когда ее в 1932 году увозили в лагерь, прокляла всех будущих обитателей до седьмого колена. Естественно, в подобную глупость верится с трудом, но факт остается фактом. В уютном спальном районе затерялась среди деревьев обычная башня, в которой не выживают девушки до двадцати лет, с ними обязательно случается беда, а недалеко от метро «Автозаводская» во дворах прячется дом, в квартирах которого всегда погибают животные. Впрочем, есть в Москве и счастливые места. Те, кто выбрал для себя один из микрорайонов Строгино, живут очень долго, как это ни странно, но в многоэтажке рядом с загазованной МКАД, где, по логике вещей, жильцы должны иметь букет заболеваний от аллергии до онкологии, давным-давно не случалось похорон, старики там бодры, а люди среднего возраста выглядят юнцами.

Непонятно, отчего так происходит. Кто-то рассказывает старинные байки о проклятиях, другие говорят о домах, построенных в районе древних погребений, третьи объясняют все наличием геопатогенных зон, но факт остается фактом: есть в Москве места, где жить хорошо, но существуют и такие, куда лучше даже не заглядывать. Квартира номер 5 постепенно превратилась в одно из последних.

Глава 21

Довольно скоро после смерти Веры в огромных апартаментах осталось всего пять человек. Валя с сыном и Петя с двумя дочерьми. Почему-то на них проклятие не действовало. Остальные жильцы, те, что не переселились на кладбище, сгинули кто куда, комнаты их были заперты, продать или обменять жилплощадь люди не могли, никто не хотел селиться в проклятом месте. Алеутовы же и Победоносцевы не пострадали, кроме, конечно, Веры и мужа Вали. Казалось, судьба сделала все, чтобы эти семьи, оказались, как встарь, одни в квартире.

— Ты, похоже, ведьма, — сказала один раз Вале подвыпившая Люська из третьего подъезда.

— Не пори чушь! — сердито оборвала ее Алеутова. — Пить тебе меньше надо, тогда и ерунда в голову не полезет.

— Нет, — упорно настаивала на своем Люська, — ты на себя в зеркало глянь! Мы ж с одного года, а какая разница! Я в морщинах вся, зубы посыпались, а ты яблочко наливное, больше тридцати и не дать никогда.

— Не квашу каждый день, вот и цвету, — сердито ответила Валя, — перестань за воротник заливать и мигом похорошеешь.

— А вот и нет, — уперлась Люська, — на Маришку из пятнадцатой позырь. Вы в одном классе сидели, и чё? Та вообще старуха!

Вернувшись домой, Валя придирчиво рассмотрела себя в зеркало и пришла к выводу: да, она выглядит великолепно. Лицо сияет свежестью, глаза блестят, волосы переливаются в лучах света, зубы белые и здоровые, а ведь Валентина не пользуется никакими дорогостоящими средствами, просто умывается водой с мылом, голову моет обычным шампунем, и зубная паста у нее копеечная.

Кстати, Петька тоже выглядел великолепно, но превратился в натурального психа. С работы он, похоже, уволился, сидел дома, запершись в комнате. На что жила семья Победоносцевых, было непонятно. Римма и Надя натурально голодали. Сердобольная Валя кормила девчонок, приговаривая:

— Мне тарелку воды, вам половник щей, хлебайте, горемыки.

Еще хорошо, что Надя научилась в школе на уроке домоводства шитью. Девочка вытащила чемодан со старыми нарядами покойницы Веры и стала их перелицовывать. Зимой сестрички бегали в куртках, найденных на помойке, а обувь им отдавала соседка из двадцатой квартиры, у той подрастали две девочки, на пару лет старше бедолаг Победоносцевых.

Валя первое время пыталась пристыдить Петра, но тот попросту не замечал нотаций соседки. Если Алеутова врывалась в комнату, из которой друг детства сделал себе мастерскую, и начинала кричать: «Совсем сбрендил! На дочек глянь! Они же оборванки!» — Победоносцев даже не поворачивал головы в сторону источника звука. Ему было глубоко наплевать на окружающий мир. Впрочем, иногда Петя покидал квартиру, уходил с огромной пустой сумкой утром, возвращался поздно вечером, еле таща туго набитую торбу. Валя хорошо знала, куда ездит Победоносцев — на городскую свалку, чтобы раздобыть необходимые детали для таинственного агрегата, который он собирает почти всю сознательную жизнь. Кстати, на свалку ездила и Римма, но она приволакивала оттуда вещи, а иногда и продукты.

Как-то раз летом девушка раздобыла там палку вполне нормальной на вид сырокопченой колбасы и сказала Вале:

— Угощайся, замечательно пахнет.

Валентина, человек брезгливый, отшатнулась, но потом, решив не обижать Римму, сказала:

— Печенка барахлит, ешьте сами, мне доктор овсянку на воде прописал.

Отказалась — и как в воду глядела: соседки отравились и попали в больницу. Валя сбегала навестить их и чуть не заплакала: младшая, Надя, обняв Валю, прошептала:

— Нельзя ли мне тут подольше полежать? А то завтра выписывают.

— Тебе так плохо? — испугалась Валентина.

— Нет, — последовал ответ, — здесь вкусно кормят, три раза в день и еще кефир с печеньем дают.

Можете себе представить, до чего оголодала школьница, если больничные харчи показались ей слаще некуда?

Валентина прямо из клиники понеслась в отдел народного образования, проникла к начальству и устроила там дикий скандал, крича:

— Девочки умирают, отцу на них наплевать и школе тоже. Пусть Петра лишат родительских прав, а дочек его в приют заберут, там они хоть сыты будут.

Суровая тетка, выслушав Валю, пообещала разобраться. И правда, через какое-то время Валентину проинформировали: квартирными склоками органы, призванные следить за детскими учреждениями, не занимаются. Петр Георгиевич Победоносцев уважаемый человек, сотрудник НИИ, кандидат наук. Он не пьет, не курит. А то, что живет бедно, так сейчас почти все ученые нищие.

Поняв, что от властей помощи ждать нечего, Валя предприняла очередную попытку объяснить Пете его ошибки.

— Ты почему на службу не ходишь? — налетела она на соседа. — Я думала, ты уволился давно!

— Нас отправили в бессрочный отпуск, — вполне вменяемо ответил Петя.

— Твои дочки с голоду пухнут!

— Да нет, они едят нормально.

— В рванье ходят.

— Они носят обычные вещи, у меня тоже новых нет, — последовал ответ.

Тут Валентина сломалась и решила более в жизнь Победоносцевых не лезть. Потом случилась беда. Тридцатого декабря, в канун самого любимого российскими людьми праздника, Петр выволок во двор диковинный агрегат, похожий на пулемет. Он направил блестящую трубу на окна и закричал:

— Я сделал великое изобретение!!!

Жильцы сначала посмеивались, но потом Победоносцев начал бегать вокруг странной конструкции, срывая с себя одежду.

— Все сюда, — вопил он, — раньше устройство только на маленьком пространстве работало, а теперь действует на любом расстоянии! Скорей! Счастье! Ум! Радость! Я гений! Великий изобретатель! Моим именем назовут города по всему свету!

Дело закончилось вызовом психиатрической перевозки и отправкой Петьки в сумасшедший дом.

Не успела Валя прийти в себя, как случился очередной казус. Римма и Надя, запихнув в пакеты немудреные вещи, уехали.

— До свиданья, тетя Валя, — сказала Римма, — будете теперь тут хозяйкой.

— Куда же вы?! — изумилась Алеутова.

— Да так... в Куркино, у нас там квартира.

— Новая? — чуть не упала Валя. — Вы че? Выписываетесь отсюда?

— Пока нет, — улыбнулась Римма, — чуть позднее, но жить тут уже не будем.

— Откуда хата взялась?

— Ну... купили.

— А деньги! Деньги! Откуда?!

Римма улыбнулась:

— Достали. Вот вам на всякий случай наш новый адрес и телефон.

И она быстро выскользнула за дверь, а Алеутова осталась с разинутым ртом.

— Значит, сестры съехали и более сюда не возвращались? — подвел я итог.

Валя кивнула:

— Да.

— Вы с ними не общаетесь?

— Нет.

— Ни слуху ни духу от них? Благодарности за оказанную им в свое время помощь вы не дождались?

— Шут бы с ним, со спасибо, — в сердцах воскликнула Валя, — я ведь по велению души действовала, ну не способна я спокойно щи горячие с мясом хлебать, если рядом дети сухой коркой давятся. Ну такая я, не исправить. Не надо мне их поцелуев и улыбок. Лишь бы крупные неприятности из-за поганок не начались!

Я навострил уши.

— Неприятности? Какие?

Валя скривилась:

— Римма-то мошенница. Отсюда и квартира. Если честно работать, денег на новые хоромы не получишь.

— Где же Римма служит? — удивился я.

Валентина прищурилась:

— Адресок не скажу. Но только, похоже, девка людей обманывает. Ну, знаете, создают такие конторы, типа агентства, обещают вам новую квартиру построить, наберут денег и адью, прощайте, дорогие клиенты. Думаю, она чем-то подобным занимается.

— С какой стати вам эта мысль в голову пришла?

Валентина скривилась:

— Не так давно девушка сюда приехала, позвонила в дверь и с порога спросила: «Можно Римму?»

Валя объяснила, что она тут больше не живет.

— Где же ее найти? — расстроилась незваная гостья.

Валя заколебалась, не зная, имеет ли право без разрешения Риммы давать ее адрес, но незнакомка с жаром воскликнула:

— Умоляю вас, мне ну очень надо!

Алеутова нацарапала на бумажке пару слов, девчонка схватила записку и была такова. Валя занялась своими делами. Но спустя несколько часов вновь раздался звонок в дверь, и опять на пороге возникла та же девка.

— Риммы там нет! — воскликнула она. — Мне вообще никто дверь не открыл.

— Здесь она тоже больше не живет, — попыталась вразумить девчонку Валя, — съехала давно.

— Но в Куркине нет никого.

— На работе она, наверное.

— Нет! Должна дома сидеть, — топнула ногой гостья.

Валя начала сердиться.

— Ко мне-то какие претензии? Я за соседок не ответчица.

— Врете небось! Покрываете Римку! — вдруг зарыдала девушка. — Так и передайте ей, я все знаю! Пусть перестанет!

Валя попыталась вытолкнуть истеричку из прихожей, но не тут-то было. У невысокой хрупкой девушки оказались железные мускулы, она вцепилась ледяными пальцами в плечи Валентины и занудела:

— Передайте ей записку!

— Но Римма тут больше не живет!

— Передайте!

— Я ее не увижу.

— А-а-а... брешете!

На этой стадии разговора до Алеутовой дошло: к ней заглянула сумасшедшая. От такой можно избавиться, только выполнив ее просьбу.

— Хорошо, — сдалась Валентина, — пиши.

Девица вырвала из записной книжки листок, поводила по нему шариковой ручкой и протянула Алеутовой.

— Вот, отдайте Римме.

— Ладно.

— Не забудьте.

— Ни в коем случае, — продолжала подыгрывать психопатке Валентина, — как увижу, так сразу.

— Завтра!

— Именно так, — бубнила Валя, надеясь, что помешанная уйдет.

— Скажите, Ира Кисова приходила.

— Да.

— Она все знает.

— Хорошо, — машинально отвечала Валя, раздумывая меж тем, каким образом добраться до телефона и кого лучше звать в создавшейся ситуации: медицину или милицию?

— Скажите, она все знает, — твердила Ира, — про квартиру и махинации. Вот! Если они не прекратят, плохо ей будет! Убью Римму, сама! Такой жить незачем! Ясно?

— Ясно, — испугалась Валя.

Похоже, Ирина не настолько безобидна, она агрессивна и не в состоянии держать себя в руках. Вон какая бледная, губы трясутся!

И тут Валя, набрав в грудь побольше воздуха, рявкнула:

— Топай отсюда!

С этими словами она что есть силы толкнула Иру, та пошатнулась, сделала пару шагов назад и очутилась на лестничной клетке. Алеутова мгновенно захлопнула дверь и прижалась к косяку. Ноги у нее тряслись, спина похолодела. С той стороны послышался стук и вопли.

— А-а, покрываешь ее! Квартира! Деньги!

— Убирайся, пока ментов не вызвала, — заорала Валя, теперь, защищенная дверью, она перестала бояться.

Вопль стих. Валя осторожно посмотрела в глазок. Перед лифтом было пусто.

— Во как, — качала она сейчас головой, — Римма мошенницей стала. Ясное дело, обманула эту Иру придурочную, то ли квартиру у нее отобрала, то ли деньги.

Я, пытаясь разобраться в ситуации, снова спросил:

— С чего вам в голову пришла идея о махинациях с жилплощадью?

Валя подбоченилась:

— Так не дура же я, газеты читаю, а в них через раз про такое пишут! Вот Римка чем занимается! С какой бы стати этой Ире про квартиру и деньги кричать? Все ясно как на ладони! Небось поэтому девка и спятила, лишилась накопленного и помутилась рассудком.

— Не сохранилась у вас случайно записка Ирины? — осторожно осведомился я, великолепно осознавая эфемерность собственной надежды.

— В ящике валяется, — неожиданно ответила Валя, — хотите глянуть?

— Сделайте одолжение, — кивнул я, — буду очень вам признателен.

Глава 22

В машине я развернул листочек и прочитал написанные аккуратным «учительским» почерком слова: «Римма! Я все знаю! Немедленно прекрати давать улучшители! Убью тебя! Сама! Ни в какую милицию не пойду! Я тебя зарежу! Немедленно мне позвони! Ира». Чуть ниже подписи стоял номер телефона.

Я аккуратно сложил бумажку и сунул ее в барсетку. Может, добрая, но недалекая Валентина права? Вдруг Римму убили из-за махинаций с квартирами?

Я очень хорошо помню, какие ужасы печатали газеты, когда в России начал образовываться рынок риелторских услуг. Людей запугали настолько, что бизнес чуть было не увял на корню. Москвичи рассказывали друг другу страшные истории об одиноких людях, продавших от бедности свои квартиры и исчезнувших из жизни навсегда, о бедолагах, которые купили новые хоромы, а через год после вселения обнаружили, что у квартир есть еще один хозяин: зэк на зоне, сиротка в интернате или дышащая на ладан бабушка с армией половозрелых внуков-наследников. Но многие мои приятели меняли свои жилища, и никто из них не попался в лапы мошенников, не все риелторы жулики, большинство работает честно, но газеты любят писать не о них, а о паршивых овцах в стаде.

Мне надо поговорить с Ирой, но сегодня беседа не состоится, потому что уже поздно и пора домой. Что, интересно, поделывают Николетта и Мэри? Надеюсь, они не придумали новой забавы в торговом зале супермаркета!

Словно подслушав эти мысли, зазвонил мобильный. Я взял телефон.

— Вава! Ты забыл?

— Нет! А что?

— Забыл!

— О чем речь?

— Безобразие!

— Я великолепно все помню.

— Да? Тогда мы спускаемся.

— Куда?

— К подъезду.

Я закашлялся:

— Прости, Николетта...

— Ага, забыл!

— Я не успел еще подъехать, попал в пробку, — не моргнув глазом соврал я, пытаясь сообразить, в какую степь обещал отвезти маменьку. Сообщить ей, что забыл, нельзя, при каждом удобном и неудобном случае Николетта будет потом возмущенно восклицать: «А помнишь, в таком-то году нарушил мои планы, проявил редкостное невнимание вкупе с удивительным безразличием».

Нет, нужно твердо стоять на своем: помню все, виновата пробка.

У родного подъезда я оказался быстро, вопреки моим заверениям на дорогах по непонятной причине было мало машин.

Сегодня Мэри и Николетта нарядились в абсолютно несхожие одеяния. На одной был пронзительно розовый брючный костюм, на другой — платье интенсивно синего цвета с широким белым поясом, подчеркивающим талию, которой могла бы гордиться даже юная девушка.

Тихо хихикая, дамы залезли в салон.

— Едем, — скомандовала одна.

— Отлично! — кивнул я. — Каким маршрутом?

— Говорила же, он забыл! — тут же заявила другая.

— Ну как можно, — с укоризной воскликнул я.

— Тогда к чему вопросы?

— Добраться до цели можно разными путями, — ловко отбился я, — через центр или переулками.

— Давай по Тверской!

— Нет, лучше не так!

— А как? Молчи! Ты сто лет в Москве не была!

Я, спокойно наблюдая за перебранкой, слегка

приободрился. Ясно, та, что в синем, Николетта.
Мэри в розовом. Вот и чудесно, по крайней мере я
сумел разобраться «ху из ху» и не попаду в идиотскую ситуацию. Дамы тем временем продолжали
спорить.

— Ну и что? Тверская где была, там и осталась, —
заявила Мэри, — бессмысленно по ней толкаться!
Лучше добираться огородами. У нас в Америке...

— А у нас в России, — перебила сестру Николетта, — ближе по центру!

— Никогда!

— Всегда.

— Лучше застрелиться!

— Экая ты упрямая.

— Сама такая.

— Вовсе нет, я готова тебе уступить! Ваня, давай
налево!

Я кивнул и нажал на педаль газа. Вот и отлично,
кажется, знаю, куда намылились сестрички.

— Нет, — взвизгнула Мэри, — я тебе уступлю! Ванечка, на Тверскую!

— Через Сущевку!

— По центру.

— Ты сама хотела по окраине, вот я и решила тебе
угодить.

— Нет, я сама угожу! По Тверской!

— По Сущевке!

— По Тверской!

— По Сущевке!!! Алло! Ой, Кока, мы уже почти
приехали, — защебетала в телефон Николетта, — это
Вава еле-еле тащится!

Я испытал чувство глубочайшего удовлетворения,
поняв, что маменька надумала посетить кого-то из
заклятых подруженек, то ли Коку, то ли Зюку, то ли
Люку, то ли Маку, и вот теперь я точно знаю, куда
рулить.

«Жигули» влились в поток автомобилей, но сестры не заметили, что давным-давно находятся в пути, и продолжали спор с незатухающей страстью.

— Ты хотела по Тверской, так поедем.

— Уступаю тебе, по Сущевке лучше.

— Тверская редко стоит.

— На валу тоже нет пробок.

— Зачем по задворкам шляться! По Тверской!

— Вот еще! По Сущевке!

— Вечно ты споришь!

— Не смей мне настроение портить!

— Ни разу не согласилась с сестрой. Помнишь, как в детстве ты всегда мои ботинки рвала.

— Я? Я? Это ты хватала мои платья и превращала их в тряпки!

— Вранье! Кто разбил в тридцать девятом году фарфоровую куклу?

— А ты в сороковом наговорила про меня Вениамину гадостей!

— Твой Веня был идиот.

— А твой Николай? Ха-ха-ха! Вот уж убила бобра! Да его стыдно слушать было! Крестьянин с навозными лапами.

— Ой-ой-ой. А Веня-то! Интеллигент в первом поколении, умереть можно! Рыбу с ножа ел! Тоже мне, джентльмен! Судака пилой ковырял.

— Замолчи!

— Сама закрой рот!

— Грубиянка!

— Хамка!

— Вечно по-своему сделать норовишь!

— Не зря от тебя вся кавалеры удрали!

— Дорогие мои, — весело воскликнул я, — мы прибыли.

— Куда? — хором осведомились скандалистки.

— К Коке, на бал!

Милые сестрички разом прекратили ссориться.

Николетта хихикнула:

— Мэри, ты как? Готова?

— Абсолютно, — со смешком отозвалась та.

— Ой, повеселимся!

— Главное, не забудь свою роль.

— Я? Мне это могла бы не говорить! За собой проследи. Вот уж кто всегда все забывал!

— Я?

— Ты! Стой, — вдруг велела Николетта, — нам нужна аптека. Срочно!

— Зачем? — удивился я. — Кому-то плохо?

— У Мэри насморк, — заявила маменька.

— Это аллергия на московский воздух, — мигом отреагировала тетушка.

— Глупости, у нас чистый кислород, — не упустила возможности поспорить Николетта. — Вон там вывеска, видишь! Живо, Вава, рули за каплями.

Я вновь завел мотор, проехал метров сто вперед и припарковался. Дамы вынырнули из салона, и мы вошли в светлое помещение, где отчего-то сильно пахло мятной жвачкой.

— Дайте пиносол, — велела Мэри.

— Почему его? — начала возмущаться Николетта. — Вон спрей стоит! Я всегда им пользуюсь!

— Ага, — хихикнула Мэри и повторила: — Дайте пиносол.

— Нет, спрей, — перебила ее Николетта.

— Пиносол!

— Я сказала — спрей!

— Пиносол!!!

— Послушайте, — потеряла терпение провизор, — определитесь, наконец, чего хотите.

— Пиносол.

— Вон те капли, на первой полке стоят.

— Возьмите оба средства, — я решил задуть пламя войны.

— Нет, только пиносол, — уперлась Мэри.

— Идиотство! Поможет лишь то, что советую я, — рявкнула Николетта.

Мэри топнула ногой.

— Знаешь, Нико, хоть ты и старше...

— Я? — перебила ее маменька. — Старше тебя? Это ложь!

— Так вот, — неслась дальше Мэри, — несмотря на твою мудрость, полученную с возрастом, позволь отметить: пиносол представляет собой смесь масел сосны, эвкалипта и перечной мяты. Только натуральные ингредиенты. А твой хваленый спрей сплошная химия, от которой нос отвалится. Все! Точка! Мне нужен пиносол!

Маменька стала синеть.

— Во, — вздохнула фармацевт и с жалостью глянула на меня, — у меня тоже две бабки вечно спорят. Прямо до обморока доходит. А чего поделать? Все старики вздорные, никогда друг другу не уступят.

Николетта и Мэри примолкли.

— Ладно, — вдруг заявила маменька, — пиносол так пиносол, не стану спорить. Если он действительно помогает, тогда берем. А то нехорошо получится, у тебя насморк, а у меня нет. Еще поймут, что к чему.

— Пиносол — это класс, — заявила Мэри, открывая полученную упаковку. — Сейчас закапаю в нос, и все сразу пройдет. Успокойся, никому ничего в голову не придет.

— Вава, — велела маменька, — вези нас к подъезду.

Мы вышли на улицу, сели в авто, я дал задний ход и замер у нужного подъезда.

— Ничего не напутай, — рявкнула маменька, поворачиваясь к Мэри.

— Я?

— Ты!

— Я?!

— Ты!!!

Поняв, что сейчас начнется новый раунд скандала, я быстро вышел наружу и открыл заднюю дверь:

— Прошу.

Маменька оперлась на мою руку, легко выпорх-
нула наружу и прочирикала:

— Вава, звони в домофон.

— Мэри, выходите, — предложил я.

— Она тут останется, — вкрадчиво сказала Николетта.

— В машине?

— Да.

— Но почему?

Сестрички довольно засмеялись.

— Сюрприз, — прощебетала маменька и направилась к подъезду. — Ты, Ваня, только молчи. Главное, никому ни слова про Мэри, и что бы ты ни услышал и ни увидел, изволь держать язык за зубами!

Напевая, маменька впорхнула в подъезд. Я пошел
за ней, стараясь не вдыхать аромат слишком пряных
духов. Тревога змеей вползала в сердце. Какую
новую каверзу задумала эта парочка?

— Нико! — взвизгнула Кока.

— Милая, — заломила руки маменька.

Я наблюдал, как дамы судорожно обнимали и це-
ловали друг друга. Если не знать, что пару деньков
назад они вместе угощались кофейком, подумаешь,
будто подруженьки встретились после десятилетней
разлуки.

— Шикарное платье, — одобрила Кока, — синий
твой цвет.

— Полагаешь? — усомнилась маменька. — Вообще-то я предпочитаю розовый.

— Фу, как пошло.

— Нет, нет, в самый раз.

Продолжая болтать, «девушки» упорхнули в гостиную, я, заученно улыбаясь, последовал за ними.

Тем, кто никогда не посещал великосветские вечеринки, могу сообщить, что ничего особенного на них не происходит. Собираются, как правило, одни и те же люди и с упоением перемывают друг другу кости. Местное общество состоит из престарелых, сильно молодящихся дам и парочки случайно оставшихся в живых их кавалеров. Иногда кто-нибудь притаскивает с собой несчастных внуков или приятелей.

Строятся вечеринки по одному сценарию. Сначала домработница обносит всех напитками. У Коки подают шампанское, более жадная Зюка предлагает коктейль, отвратительное пойло черт знает из чего, Мака любит потчевать гостей компотом, разбавленным водой. Люка обходится вообще без аперитива.

Опрокинув бокальчик-другой напитка, тусовка начинает развлекаться, ведет чинные разговоры, обсуждая тех, кто еще не вошел в гостиную, либо мусоля последние сплетни. Кто женился, развелся, умер, купил дачу, квартиру, завел любовника... Захватывающих тем хватает до легкого ужина. Как правило, в районе одиннадцати вечера в гостиную вносят блюда с бутербродами и пирожными. В советские времена это являлось кульминацией мероприятия. С продуктами в СССР дело было швах, поэтому тусовщики внимательно изучали то, что лежит на кусочках хлеба, и мгновенно делали вывод о материальном положении и весе хозяев в обществе. Буженина отечественного производства. Ага, понятно, муж Коки получает паек третьей категории. У Зюки шпроты и финское салями? Что ж, она на голову выше, раздобыла харчи, которые раздают партийным работникам среднего звена. У Люки черная икра, «Докторская» колбаска из спеццеха, осетрина горячего копчения? О! Хозяюшка прорвалась в высшие сферы, это деликатесы из распределителя на набережной. Надо срочно подойти к Люке и засвидетельствовать ей свое почтение!

Когда в Москве установилось продуктовое изобилие, великосветские дамы слегка растерялись: ну как теперь определять рейтинг знакомых? Но очень быстро положение стабилизировалось. Оказалось, что есть много других факторов: качество посуды и столовых приборов, оригинальность оформления блюд... Если раньше престижно было иметь то, что есть у других, то сейчас ситуация поменялась кардинально, нынче следует выделиться, и это делает тусовки намного более веселыми. Кое-кому в голову приходят совсем уж нестандартные идеи. Например, не так давно Мака сервировала стол бумажными тарелочками и стаканами, щедро разрисованными улыбающимися мышами. Когда изумленные гости начали издавать возгласы удивления, Мака кокетливо заявила:

— Боже! Все так скучно! У Зюки фарфор от Веджвуда, у Коки от Вилеру, у Нико от Мейсена. И в чем, скажите, разница? У меня у самой такие или подобные сервизы в сервантах пылятся. Давайте веселиться, проведем вечерок в стиле Микки-Мауса.

Присутствующие пришли в полный восторг, но, когда через три дня Зюка использовала ту же фишку, выставив на стол гору одноразовой посуды, ее не одобрили. Не следует обезьянничать, надо придумать свою примочку.

А еще в наше время хозяева стараются залучить к себе всеми правдами и неправдами какую-нибудь известную личность. Если ранее ходили по вечеринкам на баранью ногу, мясной пирог или говядину по-французски, то теперь идут в гости на прозаика N, певца K или ученого M.

И тут опять круче всех оказалась Мака, уж не знаю как, но ей удалось заманить на свой день рождения политика W, славящегося своим на редкость взрывным характером и вздорным нравом. Местное общество, затаив дыхание, ждало момента, когда буйный депутат, впав в раж, начнет швырять в присутствующих бокалы с вином. Но, увы, всех постигло горькое разочарование. W вел себя очень скромно, преподнес Маке букет, поцеловал ей надушенную лапку и чинно внимал музыке, которую извлекал из недр виолончели нанятый музыкант. Одним словом, вел себя совершенно обычно, и только пара хмурых парней в черных костюмах, мрачно стоявших в прихожей, напоминала: на тусовке присутствует не шелупонь, а лицо, приближенное к государю.

— Милая, — щебетала Кока, вталкивая Николетту в гостиную, — тут все свои, можешь расслабиться. Знаешь, кто у нас?

— Нет, — протянула маменька.

— Боймен.

— Кто? — с неподдельным удивлением спросила Николетта.

Кока всплеснула руками:

— Не знаешь?

— Что-то слышала, — попыталась исправить оплошность маменька.

— Это же певец! Тот, что победил в конкурсе «Волна успеха»!

— А! Конечно.

— Ну!

— Великолепно, — настроилась на нужный лад Николетта, — просто чудесно!

Я уловил в ее голосе легкое раздражение. Дело в том, что маменька обожает быть в центре внимания, и следует отметить, что, как правило, ей это легко удается. Но только не в случае присутствия эксклюзивного гостя.

В этой ситуации даже Николетте трудно выделиться, рано или поздно придется спокойно сидеть в кресле и слушать либо песни, либо чужие рассказы, а потом вежливо аплодировать. Для маменьки такая ситуация хуже капкана, она предпочитает получать овации сама.

Николетта и Кока пошли к длинному столу с бокалами. Я же быстро сел в самый дальний угол комнаты и попытался стать незаметным, что при моем двухметровом росте практически невозможно.

Перед глазами мелькали разноцветные пятна: воспользовавшись жарой, дамы нацепили на себя яркие, откровенные наряды. Я прикрыл глаза, слава богу, никто не бежит ко мне с воплем:

— Как я рада встрече!

Приятно, что сегодня здесь нету мамаш с дочерьми на выданье, потому как личность холостого господина Подушкина действует на них, словно красная тряпка на быка. Ко мне мигом подсаживают девицу, изможденную диетами и избытком образования, приговаривая:

— Машенька (Катенька, Леночка, Олечка, Ирочка, Сонечка, Лизочка), это Ваня. Он тоже увлекается литературой, ты можешь с ним побеседовать о Пушкине.

— Нико! — вдруг взвизгнула прямо над ухом Кока. Я вздрогнул и приоткрыл глаза.

— Нико, — повторила хозяйка, — это ты?

— Что за вопрос, — ответила маменька, — я здесь уже давно, мы же только что беседовали!

— Но ты была в синем платье! — воскликнула Кока.

Я скосил глаза влево и увидел стройную фигуру в ярко-розовом брючном костюме. Мэри! Теперь понятно, что задумали проказницы.

— Я, в синем? — с глубочайшим негодованием воскликнула Мэри. — Невероятно! С какой стати? Всегда появляюсь в розовом. Кока, что с тобой! Это же мой цвет.

Хозяйка дома пару раз мигнула.

— Но... я сама... синее... ты в нем пришла, — забубнила она.

— Что у вас тут происходит? — подлетела к парочке вертлявая Зюка. — Ну и лица! Прямо похороны.

— Пойду воды попью, — выдавила из себя Кока и исчезла.

Мэри посмотрела на Зюку.

— Знаешь, дорогая, — вкрадчиво сказала она, — Кока, того... совсем плохая! Представляешь, сейчас на полном серьезе утверждала, что я пришла в синем платье! Ну не бред ли! Может, на нее жара подействовала?

Зюка скривилась:

— Маразм на колеснице приехал! Кока, конечно, выглядит молодо, но это победа пластической хирургии над возрастом. Мозги-то не перетянешь!

— Да, бедняжка, — фальшиво вздохнула Мэри.

— Жаль несчастную, — не менее лицемерно подхватила Зюка, — у медицины сейчас много средств от старческого слабоумия, но кто ж рискнет их предложить Коке?

Я с интересом наблюдал за происходящим. Слегка попинав Коку языками, Мэри и Зюка начали бродить по гостиной. Розовое пятно плавно двигалось по комнате, потом испарилось, ему на смену явилась ярко-синяя клякса.

Я постарался не рассмеяться. Николетта, весело восклицая: «Ах, какое безобразие, опять подают пирожные, которые я ни за что не стану есть», пошла к окну.

— Нико, — обморочным голосом просвистела Кока, опершись о подоконник, — это ты?

— Я.

— Но... о... да... о!..

— Что с тобой? — широко раскрыла глаза маменька. — Может, ты приляжешь? Побледнела сильно.

Здесь, наверное, уместно напомнить, что Николетта долгое время служила в театре. Главных ролей она не исполняла, получала лишь небольшие выходы, но определенная склонность к лицедейству в ней заложена, и в обычной жизни она проявляется замечательно ярко. На подмостках маменька играла средненько, сейчас же ни одна живая душа не сумела бы уличить ее в фальши.

Я тихонько вздохнул. Так, теперь понятно, отчего маменька и тетушка помчались в аптеку за пиносолом. Кока и впрямь могла заподозрить неладное. То у подружки насморк, то он исчезает. Пиносол, избавив Мэри от насморка, решил проблему. Похоже, Кока сейчас упадет в обморок.

Глава 23

— Ты в синем! — завопила Кока.

Николетта уперла кулаки в неправдоподобно тонкую талию, результат вечной диеты.

— Я плохо смотрюсь? Знаешь, мне немного надоел розовый.

— А-а-а!

— Я настолько скверно выгляжу, что тебе плохо?

— О-о-о!

— Извини, дорогая, не хотела тебя расстроить!

— У-у-у, — перешла на вой Кока и ужом скользнула в коридор.

Николетта улыбнулась как кошка, укравшая килограмм вырезки.

— Вы поругались с Кокой? — подскочила к ней Люка.

— Нет, — пожала тощими плечиками маменька, — с чего бы? Бедняжка!

— Кто? — жадно поинтересовалась Люка.

— Кока! У нее начались мозговые явления. Представляешь, только что с пеной у рта она утверждала, будто я пришла сюда в розовом костюме! Просто страшно делается, когда понимаешь: время неумолимо, как ни старайся, а впадешь в маразм.

— Действительно, — бормотнула Люка, окидывая маменьку взглядом, — но следует признать, ты ведь часто в розовом появляешься. Кстати, Зюка тут ехидничала. Стоило тебе в понедельник уйти, как она завела: «Нико одно и то же перешивает. Похоже, у нее совсем с деньгами швах. То присобачит рюшки, то оторвет и полагает, что никто этого не замечает. Ну я, конечно, вижу, что платье одно и то же, но никогда не стану...»

— Глупости, — рявкнула маменька, — как тебе это, синее?

— Шикарно, — закатила глаза Люка.

— Ах, там концерт начинается, Вава, найди мне место, — защебетала Николетта.

Я взял маменьку под острый локоток и подвел к креслу. Николетта плюхнулась на парчовую обивку. Остальные гости тоже устроились поудобней. Поскольку самые лучшие места принято уступать дамам, малочисленная мужская часть тусовки сбилась у окна. Я присоединился к «юношам». Отлично, пока певец будет выводить рулады, я отдохну. Но не тут-то было. Престарелый профессор Николай Семенович, милый, но практически глухой старик, спросил у другого великосветского тусовщика, литературного критика Сергея Петровича:

— Сережа, о чем он говорит?

Сергей Петрович, тоже крайне приятный во всех отношениях мужчина, большой знаток поэзии Серебряного века, тонкий ценитель вин и сигар, к сожалению, очень плохо видит, поэтому он отреагировал соответственно.

— Где?

— Вон, у рояля.

— Кто?

— Мальчик-блондин, размахивает руками. Может, он стихи читает?

Сергей Петрович вытащил из кармана замшевую тряпочку, аккуратно протер бифокальные очки со стеклами толщиной около десяти сантиметров[1], снова водрузил их на нос и задумчиво произнес.

— Не вижу! Впрочем, он поет довольно фальшиво.

— А я не слышу, — вздохнул Николай Семенович, — зато различаю фигуру, милый юноша.

— Тебе легче, — констатировал Сергей Петрович, — внешне мальчик ничего, наверное, а вот звуки он издает чудовищные, и вообще, на концертах лучше быть глухим и слепым одновременно.

— Может, коньяку тяпнем? — предложил Николай Семенович. — Легче будет воспринимать искусство.

— Куда идти? — мигом отозвался Сергей Петрович. — Я не вижу.

— Налево.

— А?

— Сюда!

— Куда?

— Что?

Я быстро повернулся к столу, схватил пузатые фужеры, плеснул в них коньяку и подал «мальчикам».

— Прошу вас.

— Спасибо, Ванечка, — улыбнулся Николай Семенович.

— Это кто? — заинтересовался Сергей Петрович.

— Ваня Подушкин.

— Господь с тобой, Коля, он же умер.

---

[1] Явное преувеличение, таких стекол не бывает. (*Прим. автора*).

— Скончался Павел, его отец, — терпеливо начал объяснять профессор, — а Ваня совсем еще молодой. Скажи, Ванечка, тебе шестьдесят есть?

— Нет, — громко ответил я, — и не скоро будет.

— Кого не будет?

— Подушкина, — бойко отозвался критик.

Я осторожно попятился к двери. Пока дамы уставились на смазливого красавчика, издающего странные звуки, а мужчины пытаются адекватно оценить происходящее, я могу пойти покурить.

Но не успел я сделать и пары шагов, как по ушам ударил крик.

— А-а-а-а... Она в розовом!

Все повернулись влево, я машинально поступил так же. Возле арки, ведущей в столовую, стояла Мэри.

— В розовом, — кричала Кока, — видите, да? Все видите, да? В розовом!

Певец растерянно замолчал, музыка стихла.

— Коконька, — вскочила Зюка, — тебе плохо?

— Это кто? — визжала Кока, тыча в маменьку пальцем, скрюченным под тяжестью бриллианта размером с хороший апельсин. — Кто?

— Только не волнуйся, — засуетилась Зюка, — ты видишь Николетту. Если забыла, кто она такая, напомню: Нико — наша старая подружка.

— Попрошу без хамства, — фыркнула Мэри, — при чем тут старость! Еще скажи «древняя»!

— Она в розовом? — обморочно прошептала Кока.

— Да.

— Не в синем?

— Нет, конечно.

— Но только что она была в синем!

Зюка обняла Коку.

— Дорогая, ты устала! Нико явилась в розовом.

— О-о-о! — простонала хозяйка, хватаясь за виски.

— Вовсе нет, — ожила Люка, — она в синем пришла.

— В розовом! — топнула Зюка.

— В синем, — настаивала Люка.

— Разуй глаза, — потеряла светское воспитание Зюка, — вон она стоит! В розовом!

Люка повернулась в сторону двери.

— Ага! Смотрите! Она в синем.

Все снова задвигали шеями, я подавил тяжелый вздох. Ну и ну. Сестрички в ударе, мгновенно произвели рокировку, сейчас арку подпирает не Мэри в костюме, а Николетта в платье.

— А-а-а! — завизжала Кока.

— О-о-о! — подхватила Зюка.

— Что с вами? — озабоченно воскликнула Николетта.

— Это ты? — в полном изнеможении просвистела Кока.

— Ну я.

— В синем?

— Конечно, говорила же тебе, что мне розовый надоел.

— Был костюм, — хором отозвались Кока и Зюка.

— Платье, — быстро влезла Люка.

— Пожалуй, мне пора, — сказала жена Николая Семеновича.

— И я с тобой, — ыстро подхватила супруга Сергея Петровича, — голова заболела.

Гостей никто не останавливал, и вскоре в большой комнате осталось лишь пятеро: Николетта, Люка, Зюка, Кока и ваш покорный слуга.

Минут десять дамы тупо твердили каждая свое.

— Синее.

— Розовое.

— Костюм.

— Платье.

— Брюки.

— Синее...

И вдруг Кока проявила чудеса сообразительности.

— Ты не Нико! — завопила она.

— Просто обалдеть. — всплеснула руками маменька. — Кто ж я тогда?

— Не знаю, — сучила костлявыми ножонками Кока, — понятия не имею! Не Нико! Нет! Кто угодно, но не ты.

— Я не я, — фыркнула маменька, — интересно, однако. Ладно! Вава, марш домой.

Я покорно потрусил к двери, решив, что забава закончилась, но Николетта сочла свой уход недостаточно эффектным.

На пороге она обернулась и с фальшивой заботой в голосе протянула:

— Коконька, обратись к психиатру. Я — это я. В качестве доказательства могу напомнить некий факт, напряги внимание. Ау, ты меня слышишь? Переделкино, семидесятый год, поэт Николя, номер на первом этаже и флакон...

— Не надо, — быстро прервала ее Кока, — да, действительно это ты, в синем! О господи, в синем!

— В розовом, — прошептала Зюка, — я умираю! Нет, правда, мне плохо! Оно сейчас-то синее! Где розовые брюки?

— Вава, вперед! — воскликнула маменька. — Пусть без меня разбираются, право слово, смешно! Вам, дорогие подружки, нужно но-шпу пить.

— Отчего ты посоветовала им но-шпу? — осторожно поинтересовался я на лестнице. — Нет спора, это отличное средство, но на мозг оно не действует.

— Очень даже ошибаешься, — довольно пропела маменька, — лично для меня но-шпа просто панацея. Принимаю ее во всех случаях: при бессоннице, желудочных недомоганиях, сердечном приступе, болях в спине, головной боли и от тоски.

Я молча смотрел на Николетту. Что ж, вполне вероятно, человека с психосоматикой как у маменьки но-шпа и впрямь избавит от любых недомоганий.

Этот хорошо известный российским людям препарат был когда-то одним из немногих импортных лекарств, свободно продававшихся в аптеках Советского Союза. Мы привыкли к нему и считаем испытанным средством. А старый друг, он, как известно, лучше новых двух. К тому же все хвори Николетты происходят не из-за физиологических изменений, маменьку, несмотря на возраст, можно в космос запускать. Нет, болячки ее имеют под собой истерическую основу, а но-шпа снимает спазмы гладкой мускулатуры, поэтому маменьке и делается легче от таблеток. Особого вреда от но-шпы, принятой даже без особой нужды, не будет. Кстати, на многих мелкие желтые «пуговки» действуют даже без приема внутрь, от одного их вида легче делается. А вообще-то но-шпа на самом деле великолепное лекарство, она не дает нежелательного побочного эффекта. Во всяком случае, я не слышал об аллергии на но-шпу, а ее принимают многие мои знакомые. Так что, выпив таблетку, не бойтесь, что на носу выскочит прыщ или на глазу ячмень. Все будет хорошо!

— Они купились! — затараторила Мэри, устраиваясь в машине.

— Классно вышло, — подхватила маменька.

— Вау, супер!

— Прикольно.

— Вам не кажется, что ваша шутка слегка жестока, — спросил я, — Коке, похоже, совсем плохо стало!

— Зюке и Люке тоже, — радостно отметила Мэри.

— Так ей и надо! — взвилась Николетта. — Я давно хотела Коке отомстить!

— Бог мой, за что? — удивился я.

Конечно, Кока и Николетта постоянно соперничают друг с другом, сравнивают одежду, машины, хвастаются украшениями и пытаются перещеголять всех в стройности. Но мне всегда казалось, что истинной вражды между «девочками» нет, скорее ритуальная борьба, нечто вроде китайских танцев, где каждый шаг партнеров четко расписан.

— А за Переделкино, — внезапно рявкнула маменька, — за поэта Николя, за окно на первом этаже, за семидесятый год...

Спохватившись, Николетта захлопнула рот, я молча повернул руль направо и выехал на никогда не засыпающую Тверскую. Да уж, память у маменьки дай бог каждому, столько лет помнить обиду способен, наверное, один человек из ста тысяч.

Утром я первым делом набрал написанный в цидульке, полученной от Алеутовой, телефон и, услышав приятный женский голос, попросил:

— Можно Иру?

— Какую?

— Кисову.

— Ой!

— Что такое?

— Нет, нет, просто Ира уволилась.

Значит, девушка указала в записке рабочий телефон. Ну не беда.

— Не могли бы вы подсказать ее домашние координаты.

— Нет.

— Может, кто-нибудь из коллег знает?

— Нет.

— Мне очень надо!

— Если вы по поводу заказа окон, то зачем вам Ирина? Приходите, я тоже дизайнер, меня зовут Галя Вредова.

— Хотелось бы найти Иру.

— Ничем помочь не могу, — сухо ответила девушка.

— Давайте адрес, — сдался я, — приеду к вам.

Будем надеяться, что в фирме найдутся дамы, не столь вредные, как Галина. Не зря она носит такую фамилию.

Контора, занимающаяся стеклопакетами, размещалась в большом доме, густо набитом офисами. Я толкнул дверь с табличкой «Светлые стекла» и обозрел «пейзаж». Большой зал разделен невысокими стенами на отсеки, в каждом сидят люди, менеджеры и клиенты.

— Вы хотите заказать окна? — мило улыбнулась девушка, сидевшая у самой двери.

— Да, — кивнул я, — в общем, да.

— Присаживайтесь, меня зовут Ася.

Я устроился на стуле и стал внимать служащей. А та принялась сыпать словами. Двойной стеклопакет, тройной, шумоизоляция, отделка деревом или пластиком...

— Др-р-р, — сердито заурчал мобильный.

— Извините, — сказал я и приложил его к уху.

— Ванечка Павлович, что поделываете? — прочирикала Лиза.

— Окна смотрю, — сказал я чистую правду и следующие несколько минут слушал негодующие вопли прораба.

— Ну и с какой стати вы сами пошли? Вас облохают, как сявку, то есть, простите, обманут, словно младенца. Всучат дрянь за бешеные деньги, немедленно уходите! Просто ужасно! Ни на секунду вас одного оставить нельзя! У нас паркет на очереди!..

Кое-как успокоив Лизу, я повернулся к Асе:

— Простите.

— Понимаю, — улыбнулась та, — ремонт дело нервное, многие так ругаются! Вы успокойте свою жену, мы десять лет на рынке, работаем практически без нареканий. Ну, продолжим?

— Видите ли, ангел мой, — ласково сказал я, — пока я не связан узами брака и уже поставил окна.

— Зачем тогда пришли?

— Я заказывал их у вас.

— Имеете претензии? — испугалась девушка. — Тогда вам в отдел жалоб.

Однако интересно! Только что она заявила: работаем без нареканий. Но при этом в фирме существует отдел жалоб, не один сотрудник и не два, призванных успокаивать разгневанных клиентов, а целый штат.

— Все в порядке, — быстро успокоил я Асю.

— Что же вам надо?

— Я имел дело с Ирой Кисовой.

— А-а-а...

— Очень милая девочка.

— Ну-у-у-у...

— Она мне так понравилась!

— Да-а-а?

— Я ей, похоже, тоже!

— О-о-о!

— Мы обменялись телефонами, — вдохновенно врал я, — договорились о свидании, но, представьте, экая незадача, меня внезапно отправили в командировку, так спешно, что я не сумел предупредить об отъезде Ирочку. Отвратительно получилось! Она пришла в назначенный час к кинотеатру, а меня нет! Вам бы понравилось такое?

— Не-а, — протянула Ася.

— Вот и Ирочка обиделась, — с горечью воскликнул я, — вы не подумайте, у меня вполне серьезные намерения. Пытался связаться с ней по мобильному, не отвечает. На работе сказали — уволилась, а домашнего адреса я не знаю. Асенька, сделайте одолжение, помогите, дайте координаты Ирочки, не губите любовь.

Подобный прием я, каюсь, использую не первый

раз. Обычно дамы, услыхав о возвышенных чувствах, тут же начинают действовать, но Ася отреагировала на мою исповедь нестандартно.

Она покраснела так сильно, что я насторожился. Лицо девушки стало просто багровым.

— Ну, — прошептала она, — вам сильно Ира нравилась?

— Очень!

— Подождите, — пролепетала Ася и ушла.

Я остался один, немало удивленный. По моему разумению, Ася сейчас должна была полезть в компьютер, либо открыть записную книжку, либо позвонить тому, с кем тесно общалась в конторе Ира, но менеджер просто ушла, причем в состоянии крайнего возбуждения.

Вернулась она не одна, а с полненькой девушкой с бейджиком «Алсу» на груди.

— Вы ищете Иру? — прищурилась Алсу.

— Да.

— У вас с ней роман?

— Ну, пока нет, однако надеюсь...

— Пошли, — скомандовала Алсу.

Я последовал за ней, еще более изумленный. Мы в полном молчании добрались до комнатки в самом конце офиса. Алсу пропустила меня вперед, заперла дверь и, положив ключ в карман, каменным тоном заявила:

— А теперь вы объясните, зачем ищете Иру.

Я открыл было рот, но Алсу предостерегающе воскликнула:

— Только не врите, никакого романа у вас не было. Мы с Ирой были хорошими подругами, тайн друг от друга не имели. Вернее, это я раньше так считала, теперь уж и не знаю, после ее смерти...

Я схватился за край стола.

— Смерти? Кисова умерла?

— Да.

— Давно?

— В середине лета.

— Отчего? Она же молодая?

— Ира покончила с собой, она прыгнула под трамвай, — мрачно ответила Алсу.

Глава 24

— Под трамвай? — с неподдельным ужасом воскликнул я. — Под трамвай?

Алсу кивнула.

— Ужасно! Лола отказалась ее опознавать, целую истерику устроила! Пришлось мне. До сих пор успокоиться не могу, Ире ноги отрезало, лицо, правда, сохранилось нетронутым. До конца жизни не забуду увиденного!

Перед моими глазами моментально возник экран телевизора и жуткая картина: останки девушки, верхняя часть тела практически нетронута, а ниже талии... Кошмар! Не могу это вспоминать! Надя и Ира Кисова погибли одинаковым образом.

— Кто такая Лола? — пробормотал я. — Зачем Ира приходила к Валентине и устроила скандал? Что связывало Кисову с Риммой Победоносцевой?

Алсу сверкнула слегка раскосыми, похожими на крупные черносливины глазами:

— И откуда вы приплыли? Кем являетесь? Почему меня расспрашиваете?

— Вот, смотрите, мое удостоверение.

— Милиция...

— Нет, это частная структура, агентство «Ниро».

— И что случилось? — по-детски удивилась Алсу. — Это связано с Ирой?

— Скажите, дружочек, отчего вы решили, что Кисова сама свела счеты с жизнью?

— Так в милиции сказали!

— Вам не трудно рассказать обо всем более подробно?

Алсу собрала лоб складками.

— Как?

Тяжело вздохнув, я начал задавать наводящие вопросы.

— Где вы познакомились с Ирой?

— В родильном доме.

— Вместе рожали детей? — осведомился я.

Алсу захихикала:

— Не, я не замужем и связывать себя по рукам и ногам не собираюсь.

— Что же делали в клинике?

— Сама родилась.

— В каком смысле?

Глупышка снова тоненько засмеялась и стала выдавать более или менее связный текст.

Мамы Иры и Алсу лежали в одной палате. Алсу старше Иры всего на пару минут. Женщины подружились, их дети тоже. Алсу даже считала Иру своей близняшкой, хотя у той есть родная сестра Лола. Лола старше Иры и появление в семье еще одного ребенка восприняла в штыки. Наташа, мама Иры, боялась оставить младенца на попечение старшей дочери.

— Я ее придушу, — с недетской страстностью заявила Лола, увидев в первый раз, как мама купает новорожденную Иру.

Наташа очень расстроилась, но Айя, мать Алсу, успокоила подругу:

— Погоди плакать. Это просто обычная ревность. Сейчас Лола позлится и перестанет. Ты, главное, не наказывай старшую, уделяй первенцу побольше внимания, дари ей игрушки, и все устаканится, станут девочки не разлей вода. Не переживай, подобное часто случается в семьях.

Наташа утешилась и решила последовать совету

Айи. Непонятно почему мать Иры испытывала чувство вины перед старшей дочерью и принялась рьяно заглаживать не нанесенные ей обиды. В результате, когда Ира пошла в школу, в семье Кисовых сложилась весьма странная ситуация. Обычно младшим детям достается больше и любви, и материальных благ. Первый ребенок часто рождается у пары случайно. Молодые супруги плохо понимают, что такое младенец, а когда он появляется на свет, вдруг соображают: ба, да дитятко надо кормить, одевать, обучать... У только что сформировавшейся семьи очень много проблем, в том числе и материальных, поэтому первенца не слишком балуют, и не потому, что не любят, а из-за элементарного отсутствия денег.

Второй же ребенок в основном появляется в семье в результате планового расчета. Многие супруги годам к тридцати обретают стабильное благополучие, обзаводятся собственной жилплощадью и решают, что настало время для еще одного наследника. Ясное дело, что младший получает больше игрушек и внимания, чем первенец, более того, мать постоянно твердит старшему:

— Ну как тебе не стыдно! Ты взрослый уже, не обижай кроху, не хватай его железную дорогу. Что значит, у тебя такой не было? Мы же покупали! У него электрическая, большая, а у тебя была крохотная и пластмассовая? Ой, как некрасиво, брату позавидовал.

Ну и так далее. Старшим детям вменяется в обязанность приглядывать за младшими, приводить их из школы, кормить обедом, проверять уроки — в общем, служить бесплатной нянькой. Первый сын или дочь живут в системе строгих ограничений: нельзя звать одноклассников в гости, потому что маленькому принесут инфекцию, нельзя завести собаку, она испугает младшего, нельзя смотреть интересный фильм, если пришло время передачи для малышей. И все это сопровождается припевом: «Молчи, ты же большой».

Но в семье Кисовых получилось с точностью до наоборот. Ира была принесена в жертву Лоле.

Лолите покупали замечательные игрушки, в доме постоянно толклись ее подруги, а Наташа без конца шипела на Иру:

— Тс! Не ори! Лолочка делает уроки. Не бегай по коридорам, Лола отдыхает. Не лезь в ее комнату!

Если Ирочка начинала канючить:

«Мамуля, купи мне куклу», — то чаще всего она слышала в ответ:

— Разве уже Новый год? Или у тебя день рождения?

Но стоило старшей дочери капризно заявить: «Хочу вон ту сумочку», — как мать со всех ног бросалась выполнять ее желания.

Ирочке же приходилось донашивать одежду Лолы и помалкивать. Старшая имела в комнате собственный телевизор и могла до полуночи слушать любую музыку, мама никогда, ни при каких условиях не делала ей замечаний. Ире же предлагалось смотреть передачи в гостиной, а туда в любую минуту мог войти кто-нибудь из взрослых и спокойно переключить канал на очередные новости.

Став старше, Ира, естественно, захотела приглашать к себе приятельниц, но Наташа категорично заявила:

— У Лолы выпускной класс! Какие гости! Они помешают твоей сестре заниматься!

Ира смирилась с запретом и не стала требовать своего. Она решила подождать год, но потом нашлись другие причины, чтобы не допустить в дом подруг младшей дочери: Лола сдавала сессию.

Причем старшая девочка действовала очень умно.

Она никогда не дралась с Ирой, не затевала скандалов, просто подходила к матери и, вздыхая, говорила:

— Представляешь, я получила тройку по немецкому!

— Как же ты так, — всплескивала руками Наташа, — неужели не выучила?

— Зубрила долго, — ныла хитрюга, — но накануне контрольной не выспалась. Специально легла в девять, чтобы утром встать бодрой, но прокрутилась в постели до часа ночи, бессонницей маялась.

— Может, съела что несвежее, — мигом пугалась Наташа.

— Да нет, — тянула Лола, — у Ирочки музыка играла, она магнитофон слушала.

— Отчего же ты не пошла к ней и не велела его выключить? — вскипала мать.

— Так она маленькая, — делала простодушное личико Лола, — пусть уж веселится, а я так... пересдам потом, если сумею. Музыка-то постоянно играет после полуночи.

Стоит ли говорить, что Ире тут же запретили гонять магнитофон после восьми вечера.

Родители разрешали Лоле все. Они устроили ей шикарную свадьбу, потратили кучу денег на стол, платье для дочери и... даже не поругали Лолиту, когда та, пробыв женой ровно месяц, развелась и вернулась домой. Попробовала бы Ира учудить такое! Скорей всего, она услышала бы от мамы:

— Расписалась — теперь живи, нечего хвостом крутить, привыкай о муже заботиться.

Лоле же не сказали ни слова, словно и не было огромных сумм, выброшенных на ветер.

По логике вещей, младшая сестра должна была бы возненавидеть старшую. Ан нет, тихая, ласковая Ира любила Лолу, во всем покорялась ей, уступала и никогда не злилась на ту, которой посчастливилось родиться первой. Вот Алсу терпеть не могла Лолу и частенько пыталась внушить Ире:

— Она гадкая и очень хитрая. Видишь, как она себя поставила. Все ей, а тебе ничего!

Но Ирочка только улыбалась:

— Она старшая, ясное дело, папа с мамой Лолу больше любят.

Алсу злилась еще больше, услышав такие слова, но что было делать, если Ира уродилась такой безответной?

Потом внезапно умерла Наташа. Совершенно здоровая, довольно молодая женщина погибла от странной болезни, вы не поверите, но ее убила тоска по собаке.

У Кисовых имелся пуделек, веселый, игривый Микки. Наташа безумно любила его, во всяком случае, сильнее Иры точно. И вдруг здоровый, еще не старый пес начал чахнуть. Сперва он перестал есть. Наташа протащила собаку по лучшим ветеринарам, которые лишь разводили руками: у пса нет никакой внутренней патологии и инфекции, по идее, он должен быть здоров, но Микки таял на глазах и в конце концов умер. Наташа чуть не ослепла от слез. Вскоре после смерти пуделя Лола уехала учиться в Лондон. Заботливая Ирочка не отходила от матери ни на шаг. Всю заботу о горюющей маме взяла она на себя, пыталась утешить Наташу, но не добилась никакого успеха. Наташа продолжала убиваться по собаке, а потом заболела сама.

И снова медицина оказалась бессильна. Терапевты, онкологи, хирурги, иммунологи, гинекологи — все в один голос заявляли: «По нашей части проблем нет».

Потом в конце темного тоннеля забрезжил свет, в доме появился профессор, специализировавшийся на аллергии, он заявил:

— Все понятно. Вы ведь недавно сделали ремонт?

— Да, — кивнул Володя, отец Иры и Лолы, — верно.

— Ну и что же вы хотите? — прищурился профессор. — Ясное дело. У вашей жены обостренная реакция на некий компонент: краску, штукатурку, отсюда и плохое самочувствие. Я с подобным не первый раз сталкиваюсь. Кстати, и собака могла от аллергии подохнуть, случаются такие казусы.

Услышав это заявление, всегда спокойная Наташа налетела с кулаками на растерявшегося мужа:

— Это ты виноват! Мой любимый Микки! Сыночек дорогой! Ему даже пяти лет не исполнилось! О господи!

— Но при чем тут я? — ошарашенно пробормотал супруг.

— Кто захотел евроремонт? — пошла вразнос Наташа. — Кому в голову втемяшилась идея новые апартаменты купить? Разве нам в старой квартире плохо жилось? Вместе с Микки!

— Но, Тусенька, — забубнил Володя, — сама понимаешь, мы обеспеченные люди, нам никак невозможно в стандартной трешке ютиться. Это может бизнесу помешать, люди говорить начнут: «У Кисова дела плохо идут, он не может себе на достойную жилплощадь заработать, с ним не стоит связываться». Посмотри, какие у нас теперь хоромы! Блеск!

Неожиданно Наташа стала плакать, бросать на пол тарелки из дорогущего сервиза и приговаривать:

— Микки умер, и остальное пусть развалится.

Профессор бросился к чемоданчику с лекарствами. После укола Наташа заснула, а доктор сказал потрясенному Владимиру:

— Неадекватность поведения вашей жены объясняется аллергией, имейте в виду, болезнь способна разрушить мозг.

— Но строители сделали ремонт качественно, — бормотал Володя, — из самых лучших, очень дорогих, экологически чистых материалов. Я сам лично проверял!

Профессор скривился:

— И вы поверили? Это же всего лишь фразы, которыми производители работ заманивают глупых людей. Экологически чистые материалы! Ха! Вот стена между гостиной и столовой из чего возведена?

— Из кирпича.

— А он откуда?

Владимир призадумался:

— Из Луганска, отличный товар, нареканий на него нет.

— Замечательно, — фыркнул врач, — вы уверены, что там нет поблизости какой-нибудь радиоактивной свалки, карьера, из которого добыли глину для изготовления вашего восхитительного кирпича?

Володя лишь моргал в ответ.

— На материал есть сертификат качества, — выдавил он наконец из себя.

— Я вам таких бумажек на принтере сто штук нашлепаю, — мигом отозвался врач. — Экологически чистые строительные материалы — миф. Другое дело, что большинство людей спокойно адаптируются ко всяким разностям, но есть и на редкость чувствительные особи, ваша жена принадлежит к последним.

— Делать-то что? — растерялся бизнесмен.

— Нужно продать жилплощадь в Москве, купить избу где-нибудь на Алтае или в горах, уехать туда, где чистый воздух и вода, не пользоваться бытовой химией, не употреблять в пищу магазинные продукты, перейти на натуральное питание.

В глазах Владимира появилось безграничное удивление, а профессор как ни в чем не бывало вещал:

— Купить корову, кур, коз, завести огород, самим печь хлеб.

— Спасибо, — прервал эскулапа бизнесмен, — очень благодарен вам за консультацию, вот гонорар.

Когда продолжавший петь о натуральном хозяйстве дядька ушел, Ира тихо спросила:

— Мы уедем в деревню?

— Конечно, нет, — ответил отец.

— Но маме плохо!

— И что теперь?

— Доктор...

— Он идиот! — заорал Владимир. — Кретин, дуболом! Как он себе это представляет! Я дою корову? А бизнес! Деньги откуда возьмутся?

— Если мы продадим все и станем жить... — начала было Ира, но отец резко оборвал дочь:

— Не пори чушь! Не продадим и не станем! Не может быть у человека аллергии на все!

— Вдруг и впрямь ремонт виноват? — не успокаивалась Ира.

— Забудь этого аллерголога, он ... ! — заорал отец.

Ира не обратила внимания на грубое слово, вырвавшееся у папы. Володя никогда не стеснялся в выборе выражений, и девушка привыкла к его непечатной лексике.

— Но маме-то плохо! — напомнила она.

— Вылечим, — твердо пообещал Владимир, — костьми лягу, а спасу жену.

Но, увы, Наташа умерла вскоре после визита профессора. Не помогло ничего: ни ударные дозы витаминов, ни проведенный в порыве отчаянья курс химиотерапии.

Лола, прибывшая на похороны матери, бросалась на гроб с криками:

— Ну почему я тебя одну оставила! Никто о мамочке не заботился.

Ира тогда впервые сильно обиделась на сестру. Со стороны Лолиты было очень некрасиво вести себя подобным образом. Она жила в Лондоне, а Ира сидела около Наташи, держала умирающую мать за руку. Но потом, увидев, как сестра на поминках упала в обморок, Ира простила ее.

Глава 25

После смерти Наташи жизнь Кисовых не особенно изменилась. Лола вернулась в Москву, но она попросила отца купить ей отдельную квартиру. Владимир выполнил просьбу старшей дочери. Ира осталась с папой, она превратилась в хозяйку, заняла место Наташи. Владимир принципиально не желал нанимать домработницу, и Ире пришлось впрягаться в уборку, стирку, готовку и глажку. Отец был требователен, а после смерти жены стал даже жестоким. Он орал на Иру, попрекал ее куском хлеба:

— Сидишь на моей шее, дармоедка! Давно пора с плеч слезть! Иди работай, как все!

И снова Алсу пыталась вразумить подругу:

— Гонит тебя отец? Так уходи!

— Куда? — тихо спрашивала Ира.

— Да хоть к нам, — предлагала Алсу, — мама рада будет, она тебя давно родной считает.

— Нет, — отвечала Ира, — не могу.

— Но почему?

— Папа один останется.

— Ничего, он снова женится, и потом, Лола есть!

— Она отдельно живет!

— Правильно, — заорала Алсу, услышав последний аргумент, — Лолочка у нас молодец, специально смылась, чтобы об отце не заботиться, свалила все на тебя! Бери вещи, перебирайся к нам, нечего поломойкой служить. Вот увидишь, твой отец мигом новую супругу найдет.

— Нет, — качала головой Ира.

Такие разговоры подруги вели довольно часто, и в конце концов Алсу, не выдержав, ляпнула:

— Ясно. Боишься, что капиталы отца пришлой бабе достанутся. Только он еще вполне крепкий мужик, нечего тебе на наследство рассчитывать.

Сказала и испугалась. Сейчас Ира развернется и уйдет от нее навсегда. Но подруга спокойно ответила:

— Я не сержусь на тебя, потому что понимаю, ты это сказала из желания сделать мне лучше. Никакого наследства я не жду, просто жаль папу, кстати, он в последнее время сильно сдал.

И это было правдой. Владимир срывался, орал без всякой причины на окружающих, потом начинал задыхаться, синеть. У него стало повышаться давление, и в конце концов у Кисова приключился инсульт, от которого он умер.

На похоронах Владимира Алсу еле-еле удержалась от того, чтобы не налететь на Лолу с кулаками. Старшая сестра Иры вела себя просто отвратительно.

Сначала она, как и на погребении Наташи, бросалась на покрытый лаком гроб, визжала:

— Папа! Папа! Тебя загубили! Никто за тобой не ухаживал!

Ира молча пряталась за спину Алсу. Потом были поминки, устроенные дома. Во всех комнатах разместили столы, народ шел демонстрацией, наемная прислуга сбивалась с ног, подавая еду и выпивку. Лола сидела на самом почетном месте. Ей выражали соболезнования. Изредка наиболее близкие люди интересовались:

— А где Ирочка?

— Прилечь пошла, — небрежно бросала Лола, — она у нас слабая, чуть что, в обморок падает. А я не такая. Очень хорошо понимаю: мне теперь папиным бизнесом рулить, нужно быть твердой. На руках сестра немощная осталась, ее надо до ума довести, замуж за хорошего человека выдать.

— Какой характер, — шептались люди, — кремень! Такое горе пережила, а в первую очередь о сестре думает.

Алсу, наверное, была единственной, кто знал: Лоле глубоко наплевать на Иру, просто старшая сестра усиленно изображает из себя белую и пушистую, не забывая обмазать младшую грязью.

Завещание Владимира не содержало никаких неожиданных моментов. Все его движимое и недвижимое имущество, деньги, квартира и прочее доставались дочерям. Нажитое делилось между девочками поровну, но с одним небольшим условием. Ирочка могла воспользоваться своей частью не сразу, а лишь по достижении оговоренного в завещании возраста.

«Моя младшая дочь, — отметил в сопроводительном письме Владимир, — слишком неразумна и глупа, чтобы суметь правильно использовать капитал. Опекуном Ирины назначаю своего близкого друга Никитина Игоря Федоровича».

Ире пришлось переехать в однушку Лолы, а та вернулась в родительскую квартиру и вплотную стала заниматься бизнесом отца. До его смерти дочь никогда не интересовалась, в какой реке любимый папа вылавливает миллионы, но, получив в наманикюренные лапки предприятие, в одночасье стала жестокой бизнесвумен. С сестрой Лола общалась мало, чему Ирочка была только рада.

Младшая Кисова, осиротев, по-прежнему не блистала талантами, жила, как раньше. Опекун выдавал ей четко определенную сумму на расходы. Денег Ире не хватало. Один раз она попросила Никитина:

— Игорь Федорович, дайте мне немного в долг. Я получу капитал и верну.

— Зачем тебе? — насупился тот.

— Машину хочу купить, — призналась Ира, — тяжело на метро кататься.

— Вот поэтому отец и не хотел тебе сразу деньги отдавать, — отрезал опекун, — он понимал, что ты мигом растренькаешь их на ерунду. Мы с ним, между прочим, первую половину жизни на автобусах проездили, и ничего, выжили. А тебе авто сразу подавай! Заработай сама.

— Но у Лолы-то есть джип, — сказала Ира.

— Нечего себя со старшей сестрой равнять, — рявкнул никогда не имевший детей Игорь Федорович, — Лолита взрослый человек, руководит фирмой, а ты студентка.

Ира хотела было справедливо заявить, что бизнес ее сестре достался от отца, она сама не поднимала предприятие с нуля, ей просто повезло, пожинает плоды чужого труда, но она сказала иное:

— По завещанию, половина фирмы и денег моя. Вы даете мне очень мало средств, буквально копейки. Я прошу не из милости, а в долг.

— Сумму твоей стипендии определил отец, — отрубил Никитин, — я всего лишь исполнитель чужой воли. В определенном завещанием возрасте ты заберешь капитал, тогда все и просрешь!

— Почему просру? — оторопела Ира.

— А то я не понимаю, — сказал бизнесмен, — у тебя в голове одни глупости: машины, наряды, танцульки, мужики. Другая бы сказала: «Пусть деньги вертятся в деле, сестра отлично бизнес ведет».

— А мне что, жить на копейки?

— Почему? Будешь прибыль получать.

Ира вздохнула. Никитин, как и все, очарован лицемеркой Лолой, считает ее замечательным, работоспособным человеком, нежной дочерью и заботливой сестрой. Только Ира хорошо понимала: Лолита никогда с ней не поделится.

— Нет, — решительно заявила младшая Кисова, — пройдет срок, сразу все потребую, и пусть только кто-нибудь посмеет мне помешать.

— Ясное дело, — протянул Игорь Федорович, — такие, как ты, из-за денег родную сестру удавят, весь ее бизнес порушат. Конечно, никто тебе запретить этого не может, гробь отцовское дело. Но сейчас пошла вон, ни копейки не дам.

Ира покинула квартиру опекуна. Через час ей позвонила Лола и устроила скандал.

— Как ты смела оскорбить Никитина, — орала старшая, — нагло требовать у него денег.

— Не так все было...

— Дрянь!

— У меня мало средств.

— Вымогательница!

— Но...

— Негодяйка!

— Послушай, помоги мне...

— Еще чего! Ишь, губы раскатала!

— Дай в долг на машину.

— Что? Зачем она тебе?

— Ездить.

— На метро катайся.

— Там давка, душно и пахнет противно.

— Перетерпишь.

— Но у тебя-то есть авто!

— И чего?!

— А у меня нет.

— С какой стати тебе на меня равняться, я работаю!

— Я тоже скоро пойду на службу, вот диплом получу, и потом, ты же получила фирму папы, а я ничего!

— Правильно, ты ведь дура!

И тут у всегда безответной Иры лопнуло терпение. Она стала орать в трубку. Впервые в жизни она высказала Лолите все, что накипело, припомнила самые давние, детские обиды, а закончила истерику воплем:

— Ничего, мне до нужного срока не так уж и долго осталось. Можешь не сомневаться, утром день рождения отмечу и сразу капитал изыму. Посмотрю, как тебе это понравится.

Лола молча выслушала Иру и отсоединилась, больше сестры не общались. Ирине, чтобы иметь деньги на одежду, пришлось перевестись на вечернее отделение и пойти работать в фирму, занимавшуюся установкой стеклопакетов. Службу ей нашла Алсу, она сама тоже пристроилась в контору. Оклада им не платили, девочки получали процент от сделок, и им приходилось вертеться, чтобы заполучить побольше заказчиков. Но Алсу с Ирой не унывали.

Потом у Иры начал меняться характер, причем не в лучшую сторону. Кисова только и говорила о том, как она заживет, обретя богатство: купит машину, забьет шкаф одеждой, а остаток средств поместит в банк, под большие проценты. Алсу вздыхала, раньше Ира вовсе не была такой жадной. Дальше — больше. Всегда спокойная, даже апатичная Ира превратилась в неврастеничку. Алсу стало очень тяжело общаться с подругой. Раньше они любили гулять по городу, заходить в магазины, разглядывать товары и мечтать о том, как купят себе ту или иную вещь. Обычное развлечение, подобным образом ведут себя многие девушки. Но сейчас любой поход с Ирой в какую-нибудь лавку заканчивался слезами.

Ирочка мрачно останавливалась возле рядов с одеждой или стеллажей с косметикой. Некоторое время она рассматривала ассортимент, затем говорила:

— Здорово.

— Нравится? — радовалась Алсу. — Мне вон та, розовая, по душе, а тебе?

— Все хорошо, — уныло говорила Ира, — но мне никогда такого не купить.

— Ерунда, какие наши годы, — оптимистично восклицала Алсу.

— Нет, очень дорого.

— Накопить можно, — пыталась приободрить подругу Алсу.

И тут Ира принималась плакать, громко, со всхлипами. Увидав в первый раз подругу в таком состоянии, Алсу испугалась, во второй — насторожилась, в третий обозлилась, а потом решила: больше она с Ирой по бутикам не ходок.

Впрочем, вскоре стало понятно, что и в кино, и в кафе им вместе тоже лучше не заглядывать. Глядя на экран, Ира через некоторое время начинала рыдать, приговаривая:

— Вон у них какой дом! И машина! А у меня ничего нет и не будет.

Если Алсу тащила подругу в кофейню, где подавали недорогие пирожные, то и там Ирина находила повод для трагедии.

— Вон, смотри, — шептала она, оглядывая посетителей, — какая у девушки сумочка! А у меня...

Дальнейшие события разыгрывались по уже известному сценарию. Алсу устала, и, когда Ира вдруг сказала: «Поеду на две недели в санаторий, гастрит замучил», — она только обрадовалась.

— Конечно, отправляйся, — воскликнула она, — хочешь, мама тебе денег даст?

— Спасибо, — неожиданно улыбнулась Ира, — у меня есть, я на машину копила, но лучше на здоровье потрачу.

Ира пропала, не было ее почти месяц. Алсу начала волноваться. Мобильного у подруги не имелось, а название места, куда подалась Кисова, Алсу не запомнила. Ира бормотнула его неразборчиво, что-то типа «Курганское» или «Горянское», а может, «Холмское».

Не успела Алсу окончательно задергаться, как Ира позвонила ей.

— Ты приехала! — обрадовалась Алсу. — И как отдохнула?

— Нормально.

— Желудок не болит?

— Не болит, но...

— А что тебя беспокоит? — насторожилась Алсу.

— Сейчас приеду, — обронила Ира.

Явилась она только к вечеру. Алсу, прождавшая Кисову весь день, распахнула дверь в состоянии гнева.

— Ну ты даешь, — начала она выговаривать Ире и прикусила язык.

Кисова выглядела ужасно: бледная, худая, с давно не мытой головой. На осунувшемся лице лихорадочно блестели глаза.

— Ты хорошо себя чувствуешь? — попятилась Алсу.

Ира мрачно кивнула:

— Да. Просто супер. Теперь супер. Мне супер оттого, что знаю все!

— Что? — не поняла Алсу.

Ира вцепилась ей в ладонь ледяными пальцами и стала нести чушь. Бедная Алсу, до смерти перепуганная, попыталась разобрать полусвязную речь, но смогла вычленить лишь отдельные слова.

— Надя... Римма... мама... папа... они... давно такое... я нашла... пойду потребую... деньги... много-много... миллионы... машина! Понимаешь, у меня теперь будет все! Все! Все!

Крик перешел в плач. Алсу понеслась за валерьянкой, напоила Иру, уложила ее на диван, накрыла пледом и стала гладить по голове, приговаривая:

— Ну тише, тише, все будет хорошо.

Кисова внезапно успокоилась и вполне внятно спросила:

— Знаешь ведь Надю?

— Какую? — насторожилась Алсу.

— Победоносцеву.

— Кого?

— Неужели забыла?

— Честно говоря, да.

Ира села на диване.

— Ну и память у тебя! Помнишь двор, где я раньше жила, еще до переезда?

— Да, — кивнула Алсу, — конечно. Хоть ты и считаешь, что твой папа напрасно сменил жилплощадь, но мне думается, он поступил совершенно правильно, вы обитали в отвратительном месте, в двух шагах от Садового кольца, там шум, грязь...

— Не о том речь, — оборвала ее Ира, — наш дом стоял справа, чуть в глубине, а слева другое здание, там сплошные коммуналки, а Надя...

— Ой, — подскочила Алсу, — теперь припоминаю! Их две сестры было, старшая...

— Римма, — закончила Ира. — Их мать у нас квартиру убирала, девочки иногда с ней приходили, мы им старые вещи отдавали, младшую звали Надей!

— И что? — удивилась Алсу. — При чем тут она?

Ира помолчала, а потом продолжила.

— В двух словах не рассказать, да и странно все очень. Ей-богу, даже не верится! Встретила я эту Надю совершенно случайно, разговорились о жизни, то да сё. Долго беседовали. Я сначала подумала: она сумасшедшая, знаешь, есть такие женщины, несут невесть что, родных во всех грехах обвиняют. Вот и Надя мне такой показалась, я даже пожалела, что с ней беседовать стала. Но потом она... в общем... знаешь... Не поверишь ты мне. Ей-богу, не поверишь. Я две недели не спала, не ела, по городу носилась и теперь знаю: не врала Надя. Правда это! Ужасная, но правда! Как теперь жить?! Кругом, оказывается, враги. О боже!

— Ирочка, — осторожно перебила подругу Алсу, — так ты не ездила в санаторий?

— Нет.

— Где же пропадала почти месяц? — недоумевала Алсу.

— Правду искала! И нашла! Только лучше б не находила! — выкрикнула Ира. — Господи! Не дай бог тебе подобное пережить!

— Ириша, — нежно завела Алсу, — может, ты мне по порядку расскажешь? Вместе с бедой справимся.

Ира закуталась в плед, несмотря на жару за окном, ее отчаянно трясло.

— Не могу тебе ничего сообщить, — прошептала она, — самой до конца не ясно. Надо еще к Галке Усовой съездить, вот она последнюю точку поставит, и тогда я тебе все расскажу...

Из глаз Иры потоком полились слезы. Алсу снова побежала на кухню, за водой и валокордином. Когда она вернулась назад, Иры не было. На диване валялась записка: криво выдранный из записной книжки листок, а на нем торопливо нацарапанные слова: «Не ищи меня. Сама объявлюсь».

Алсу замолчала.

— И дальше что? — тихо спросил я, заранее зная ответ.

Девушка затеребила край блузки.

— Мы больше не встретились. Сюда, в офис, из милиции позвонили, выясняли у начальника про Иришку всякие подробности, велели найти кого-то для опознания трупа. При ней сумочка была и паспорт, но ведь всякое случается, мог и чужой документ лежать. Ну не знаю! Мне Сергей Иванович велел с ментами ехать да язык за зубами держать. Потом собрал всех дилеров, тех, кто с клиентами работает, и заявил: «Ирина Кисова была ненормальной, от несчастной любви под трамвай кинулась. Вы эту информацию между собой быстренько обмусольте и забудьте. Упаси бог клиентам сболтнуть, нам такой пиар не нужен. Тем, кто у этой психопатки заказ делал, надо спокойно сказать: «Кисова в декрет ушла, не волнуйтесь. Окна вовремя поставят». Услышу, что кто-то другое ляпнул, — уволю, ясно?»

— Кто такая Галя Усова? — быстро спросил я.

Алсу кивнула:

— Я ее сама о том же спросила и услышала: «Галя Усова одноклассница Лолы, неужели не помнишь, я тебе про нее рассказывала».

— Школу знаете, где Лола училась?

— Конечно, Ира в нее же ходила, это около их старого дома, в переулке, такое серое здание. У Ирки классная руководительница Мотя была, такая прикольная тетка!

— Мотя?

— Матильда Львовна, — улыбнулась Алсу, — но ее все Мотей звали.

Я молча смотрел на Алсу.

— Послушайте, — вдруг сообразила глупышка, — а зачем вы меня про Иришку расспрашиваете? Если вы не милиция, а частное агентство, то кто-то же детективов нанять должен!

Я незаметно выключил лежавший в кармане диктофон.

— Кто вас послал? — недоумевала дурочка, успевшая разболтать первому встречному почти всю биографию Иры. — Ой! Поняла! Вас наняли «Волшебные окна»! Там пронюхали, что Иришка покончила с собой, и теперь хотят всем клиентам растрепать: «Не обращайтесь в «Светлые стекла», там сумасшедшие работают, под трамваи сигают! А я-то! Ну и дура! Пожалуйста, не выдавайте меня, не говорите, что со мной болтали, а? Сергей Иванович не простит, выгонит! Где я такое хорошее место найду? Мы тут отлично зарабатываем, ну плиз!

Я ласково улыбнулся дурочке. Нет, все-таки современная молодежь совсем другая, чем были мы. Мне на месте Алсу никогда бы не пришла в голову мысль о конкурирующей фирме, собирающей компромат на коллег по бизнесу. Время вывернулось наизнанку, и менталитет молодежи тоже претерпел изменения. Но глупость осталась прежней.

— Пожалуйста, — твердила Алсу.

— Не надо волноваться, ангел мой, — утешил я девушку, — мы никогда не указываем в отчетах фамилии, просто пишем: сведения получены от гражданки N, и я не имею никакого отношения к вашим конкурентам.

Глава 26

Выйдя на улицу, я соединился с Лизой.

— Простите, душенька, похоже, опоздал к вам на встречу.

— Ох, Ванечка Павлович, — застрекотала девушка, — можете не волноваться. Все равно по стройдвору таскаюсь, мне еще надо двери посмотреть. Ничего спешного нет. Когда подъедете?

— Минут через сорок, — ответил я, заводя мотор.

Все-таки Лиза очень милая девушка. Конечно, она матерщинница и одевается, как бы это сказать помягче, слишком откровенно. Но, с другой стороны, Лиза со мной беседует вежливо. Кстати, прораб обладает великолепным чутьем и благородством. Вот сейчас Лиза по моему виноватому тону сразу поняла, что Ванечка Павлович очень сожалеет об опоздании, и сразу же повела себя так, чтобы я не ощутил неловкости. Надо же, какая милая девушка. Другая бы на ее месте начала канючить, ныть: «Стою на солнцепеке! Безобразие!» А Лизочка только засмеялась и сообщила, что ищет двери, времени зря не теряет.

Преисполненный благодарности, я прибыл на рынок, подошел к центральным воротам, покрутил туда-сюда головой и услышал звонкий, как хрустальный колокольчик, голосок:

— Ванечка Павлович! Ау, оглянитесь.

Я машинально повернулся, вздрогнул и выронил барсетку. По узкому тротуару бодро вышагивала... голая Лиза.

— Ванечка Павлович, миленький, — щебетала она, — я здоровские дверки нарыла! Суперские, и не слишком дорого, пошли смотреть.

Я кашлянул, потом сглотнул слюну. И как прикажете поступить в создавшейся ситуации? Конечно, нынешняя мода позволяет почти все, я уже привык к женщинам, разгуливающим по проспектам в одном нижнем белье. Обзови их наряд как угодно: комплект для жары, мини-шорты и бюстье, топик с короткими штанишками, суть не изменится, большинство представительниц слабого пола идут в лифчиках и трусах, уж извините за прямолинейность. Не сочтите меня ханжой, красивое женское тело радует мой глаз и бередит душу, вернее, тот орган, который мы, мужчины, считаем главным. Но гулять по строительному рынку с дамой, прелести которой не прикрывает ни одна, даже самая крошечная тряпка, я не способен.

— Ванечка Павлович, — Лиза подошла почти вплотную, — что ты остолбенел? Ну и жарища стоит, дышать нечем!

У меня из груди вырвался стон. Слава богу, Лиза не обнажена. На ней просто облегающий, полупрозрачный костюм телесного цвета.

— Тебе плохо? — озабоченно воскликнула Лиза. — Весь потный стоишь.

— Замечательно себя чувствую, — быстро сказал я, вытаскивая носовой платок, — в особенности сейчас, когда увидел вас, то есть тебя.

Лиза довольно улыбнулась:

— Все вокруг говорят, что у меня на редкость хорошая энергетика, войду в квартиру, и у людей давление стабилизируется, еще я умею головную боль снимать.

Я постарался скрыть усмешку. Энергетика модное слово, кстати, не менее модно теперь рассуждать о всяких полях и волнах, которые способны излучать особо одаренные личности. Только в нашем конкретно взятом случае дело обстоит иначе. Сначала я принял Лизу за голую и малость струхнул, а сейчас, сообразив, что она все же прикрыта, пусть и полупрозрачной тряпкой, моментально расслабился.

— Двери бывают разные, — забубнила Лиза, таща меня за собой, — суперские, первоклассные, хорошие, нормальные, средние, плохие, отвратительные и дерьмовые. Какие смотреть станем?

Я разинул было рот, но прораб не дала клиенту вымолвить и слова.

— Лучше всего обратить внимание на хорошие и нормальные, — подытожила она, — средние уже не той классности.

— Разве есть желающие приобрести плохие, отвратительные и иже с ними? — съязвил я.

— Идиотов полно, — засмеялась Лиза, — продавцы им такого наговорят! Не хочешь, а поверишь. Иди за мной! Налево. Я уже все выбрала. Ванечка Павлович! Поторопись, ну что ты ногами за землю задеваешь!

Я неожиданно возмутился. Ну с какой стати Лиза решает все за клиента? Следить за ремонтом Нора оставила меня. Дело прораба приобрести выбранную заказчиком вещь и качественно установить ее в указанном месте. Лиза же постоянно проявляет слишком большую активность! Мне не по душе такое положение вещей. Ладно, согласен, я плохо разбираюсь в некоторых тонкостях, но дверь-то видно невооруженным глазом! И вообще, я очень не люблю авторитарных дам. Вполне способен сам выбрать надежные и прочные двери!

— Вот чудесный магазинчик, — притормозил я у одной из лавок.

— Идем дальше, — не обратила внимания на мои слова Лиза.

— Здесь великолепный выбор.

— Ерунда!

— На мой взгляд — хороший!

— А на мой — барахло, пошли, я знаю куда.

Бесцеремонная упертость Лизы раздражала. Решив проучить девицу, я, не обращая внимания на ее негодующие крики, быстрым шагом вошел внутрь не слишком просторного павильончика, забитого разномастными дверями.

Продавец, кудрявый брюнет, быстро вскочил на ноги. Я улыбнулся парню.

— Вам дверь? — засуетился он.

Я бросил мгновенный взгляд на бейджик, украшавший его футболку, и ответил:

— Да, Андрей, именно дверь.

— Я Илья, — улыбнулся продавец.

— Но вот у вас на значке...

— Бейдж чужой, — пояснил Илья, — свой задевал куда-то. И какую хотите?

Я повернулся к Лизе:

— Давайте выбирать.

Она скорчила гримаску и уселась на табуретку, стоящую у входа.

— Мне тут брать нечего, — отрезала она, — совет в данной ситуации дать не могу!

Я рассердился окончательно. Да, я не слишком люблю авторитарных женщин, но еще больше мне не нравятся самоуверенные особы, полагающие, что они истина в последней инстанции. И потом, кто позволил Лизе вести себя со мной подобным образом? Мы не супруги, не любовники и даже не близко знакомые люди. Лиза прораб, я заказчик. Ладно, представитель заказчика. С какой стати она демонстрирует обиду?

Решив не обращать на нее внимания, я повернулся к Илье.

— Мне нужны двери! Очень хорошие, высококлассные.

— Из дерева?

— А из чего же еще?

Лиза хихикнула, а Илья спокойно пояснил:

— Много всяких имеется: из стекла, пластика, металла, плетенки.

— Мне только дерево.

— Хорошо, вот, замечательный экземпляр.

Я уставился на изделие цвета дешевого маргарина:

— Вроде ничего, только оттенок не подходит.

Илья снисходительно пояснил:

— Цвет возможен любой, вот основная палитра. Если не подойдет — тонируем как пожелаете, наши возможности безграничны.

— Великолепно! — торжествующе посмотрел я на Лизу. — Превосходный магазин!

— Да уж, — бормотнула Лиза, — шик-брык! Ты, Ванечка Павлович, наивный новорожденный котик, тот тоже полагает, что вокруг одни сиськи с молоком. Зачем тебе, скажи на милость, дверь из сосны?

— Из сосны не хочу! — согласился я, припоминая, как Нора перед отъездом, раздавая последние указания, твердила: «Никакой сосны! Ничего из этого материала: ни плинтусов, ни дверных коробок, ни паркета».

— Так ты сейчас именно на сосну любуешься, — засмеялась Лиза.

— Это особая сосна, — быстро встрял в нашу беседу Илья, — северная, растет только в одном из районов Чукотки, мы ее сами закупаем. Удивительное по прочности дерево, его мороз дубит. Знаете, какой на Чукотке холод? Птица на лету мерзнет, а сосна выживает, ей потом ничего не страшно.

Увидев на моем лице некое сомнение, Илья нагнулся и зашептал:

— Ладно, одному вам по секрету, как лучшему клиенту, сообщу. Знаете, кто у нас двери купил, вот эти, из чукотской сосны? Сам Велинов!

— Это кто? — искренне удивился я.

Лиза захихикала.

— Не знаете? — изумился Илья. — Певец такой, жутко крутой! Вот у него весь дом в наших дверях.

— Дураков полно, — элегически произнесла Лиза, — всех и не сосчитать.

— Сосну не надо, — рявкнул я, — показывайте другие!

— Вот итальянская ель, шикарное дерево, — заверещал Илья, — выросло в условиях чистой экологии, вблизи самого Рима, впитало дух мировой истории, наполнилось...

— Возле Рима, одного из самых грязных городов мира, твоя ель могла впитать только сам понимаешь что, — заявила Лиза. — Хорош трендеть. «Итальянская ель, чукотская сосна!» Да все это из соседнего лесхоза! Пошли, Ванечка Павлович! Убедился, что тебя лохают?

Вся кровь бросилась мне в голову.

— Не хотите Италию, так не берите, — забухтел Илья, — есть бук, ясень, кедр, граб...

— Граб? — ошарашенно переспросил я.

— Граб, — подтвердил продавец, — неужели не

слышали? Великолепнейшее дерево, изумительная текстура, дышащая, из него...

— Делают тренажеры, исконно русскую забаву, — перебила его Лиза, — грабли с резиновой ручкой. Чтобы, когда в очередной раз наступишь, по лбу не слишком больно стукало.

Мне снова стало душно, я даже немного встревожился. Может, начались проблемы со здоровьем? Ну с какой стати меня бросает из холода в жар и наоборот? Отчего вдруг я тону в припадке ярости?

— Лучше покажите дуб, — велел я, стараясь не заорать.

— Так вот он, — ткнул пальцем в самую обычную дверь Илья, — отличная прочная вещь, дерево из...

— Италии, — усмехнулась Лиза.

— Вовсе нет, — отбрил ее Илья.

— Неужели признаешься, что российским торгуешь? — прищурилась Лиза.

— Я честный человек, — с обиженным лицом заявил Илья, — зачем врать клиенту? Люди же потом вернутся и морду набьют, поэтому откровенно скажу, как родной матери: дуб африканский.

Лиза поперхнулась.

— Необыкновенно крепкий материал, — бубнил хорошо заученный текст Илья, — суперпрочный, лучше железного дерева и вонги.

— Вонги? — поразился я. — Это что за зверь?

— Вонги?

— Да.

— Не слышали?

— Никогда.

— Господи! — восхитился Илья. — Встречаются еще люди, которые ни разу не сталкивались с вонги!

— Вонги! — с возмущением перебила его Лиза. — Ты, похоже, ума лишился! Экую туфту погнал! Вонги! Нет такого в природе.

— Есть!

— Нет!

— А вот оно!

Корявый палец Ильи уткнулся в темную плашку, блестевшую, как антрацит на солнце. Я не успел издать и звука, как продавец подлетел к таинственному вонги, уцепил деревяшку и сунул ее мне в нос, приговаривая:

— Необыкновенно крепкий, суперпрочный...

Я повертел в руках обрубочек. Выглядит вполне прилично.

— Сколько будет стоить дверь?

— Двести баксов, — быстро ответил Илья, — почти даром.

— Вот, — удовлетворенно заявил я, — а вы, Лиза, утверждали, что дешевле тысячи долларов нам дверь не обойдется. Оказывается, есть вполне приличный товар за...

— Эх, Ванечка Павлович, — тоном умудренной старушки сказала Лиза, — наивный ты персик! Вонги захотел!

— Чудесная дверь!

— Ага.

— Великолепное дерево, — вел свою партию Илья, — суперпрочное...

— И недорого! — воскликнул я.

Лиза встала с табуретки.

— О боже! Ладно, ну-ка говори, цена дана без коробки?

— Да, — поскучнел Илья.

— Без чего? — решил уточнить я.

Лиза повернулась ко мне и прощебетала:

— Ну нельзя створку просто так в проем впихнуть. Ее следует закрепить, а за коробку отдельная цена. Еще нужен добор.

— А это что? — окончательно растерялся я.

— Не парься, Ванечка Павлович, — отмахнулась Лиза, — поверь, без добора никак, значит, стоимость еще увеличивается, или чего не понимаю, а?

Илья, к которому относился последний вопрос, надулся.

— Ну, в общем... э... да!

— Еще фурнитура, — наседала Лиза, — да плюс тонировка, лак, прибамбахи, и скока имеем за вонги? А? Говори: скока? Усё вместе.

— Сделаем в лучшем виде, — заныл Илья, — необычайно твердый материал, износу нет, Африка...

— Скока?

— Порядка полутора тысяч баксов, — решился наконец озвучить цифру парень. — Но мы доставляем двери бесплатно и даем скидку на установку! Десять процентов.

Лиза засмеялась ему в лицо:

— Замолчи! Увидел наивного хомячка и понес по рельсам. Вонги! А то я не знаю, как название сего дерева расшифровывается.

— Как? — вдруг заинтересовался Илья. — Вонги оно и есть вонги.

— Ой, не могу, — согнулась пополам Лиза, — ну спасибо, повеселил! А то у меня с утра отвратительное настроение было! Вонги. Великий Обман Наивных Глупых Идиотов! Сложи первые буквы слов и получишь аббревиатуру — вонги. Но я-то не пушистый зайчик. Ванечка Павлович, ты, невинная маргаритка строительного бизнеса, держишь сейчас в руках кусок все той же сосны. Выросло чахлое дерево недалеко от Кольцевой дороги. Его спилили, не просушили, кое-как обработали и всучили этому типу. Чтобы людей облапошивал. Вонги! Тут, кстати, на одной палатке объява висит: «Горный кипарис из Сахары». Ну скажи на милость, где в этой пустыне горы? И если на секунду, потеряв всякий разум, согласиться, что на бархане может чудом выжить некое растение, то оно никак не будет кипарисом! Чукотская сосна! Итальянская ель! Вонги!

Шанхайский барс вкупе с мексиканским тушканом и подмосковными гладиаторами. Пошли скорей, Ванечка Павлович, в нормальное место, позабавился, и хватит. Сейчас он нам запоет про ручки из Милана, лак из Германии, петли от Версаче, замок от Диора. Дурит тебя мерзавец, как лоха разводит, смотреть противно. Дергаем отсюда, гребем ластами.

Я глянул на Илью, увидел маленькие хитрые, бегающие глазки и понял: Лиза опять оказалась права. Наглый парень просто дурил Ванечке Павловичу голову.

Дальнейшее помнится плохо. Кажется, я начал кричать, топать ногами, толкать мерзавца в грудь. Словно привидения, в лавке материализовались мужики, смуглые, черноволосые. Лиза ухватила меня за рукав и поволокла на улицу. Напоследок я успел от души пнуть противного парня. Илья, не ожидавший подобной прыти от казавшегося интеллигентным покупателя, пошатнулся и шлепнулся на груду деревяшек.

Лизавета одним толчком выпихнула меня на улицу, и мы побежали, петляя, словно вспугнутые зайцы.

— Сюда, — торопила Лиза, — левее, правее, теперь прямо...

Я летел за ней, не чуя под собой ног и не видя ничего вокруг, потом на меня неожиданно надвинулась темнота и полнейшая тишина.

Глава 27

— Ванечка Павлович, — донеслось из мрака, — ты как? Открой глазки.

По лицу потекли холодные капли. Я вздрогнул, машинально разлепил веки и увидел два озабоченных женских лица, склонившихся надо мной. Одно принадлежало Лизе.

— Где я? Что случилось? — прохрипел я.

— Ничего особенного, — защебетала Лиза, — ты упал в обморок, хорошо, что прямо на пороге магазина, где я двери заказать хочу. Сейчас ты лежишь на диване в кабинете хозяйки, знакомься, вот она, Маргарита Павловна, для своих Маргоша.

— Здрасьте, — заулыбалось второе лицо, — ну и напугали вы нас!

— Обычное дело, — быстро перебила ее Лиза, — духотища страшная, скоро гроза начнется, мне самой как-то не по себе.

Словно подтверждая слова прораба, где-то близко зарокотал гром, за окном послышался шорох, детские визги, и по крыше сильно застучал дождь.

— Вот и ливень обвалился, — воскликнула Маргоша, — ну и слава богу! Может, у меня теперь голова болеть перестанет!

Лиза подошла к окну, толкнула раму, всей грудью с наслаждением вдохнула воздух и прошептала:

— Кислород появился! Я в этом городе чумею.

— Да уж, сейчас бы на дачу, — подхватила Маргоша, — речка, лес, шашлычок, а тут сиди вся в деревяшках!

Лиза устало опустилась на стул, с ее лица исчезла привычная улыбка.

— Дерево хорошо пахнет, — сказала она, — а вот сухая смесь какая-нибудь или раствор... А еще утеплитель для крыши бывает типа ваты прессованной. Я вчера в одном доме четыре часа провела, а там этот утеплитель просыхал. Такой смрад стоял в здании! Чуть не угорела.

Я сел на диване, обнаружил, что дамы стащили с меня ботинки, и, пытаясь скрыть смущение, включился в беседу.

— А почему же эта вата промокла? Жара какая стоит! Первый дождь за три недели пошел.

— Так в марте крышу зашивали, — пояснила Лиза, снова занавешиваясь улыбкой, — утеплитель намок, а строители подумали: хозяева дурни, не поймут, в чем дело, и живенько скат заделали. Только нашу фирму на отделку наняли, я, как вошла, сразу скумекала, что к чему, и велела отдирать полиэтилен, которым они безобразие прикрыли. Теперь вот сохнет, воняет, а клиенты на меня орут.

— С какой стати? — возмутился я.

— Крыша-то целой была, — засмеялась Лиза, — а потом я появилась и все разломала.

— Так для их же блага, — покачал я головой.

— Ну не все понимают суть проблемы, — объяснила Лиза, — иногда люди очень сердятся, зачем, дескать, месяц стенку сушить, вон она за три дня уже затвердела, кладем плитку и въезжаем. Начнешь говорить: «Нельзя», — злятся. Втолковываешь: «Ежели внутри не досохнет, лопнет ваше покрытие, перекосит его», — считают тебя мерзавкой, которая ремонт затягивает. Знаешь, Ванечка Павлович, как некоторые бригады работают? Тяп-ляп, шик-брык и бегом из дома. Объект сдали, денежки получили и драпаем, наплевать, как люди потом жить станут, пойдет стена трещинами, закоротит проводку, окна весной не откроются... А я так не могу, все по науке делаю.

— Ты молодец, — подхватила Маргоша, — да и я дура, торгую хорошим товаром, честно объясняю: есть у меня двери из сосны, держу их в ассортименте, только лучше бы вам на дубовые накопить, и не ведитесь вы на африканские породы, мы их не знаем совсем, как они себя через десять лет проявят, а? Двери ведь не конфета, дорогой товар, кое-кто за всю жизнь один раз их берет. Уж лучше дуб, вот про него все известно. Очень я свою работу люблю. Только на природу иногда хочется, хоть на денечек, подышать, погулять.

— В пятницу поезжайте на дачу, — посоветовал я. Маргоша и Лиза переглянулись.

— Нет у меня фазенды, — хмыкнула торговка, — не насобирала еще, и потом, в выходные самый заработок! Народ валом прет, кто ж магазин в такую пору закрывает?

— Ну всех денег не заработать, — улыбнулся я, — можно себе и отдых устроить, беды не будет!

В магазинчике неожиданно установилась тишина, прерываемая только мерным стуком капель дождя по оцинкованной крыше.

— Эх, Ванечка Павлович, — вдруг горько воскликнула Маргоша, — не повезло нам с Лизаветой, не попалась на жизненном пути нефтяная труба с газовым краном в придачу. Сами себе на кусок торта и чашку капуччино зарабатываем, у мужиков на шее не сидим.

— Не видели мой пиджак? — оглядываясь вокруг, спросил я.

— Мы его с тебя сняли, — пояснила Лиза, — ну кто же по такой жаре в пиджаках ходит?

— Жарковатый прикид, — подхватила Маргоша, — оттого вам и поплохело, народ в майках и шортах рассекает.

Я уставился на светло-бежевый мятый комок, валявшийся в кресле. Мне плохо от пиджака? С какой стати?

Ну не говорить же милым дамам, что я не привык расхаживать в одной футболке! Я сухощав, не потлив, и считаю, что максимум позволительной обнаженки для мужчины — это рубашка с короткими рукавами. Какая разница между ней и тишоткой? Не знаю, не спрашивайте, но в моем понимании рубашка — это то, что надо, а все остальное — вариант, пригодный лишь для пляжа. Вот на берегу моря я готов облачиться в бермуды, майку и сандалии на босу ногу, а в Москве — увольте. Именно поэтому я и надел сегодня пиджак. Хотя, может, Маргоша права? Вдруг плохое самочувствие связано именно с этим модным прикидом?

— Сейчас воды принесу, — подхватилась Марго.

— Может, аспиринчику глотнешь? — заботливо спросила Лиза.

— Спасибо, — бодро ответил я, — отпустило меня совсем, снял пиджак и выздоровел, ей-богу, странно!

— Ты о чем? — заинтересовалась Лиза.

Я улыбнулся:

— Бред в голову лезет. Первый раз мне стало плохо в казино, в коридоре. Потом, дома, началась истерика. И что примечательно, пиджак был при мне. В казино я был в нем, а в квартире держал его в руках, пытался всучить домработнице для глажки. И сегодня он снова здесь!

Лиза засмеялась:

— Ерунда. Все дело в твоей манере одеваться не по погоде, слишком тепло. От перегрева ты и валишься.

— Может, оно и так, — с сомнением протянул я, косясь на кресло.

— Выбрось прикид, — посоветовала Лиза, — может, он и впрямь с дурной энергетикой.

— Я в такое не верю.

— Все равно — вышвырни.

— Он хорошего качества, дорогой.

Лиза набрала воздуха в легкие, открыла рот, но тут появилась Маргоша с запотевшей бутылкой минералки, и прораб промолчала.

Мы провели в магазинчике еще час, выбирая двери и ручки. Пришлось признать: Маргоша предлагала намного лучший товар, чем тот, который пытался всучить мне хитрец Илья. Никакой чукотской сосны, итальянской ели и замысловатого вонги тут и в помине не было. Лиза, впрочем, не стала с торжеством восклицать: «Я же говорила!»

Нет, она просто, по-деловому решала проблемы. Разговор крутился вокруг тонировки, сорта лака, вида замков. В конце концов мы достигли консенсуса, и я оплатил счет. Заметно повеселевшая Маргоша, хитро прищурившись, сообщила:

— Если еще и паркет у нас возьмете, обещаю шикарную скидку.

— Конечно, приду, — пообещал я.

— Мы подумаем, — быстро перебила меня Лиза, — Ванечка Павлович, давай ключи от машины.

— Зачем? — удивился я.

— Жарко очень, подгоню твои «Жигули» прямо сюда, если Маргоша свой пропуск на тачку даст.

— Бери, мне не жалко, — кивнула хозяйка магазинчика.

— В этом нет никакой необходимости, — начал было я, но Лиза подошла к креслу, взяла пиджак, вынула из-под него мою барсетку и с чувством воскликнула:

— Дождь прошел, снова дикая духота, не хочу, чтобы тебе опять плохо стало. Ну не кривляйся, если я заболею, неужто ты мне не поможешь? Мы же друзья, значит, обязаны помогать друг другу.

Когда Лиза, весело улыбаясь, убежала, Маргоша покачала головой:

— Вот она какая, заботливая и всегда в отличном настроении, любо-дорого смотреть.

— Вы хорошо знакомы? — поддержал я разговор.

Маргоша усмехнулась:

— Общаемся по работе, нас случай свел. Лиза ко мне клиента привела, дверь им на витрине понравилась, вот с тех пор и общаемся. Товар-то я отдаю без обмана, что пообещала, то и поставила. Вы женаты?

Вопрос прозвучал неожиданно, наверное, поэтому я ответил без экивоков:

— Нет.

— В разводе?

— Просто не был женат.

— Ни разу? — вскинула брови Маргоша.

Я улыбнулся:

— Да.

— А почему?

— Ну... так получилось.

— Здоровье подводит? — продолжала бесцеремонный допрос Маргоша.

— Меня можно в космос запускать, — заверил я ее. — Сегодняшний досадный казус не в счет.

— Не любите женщин?

— Отнюдь.

— Что же отвращает вас от семьи?

Я вздохнул:

— Наверное, мой непростой характер и завышенная требовательность. Каждый мужчина хочет от спутницы одновременно полярные вещи: ему нужна вторая мама, послушная любовница, самодостаточная личность, которую можно уважать, и маленькая, неразумная девочка, нуждающаяся в опеке. Сидящая на шее неработающая жена раздражает, но супруга, имеющая капитал и хорошо налаженный бизнес, вызывает еще большее недовольство. Трудно найти женщину, органично сочетающую в себе сразу все. Лично мне это не удалось. А теперь уже, наверное, поздно, я привык жить один, положение ничем и никем не обремененного холостяка меня вполне устраивает.

Маргоша кашлянула и, понизив голос, сказала:

— Вы на Лизу обратите внимание, она то, что вам надо.

Я тяжело вздохнул. Ну отчего моя скромная персона вызывает у подавляющего числа дам желание нацепить мне на шею хомут и запрячь в телегу семейного счастья?

— Присмотритесь как следует, — не успокаивалась Маргоша, — у нее одни плюсы. Лиза — красавица, молодая и совсем не дура. У нее высшее образование, она математик или физик.

— Физик?

— Угу, — кивнула Маргоша, — диплом по точным наукам имеет, сама из хорошей семьи. Дед у Лизы был академиком, папа тоже не на помойке спал, диссертацию защитил. Очень интеллигентное происхождение.

— Но почему она прорабом работает?

— Кем?

— Прорабом. Что понесло девушку с такими корнями на стройку?

Маргоша засмеялась:

— Отец Лизы в свое время понял: наука, конечно, хорошо, но, занимаясь ею в наше стремное время, с голоду подохнешь. Вот он и основал фирму по ремонту квартир. Сначала дело не шло, но потом все наладилось. Когда отец умер, Лиза стала владелицей строительной конторы.

Я был поражен.

— Лиза хозяйка? Но почему тогда она сама со мной по стройдворам ездит? Неужели у нее в штате нету каких-нибудь девочек или мальчиков?

— Есть, — заговорщицки подмигнула мне Маргоша, — как не быть. Только некоторыми клиентами она лично занимается. И потом... сдается мне, вы ей понравились.

— Это маловероятно, — испуганно забубнил я, — мы в разной возрастной категории, я гожусь Лизе в отцы.

— Глупости! Ей не восемнадцать лет!

— Но...

— Вы просто знайте, — прервала меня Маргоша, — Лиза вам вполне подходит, она не...

— Ванечка Павлович, — зазвенел в магазинчике голос Лизы, — машинка приехала. Ну, мы потопали, чао, Маргоша. Может, еще и паркетик у тебя возьмем, если, конечно, мой клиент покрытие из дикорастущего на берегах Темзы английского баобаба не возжелает. Ты в курсе, чем твои соседи торгуют?

Маргоша скривилась:

— Ага. Впрочем, баобаб из Великобритании не самая их крутая фишка. Вчера они какой-то наивной пожилой паре втюхали кровать, изголовье которой обтянуто кожей молодой перуанской лягушки. Любо-дорого было их слушать, я на пороге стояла и млела. Дескать, какое квакушка удивительное животное, обитает только в одной реке Перуании...

— Наверное, Перу, — машинально поправил я, — никогда не слышал о стране Перуании.

— Я тоже, — хмыкнула Маргоша, — сейчас я цитирую речи своих соседей, двух ушлых парней, выгнанных, похоже, из пятого класса, они в школе географию выучить не успели. Так вот, по их версии, земноводное испускает бактерицидные лучи, способные избавить счастливого обладателя койки от гайморита, мигрени, гриппа, рака, поноса, запора, болей в спине и желудке, ожирения, бессонницы, кашля, импотенции и воды в колене.

— И люди поверили? — воскликнул я.

— Ага, — кивнула Маргоша, — супруга как про импотенцию услышала, мигом заявила: «Берем». Одного не пойму, ну как ей в голову не пришло: лягушка маленькая, а спинки у кровати здоровенные, сколько ж квакушек надо забить, чтобы одно койко-место соорудить? Тысяч пять, не меньше! А ведь эти молодые нахалы дудели: «Перуанских лягушек очень мало, их вообще не осталось, это раритет!»

Нет бы ей глаза разуть и по сторонам глянуть. Там, в лавке, еще штук шесть таких лежанок стояло.

Меня так и подмывало крикнуть: «Киса, дурят вас!» Еле сдержалась.

Лиза пожала плечами:

— И правильно сделала, незачем в чужие дела влезать. Во-первых, с соседями поругаешься, а во-вторых, может, эти люди от всего и впрямь излечатся. Главное ведь, вера! Будут считать, что целебными испарениями дышат, и готово — оживут.

Глава 28

На следующее утро я приехал к дому, где провели детство Римма с Надей, окинул глазами пейзаж, увидел лавочку, на которой мирно сидела бабуля с вязаньем в руках, приблизился к ней и церемонно осведомился:

— Не возражаете, если устроюсь на краешке?

Старушка подняла выцветшие глаза.

— Какое право я имею протестовать? Сидите на здоровье.

— Душно очень, — завел я беседу.

— Наверное, дождь пойдет, — любезно ответила вязальщица.

— Совсем в переулке деревьев нет, — улыбнулся я, — каменные джунгли.

— Да, вырубили наш скверик, — охотно пояснила бабушка. — Вон там он был, а теперь на его месте банк. Печально, конечно, погулять негде, раньше у нас лучше дело обстояло.

— Вы здесь давно обитаете?

— Всю жизнь.

— Какая удача, что я встретил вас, — радостно воскликнул я, — на ловца, как говорится, и зверь бежит.

— Ну сравнить меня со зверем, увы, уже нельзя, — на полном серьезе заявила старушка, — скорей уж трухлявый гриб или подгнивший пень. Хотя были когда-то и мы рысаками.

— Видите ли, я решил купить квартиру, — вдохновенно врал я, — вон в том доме.

— Там хорошая жилплощадь, только шумно.

— Меня другое пугает.

— Да? Что же? — заинтересовалась бабуся.

— Я имею деток, вот и засомневался, есть ли тут школа? Как бы не пришлось моим сыновьям на метро далеко ездить. Куда местные ребятишки учиться ходят?

Пожилая дама отложила спицы.

— Если проблема только в этом, не стоит переживать. Видите арку?

— Да.

— Пройдете во двор и упретесь в трехэтажное здание, там одиннадцатилетка, — проинформировала меня бабушка, — два языка в расписании, мой внук в этом заведении учится, безобразник. Сейчас каникулы, можете посмотреть помещение спокойно. Заявление, наверное, у вас возьмут, хоть и новый учебный год на носу. Думаю, если попросите, сделают исключение ввиду переезда. Матильда Львовна женщина мягкосердечная.

Я сделал стойку, услыхав имя той, ради кого явился сюда искать гимназию.

— Матильда Львовна? Это кто?

Пожилая дама склонила голову набок:

— Теперь директор, а до недавнего времени завуч, великолепный специалист, педагог, каких мало. Вернее, подобных сейчас и вовсе нет, вымерли, как динозавры. Скажу по секрету, наша школа ничем особенным не отличается, так, весьма средненький, как теперь модно говорить, колледж. В расписание, впрочем, всякого напихали. История мировой культуры! Смех берет! Знаете, о чем на уроках толкуют?

Читают детям книгу «Легенды и мифы Древней Греции». Ведет занятия одна мамаша, правда, историк по образованию. Но толку-то? Школьники сами способны подобную литературу купить. Просто, чтобы на вывеске написать «гимназия», потребовалось расширить круг предметов. Кстати, домоводства там нет, и столовая плохая. Но ради Матильды Львовны я внука вожу именно сюда. Очень надеюсь, что, став директором, она наведет порядок. Нам бы в каждую школу по такой Матильде Львовне, и все, никаких реформ образования в России не надо. Знаете, отчего все меры, которые принимает соответствующее министерство для улучшения качества обучения российских детей, рассыпаются в прах?

Я посчитал, что сразу распрощаться с милой дамой невежливо, и ответил:

— Нет.

— Очень просто, — вздохнула бабуля, — учителя попросту ненавидят детей и свою работу. Хоть какие учебники им дай, феноменальные программы разработай, толку не будет. Если попадется на пути ребенка Матильда Львовна, вот тогда вам повезло, но такие, как она, увы, редки, словно алмаз «Орлов». Да что я болтаю, ступайте в школу, сами увидите.

— Надеюсь, директор на месте, — пробормотал я, поднимаясь.

— Так первое сентября не за горами, — напомнила бабушка, — небось Матильда Львовна ремонт завершает.

Толкнув дверь кабинета с табличкой «Директор», я ожидал увидеть полную даму в строгом английском костюме. На лацкане пиджака у нее нацеплена золотая брошь, шея украшена бусами, волосы уложены в старомодную «халу», на носу очки, а на запястье большие мужские часы. Именно так выглядела Зинаида Сергеевна, главное лицо десятилетки, в которой учился Ваня Подушкин. Я боялся директрису до одури, хотя, будучи тихим, апатичным тройкочетверочником, редко был вызываем в кабинет Зинаиды. Но все равно, стоило ей появиться в столовой, как у Ванечки мигом прихватывал живот. Теперь-то я понимаю, отчего у меня начинались колики. От страха со мной случался спазм, но я никому не рассказывал о своих ощущениях и сначала мучился от рези в желудке и от изжоги.

Воспоминания обрушились на меня с такой силой, что я ощутил сильнейшее желание убежать прочь из рассадника знаний.

Испытав это чувство, я удивился, а потом разозлился на себя и смело вошел в комнату. Матильда Львовна оказалась совершенно непохожей на Зинаиду. Молодая женщина, вернее, молодая в моем понимании дама, одетая в красивое светло-розовое платье, стояла у стеллажа с книгами. Русые волосы, вьющиеся то ли от природы, то ли от усердия парикмахера, падали на хрупкие плечи. Никаких бус, брошей и мужских часов. Из украшений лишь тонкий браслет из какого-то ярко-красного материала.

— Вы сотрудник санэпидемстанции? — с удивлением в голосе воскликнула Матильда Львовна.

Я хотел уже было изложить заранее заготовленную историю о сыновьях-безобразниках, но тут большие, цвета ореховой скорлупы глаза директрисы посмотрели прямо мне в лицо, и я совершенно неожиданно произнес:

— Разрешите присесть? Вот мое удостоверение.

— Частный детектив, — еще больше удивилась Матильда Львовна, изучив документ. — Я думала, у нас людей такой профессии нет.

— Вы очень внимательны, — вздохнул я, — абсолютное большинство граждан, повертев эту книжечку, принимают меня за работника МВД.

— Тут же ясно написано: «Агентство «Ниро».

— Народ не видит букв.

— Я просто нацелена на поиск ошибок в тетрадях, — засмеялась Матильда Львовна, — привычка педагога внимательно изучать любой текст — и письменный, и устный — скорее мешает в жизни. Вот вчера я пошла в магазин купить кефир, передо мной у прилавка стояла женщина и объяснялась с продавцом.

— Что у вас за порядки! Безобразие! Касса в одном месте, товар в другом. Хочу коробку каши, а вы мне свиную голову дали.

— У вас голова пробита, — ответила продавщица.

— Сами ее пробили!

— Каша не в моем отделе!

— А ну зовите сюда старшего менеджера, — окончательно разъярилась покупательница.

— Успокойтесь, — лениво протянула тетка по ту сторону прилавка и заорала: — Люся, перебей этой голову в кашу! А вы ступайте вон туда! Там из вашей головы кашу сделают.

— Безобразие, — злилась женщина, — придешь, а тебе голову пробьют! Вас уволить надо!

Матильда Львовна слушала диалог и изумлялась. Продавщица с покупательницей даже не понимали, что их разговор звучит жутко: «Перебей этой голову в кашу!»

— Чек давайте, — вздохнула торгашка, когда покупательница, хотевшая получить коробку геркулеса быстрого приготовления, переместилась к другому прилавку, — во народ попадается! Ну выбили голову, чего орать? Эка беда, ща каши вместо нее пробьем, и порядок, пошла домой счастливая! Спокойней надо быть, доброжелательней себя вести. Ведь чуть-чуть с пробитой головой постояла, а как вопила! Нет бы улыбнуться: «Девочки, вы ошиблись», а эта сразу огнем плеваться. Сделай ей прямо в секунду из головы кашу!

— Действительно, смешно, — улыбнулся я.

— Это вы еще детские сочинения не читали, — покачала головой Матильда Львовна, — там такие перлы попадаются! Вчера привели ребенка, новенького, он в шестой пойдет, а классы у нас разные. В «А» сидят те, кто более подготовлен, в «Б» послабее. Ну я и предложила ему изложение написать, прочитала текст, в нем имелась фраза: «Испугавшись дикого зверя, мальчик побежал сквозь заросли саксаула»[1]. Я оставила школьника на время, вернулась, забираю работу и читаю: «Испугавшись дикого зверя, мальчик побежал сквозь заросли сексаула».

— Скажи, деточка, — спросила Матильда Львовна, — ты знаешь, что такое саксаул?

— Да, — совершенно спокойно ответил тот, — аул — это деревня у лиц кавказской национальности, а сексаул — такой квартал, где проститутки работают, вроде улицы красных фонарей в Амстердаме, мы там с мамой весной были на экскурсии.

— Это уже даже и не смешно, — покачал я головой, — зачем же мамаша сынишку в такое место повела?

Матильда Львовна развела руками:

— Вопрос не ко мне. Впрочем, я задала его родительнице и услышала ответ: «А что удивительного? Теперь не прежние времена, ребенок должен знать о сексе».

Я не ханжа, но кое-что, ей-богу, мне кажется излишним.

А вот вам еще пример. Весной мы писали диктант, я говорю фразу:

«Марфа кликнула Анфису».

---

[1] Саксаул — род древесных или кустарниковых растений.

Поднимается лес рук.

— Что случилось? — удивилась Матильда Львовна.

— В диктанте ошибка, — ответили школьники хором.

— Да? — спросила учительница. — Где же? «Марфа кликнула Анфису», очень простая фраза.

По классу пролетел смешок.

— Чем же она кликала? — снисходительно поинтересовалась Машенька Рябцева. — Вы нам отрывок из классики диктуете, написано в девятнадцатом веке, а тогда ни компьютеров, ни «мышек» не было. Марфа никак кликнуть не могла!

Вот как. Для меня глагол «кликать» имеет значение «звать», для них — связан с компьютером.

— Вы так хорошо помните ситуации на уроках? Даже имя девочки сейчас назвали!

Матильда Львовна тряхнула копной волос.

— Наверное, это тоже профессиональное. Десятки детей выучила, кое-кого и не вспоминала после последнего звонка ни разу, но стоит вам попросить рассказать, ну, допустим... об Илье Казанском, и сразу откуда-то все всплывет. У Илюши бабушка болела диабетом, а сам он...

— Имя Гали Усовой вам знакомо? — быстро спросил я.

— Конечно, — округлила глаза Матильда Львовна, — мушкетерка.

— Кто?

— Мушкетерка, — засмеялась Матильда Львовна. — Роман Дюма «Три мушкетера» читали?

— Конечно.

— Они были мужчинами, — с занудностью преподавателя напомнила Матильда Львовна, — а в моем классе учились девочки Лолита Кисова, Галя Усова и Маша Лаптева, вот их мушкетерками и прозвали за дружбу. К компании примыкала еще Римма

Победоносцева, но они ее скорей из милости держали.

— Маша Лаптева? — воскликнул я. — Она потом манекенщицей стала?

Матильда Львовна уставилась в окно:

— Точно не скажу. Хотя Маша красивая девочка, рост у нее подходящий для модельной карьеры, она первой на физкультуре стояла. Но мы с ней после той истории более не встречались. Лаптеву родители в другое учебное заведение перевели, остальных, впрочем, тоже забрали, оно и понятно. Одноклассники мушкетеркам бойкот объявили, мы ничего поделать не смогли, объясняли детям, растолковывали: колдовства не существует, но переубедить их не сумели. Очень уж многих смерть Игоря задела, в него почти вся школа влюблена была. Да, ужасное несчастье, ничего его не предвещало!

— Матильда Львовна, — попросил я, — нельзя ли более обстоятельно и подробно изложить те события?

— Зачем? — искренне удивилась директриса. — Это давно произошло и быльем поросло.

— Очень вас прошу, я занимаюсь одним делом, корни которого ведут к этим девочкам, вернее, теперь уже молодым женщинам, — с жаром воскликнул я.

— Так секретов никаких нет, — кивнула Матильда Львовна, — если есть необходимость, я попытаюсь. Но только лучше не сейчас. Можете подойти вечером?

Я глубоко вздохнул:

— Матильда Львовна, я не имею права раскрывать чужие секреты, скажу только, что Ира Кисова... знали ее?

— Да, — кивнула директриса, — сестра Лолиты, младшая, тоже у нас училась.

— А Надя Победоносцева?

— Сестра Риммы, они с Ирой в один класс ходили и дружили.

— Так вот, — продолжал я, — Римма Победоносцева погибла, ее убили, Надя и Ира тоже умерли, обе попали под трамвай, в разное время, но ушли из жизни одинаково, а Машу Лаптеву задушил грабитель.

— Господи, — прижала к лицу ладони Матильда Львовна, — ужасно! Да, конечно, сейчас, одну минуточку.

Трясущимися пальцами она вытащила из сумочки мобильный.

— Олеся Сергеевна? Тут должны из санэпидемстанции прийти, прошу, займитесь ими. Ко мне никого не пускайте, я очень занята.

Она положила аппарат на стол, глубоко вздохнула и ровным, четким голосом, словно объясняя непоседливым школьникам новый материал, начала рассказ.

Жили-были три девочки: Лолита Кисова, Маша Лаптева и Галя Усова. Детство их проходило в старомосковском квартале, прилегающем к Садовому кольцу. Самые обычные дети, мало на первый взгляд отличавшиеся от остальных школьниц. Те, кто имеет дело с детскими коллективами, хорошо знают: сообщество, как правило, распадается на компании, общей дружбы между всеми не бывает. В школе есть вожаки, середняки и изгои, те, над кем потешаются. Лолита, Маша и Галя были королевами. Многие одноклассники хотели дружить с ними, но девочки держались отдельной группой, не подпуская к себе посторонних. Их родители, обеспеченные люди, занимали определенное положение в обществе, поэтому никаких проблем с одеждой и карманными деньгами у троицы не было. К слову сказать, девочки были хорошо воспитаны, своим материальным положением не кичились, но оно все равно било по глазам. Во-первых, их привозили на уроки на машинах, во-вторых, подружки не ходили в школьную столовую. Правда, они не воротили нос от общепитовской еды, не говорили презрительно:

— Фу, ну и дрянь же нам предлагают.

Нет, у Лолы, Маши и Гали имелись справки от врача, где черным по белому стояло: гастрит. Следовательно, дело было не в капризности и нежелании питаться как все, а в болезни. Но и дети, и учителя понимали, что чиновные родители нашли способ избавить своих чадушек от противных сосисок и скользкой манной каши. Остальные ребята были вынуждены давиться отвратительной едой под аккомпанемент воплей педагогов:

— Съели все без остатка, быстро, ваши родители деньги за завтраки платят.

Еще у троицы имелись замечательные игрушки, книжки, а лето девочки проводили не в сарае, не в огороде у бабушки, а на море и на благоустроенных дачах, которые отличались от городских квартир лишь тем, что стояли в лесу.

Если человек богат, значит, он дурак. Почему в головы российских людей вбит подобный постулат, я мог бы вам сейчас объяснить, но не стану тратить время на ненужные размышления. Наверное, очень многие из вас подумали, что Лолита, Галя и Маша получали одни тройки, которые им из почтения перед предками взамен двоек ставили учителя. Ан нет! Усова и Лаптева считались крепкими «хорошистками», учили дома с репетиторами иностранные языки, а Лолита и вовсе была отличницей, шла на золотую медаль. К этому прибавьте, что «мушкетерки» обладали стройными фигурками, хорошенькими личиками и всегда выручали друг друга. Теперь понятно, почему одноклассники мечтали присоединиться к их компании.

Кисову, Усову и Лаптеву звали на все дни рождения. Причем троих одновременно. Ребята знали: поодиночке они не пойдут. Вручив девочкам приглашение, будущий «новорожденный» начинал гадать: посетят ли его «звезды»? Дело было не в том, что Лола, Галя и Маша всегда приносили дорогие подарки. Нет, визит «мушкетерок» мигом поднимал рейтинг школьника до небес. Сказанная вскользь фраза: «Мы с Лолой, Галкой и Машей весь вечер играли в ручеек» — вызывала завистливые вздохи у окружающих.

Характеризуя того или иного товарища, дети частенько говорили: «К нему «мушкетерки» не ходят, или: «Он их звал, но они не пришли».

Всем сразу становилось понятно, кто такие «они» и что с данным товарищем дела иметь не стоит, сей субъект в коллективе последний, тот, кто ниже плинтуса.

По какой причине «мушкетерки» одаривали того или иного одноклассника своим вниманием, было не ясно, во всяком случае, это никак не зависело от материального положения его родителей.

К Асе Вольпиной, чья мама работала лифтером и получала медные копейки, эти трое принеслись сразу, были весь вечер в великолепном настроении, просидели до полуночи, нахваливая не слишком вкусные домашние пирожки с начинкой из зеленого лука. А к Оле Репниной, предки которой закатили пир на весь мир, заставив стол деликатесами, даже не заглянули.

Никто из класса не мог похвастаться, что дружит с «мушкетерками», с другой стороны, королевы ни с кем не ссорились. Девочки были приветливы, давали списывать домашние задания, а Лолита вообще ухитрялась за один урок решить все варианты контрольных работ и разослать бумажки с ответами «тонущим». Но при этом «мушкетерки» сохраняли дистанцию, в общей массе в кино не бегали, во время перемен и школьных праздников держались обособленной группой. Римма Победоносцева оказалась единственной девочкой, которая была допущена в их тесный круг на положении почти своей. Но об этом следует рассказать более подробно.

Глава 29

Господь наградил Победоносцеву не слишком большим умом, школьная наука давалась ей с трудом, в дневнике теснились двойки, иногда разбавленные тройками. Единственный предмет, по которому Римма имела пятерку, был немецкий. Победоносцева обладала явным даром к языкам, который следовало развивать. Только никто этим не занимался. Папа у девочки был придурковатый, а мама постоянно думала, где найти денег, чтобы прокормить семью. Хорошей одежды у Риммы не имелось, и сосиски из школьной столовой она считала деликатесом. Еще Победоносцева обладала одной, потешавшей окружающих особенностью: она верила всему, что ей говорили, и одноклассники с удовольствием разыгрывали дурочку, сообщая ей самые идиотские новости.

Придумают, что в ближайшем гастрономе бесплатно раздают утюги, а потом, хихикая, наблюдают, как Победоносцева носится по торговому залу, выкрикивая:

— Где же утюги? Мне точно сказали! Их сегодня без денег дают!

Или сообщат доверчивой Римме:

— В это воскресенье в школу приедет Никита

Михалков, будет отбирать детей на роли в своем новом фильме. Хочешь актрисой стать?

— Да, — радостно восклицала девочка.

— Так приходи, — еле сдерживая хохот, говорили шутники, — но не забудь надеть шубу, валенки и шапку. Действие в кино происходит зимой.

Представляете радость детей, когда они увидели-таки Римму, стоявшую душным майским днем во дворе школы в полном зимнем обмундировании. То-то все повеселились.

Кстати, об артистических способностях. Вот они-то как раз у Риммы были. Одно время в школе работал театральный кружок, и Победоносцева, к огромному удивлению всех его членов, стала примой. Занятия вел настоящий режиссер, он очень хвалил девочку, давал ей главные роли и твердил:

— Тебе надо идти учиться, такие данные грех зарывать в землю.

Матильда Львовна выслушала режиссера и не выдержала, сделала ему замечание:

— Зачем вы несчастной голову морочите? Римме нужно получить хорошую профессию, портнихи, например, и работать спокойно.

— Девочка одарена, — не дрогнул режиссер, — уж поверьте мне!

— Римма дурочка, — рассердилась Матильда Львовна, — наивная, глупая. О какой сцене может идти речь? Некрасиво сбивать ее с истинного пути.

— Голубушка, — прищурился режиссер, — да кто вам сказал, что артист обязан обладать умом и яркой индивидуальностью? Вовсе нет, главное — это умение воплотить на сцене чужую идею, стать тем, кого увидел постановщик. Актриса — кусок глины, в талантливых руках она делается великой. Излишняя образованность и ум как раз мешают. Римма естественна, как обезьянка в тропиках, у нее живая мимика, отличная пластика и редкостная способность выполнять чужие установки.

Матильда Львовна страшно обозлилась на режиссера и была очень рада, когда тот прекратил занятия в кружке и покинул школу.

Навряд ли бы Римма могла подружиться с «мушкетерками», ей светило стать посмешищем класса, но тут вдруг ее мать нанялась домработницей к Кисовым.

Когда одноклассники узнали, чем занимается родительница Победоносцевой, они скорчили мины и стали терроризировать девочку.

— Фу, — заявила Света Ланская, сидевшая в то время за одной партой с Машей Лаптевой и ощущавшая от этого свое превосходство над всеми, — от Римки хлоркой пахнет.

— От меня? Вовсе нет, — ответила Победоносцева.

— Нет, воняет, — хихикала Света, — ты же сортир моешь!

— Я?

— Ты.

— Ничего подобного.

— А вот и моешь! У Кисовых, — запрыгала Ланская, — каждый день, они срут, а вам убирать!

— Там моя мама работает, — простодушно подтвердила Победоносцева, — а не я.

— Что-то кофточка на тебе знакомая, — не успокаивалась Света, — я уже видела ее на ком-то!

— Так раньше ее Лолита носила, — снова бесхитростно объяснила Римма, — она пятно поставила, вот сюда, видишь? Поэтому мне и отдали. Правда, симпатичная?

— Значит, ты не только говночистка, но еще и побирушка, — заорала Ланская, — в обносках ходишь! Может, вам и со стола объедки дают?

Другая бы девочка на месте Риммы пнула противную Свету ногой или окоротила бы наглую Ланскую словами, но Победоносцева сказала:

— Мама у Лолиты очень добрая, всегда меня вкусным угощает. Вот вчера нам почти целый торт отдали, с цукатами.

— Почти целый? — скривилась Светлана. — Значит, он был надкушенным?

— У Кисовых гости были, они его не доели, не пропадать же добру, — призналась Римма, — не кислый, не обветренный, нам с мамой и сестрой очень понравился.

Ланская согнулась пополам от смеха и стала взвизгивать:

— Говночистка, побирушка и подъедалка! Ну ваще!

Несколько девочек, с интересом прислушивающихся к беседе, моментально подпели Ланской:

— О...! Жрет объедки! Победоносцева — кошка с помойки.

— А мать ее, сортирных дел мастер.

— Я что-то не то сказала? — растерянно спросила Римма, глядя на одноклассниц. — Чего вы потешаетесь?

Новый взрыв хохота послужил ответом на ее слова. Всю большую перемену Ланская и группа подпевающих ей девочек изводили Римму. Дальше — больше. Они раздобыли где-то рваный халат из синего сатина и вручили его Победоносцевой со словами:

— Вот, бери на здоровье, классная вещь, ее до тебя лишь шестеро носили.

Римма растерянно заморгала:

— Спасибо, но мне он не нравится!

— Не стесняйся, — хлопнула ее по плечу Ланская, — надевай.

Однажды девочки в столовой увидели, что Римма несет поднос с завтраком, и зашептались. Победоносцева, не обращая внимания на окружающих, съела кашу, собрала остатки корочкой хлеба, взяла стакан чая и услышала:

— Римма, оглянись.

Не ожидая ничего дурного, школьница повернула голову. Перед ней стояла Света Ланская с тарелкой, прикрытой бумажной салфеткой.

— Ты вроде не наелась? — заботливо спросила она. — Хочешь добавки?

— Ага, — кивнула Римма, — каша вкусная, с маслом!

— На, — заулыбалась Света и сняла кусок бумаги.

— Этта чего? — отшатнулась Победоносцева.

— То, что ты любишь больше всего, — заржала Ланская, — объедки и огрызки, картофельная кожура, корочки хлеба, булочка поломанная, скорлупа яичная. На кухне целое помойное ведро с этим добром, тебе на неделю хватит. Хочешь, мы попросим, повара в мешочек положат, домой заберешь! Вам с мамой нравится за другими доедать.

— Нет, — вскинула брови Римма, — это же выбрасывают.

Одноклассники попадали от смеха, такой потехи давно не случалось.

— Верно, — чуть не плача от смеха, заявила Ланская, — нормальные люди вышвыривают, а вы с мамашкой жрете. Да ты не стесняйся, мы от души...

И она залилась от хохота. Одноклассники тоже визжали, сочтя эту шутку великолепной, только «мушкетерки» молча выскользнули из зала.

Когда Ланская вернулась в класс, ее ждал сюрприз. Место, где всегда сидела Лаптева, было пустым. Ни портфеля, ни учебников, ни тетрадей, а сама Маша расположилась в противоположном углу, она делила стол с... Риммой.

Обескураженная Ланская провертелась весь урок

на стуле, а после звонка бросилась к Лаптевой с вопросом:

— Ты почему пересела?

Машенька поправила красивые волосы и мягко ответила:

— Понимаешь, Лола, Галя и я дружим с Риммой. Ты, наверное, слышала, что ее мама у Кисовых в экономках служит? Римма часто к Лоле приходит, мы теперь одна компания. Вот я и решила вместе с ней сидеть.

— А я? — испугалась Света, понимая, что, теряя Машу, она лишается и лидерства в классе.

— Ты можешь сесть с Леной Цыганковой, — предложила Лаптева, — у нее пары нет, или с Мишей Березиным.

— Ты обиделась? — не успокаивалась Ланская. — Да че я не так сделала?

— Ничего, — ответила Маша. — В твоем понимании ничего. Я просто пересела к Римме, она наша подруга, а мы своих в обиду не даем.

Тут только до Ланской дошло, что Лолита вовсе не считает для себя зазорным учиться в одном классе с дочкой своей домработницы, более того, она готова дружить с Риммой.

— Больше не стану ее дразнить, — прошептала Света.

— Ты вольна поступать как хочешь, — отрезала Маша и отошла от нее.

Неизвестно, поняла ли Римма, что значила для нее поддержка «мушкетерок», но с того дня она была допущена в компанию. Лола, Галя и Маша иногда брали ее с собой в кино, а одноклассники очень быстро сообразили: если хочешь видеть у себя в гостях «мушкетерок» следует пригласить дуру Победоносцеву, причем первой. Класс перестал потешаться над наивной глупышкой, в дневнике у Риммы неожиданно появились четверки. Удивленная Матильда Львовна не упускала случая похвалить Победоносцеву и однажды сказала:

— Вот, деточка, делай правильные выводы. Не зря наши предки придумали пословицу: «Учение и труд все перетрут». Стала ты на уроках тихо сидеть и педагогов слушать, сразу результат налицо. Сама Елена Михайловна тебе за контрольную «пять» поставила, а ведь я давно говорила: в математике ничего сложного нет, надо только не вертеться да не болтать с подружками во время занятий!

Римма шмыгнула носом:

— Елена Михайловна очень заумно объясняет, прям не понять ничего, и быстро тараторит, слова разобрать трудно. Я ее и раньше слушала, только она как взвизгнет: «Победоносцева, не сиди дурой, решай уравнение», у меня все сразу из рук валится.

— Так почему же сейчас ты пятерку получила? — спросила Матильда.

— Мне Лола помогла, — улыбнулась Римма, — здоровски растолковала, совсем нетрудно оказалось. Вы сами-то умеете такое вычислять?

— Нет, — честно призналась классная руководительница.

— Хотите научу? — оживилась Победоносцева.

— Лола с тобой уроки делает? — поинтересовалась Матильда.

— Со мной Галя Усова занимается, — сказала Римма, — Лолу она зовет, когда у нас чего-то не получается.

Ну а вскоре Лолита влюбилась, но не как большинство девочек, а до одури, потеряв всякий разум. Объектом нежных чувств стал Игорь Попов, самый красивый мальчик школы.

По Игорю сохло большинство девчонок, начиная с первоклассниц. Да что там глупые школьницы, кое-кто из молоденьких учительниц не мог оторвать глаз от Попова. Игорек занимался спортом, у него была отличная фигура, светлые, слегка вьющиеся волосы, большие карие глаза. Он запросто мог стать киноактером. Игорь великолепно танцевал, играл на гитаре, не пил, не курил, хорошо учился, был капитаном школьной команды КВН и шикарно одевался. Кроме всего прочего, Игорю повезло с родителями, его мать и отец не испытывали материальных трудностей и ни в чем ему не отказывали.

С девочками Игорь был вежлив, но никого особо не выделял, их влюбленных взглядов не замечал и на всех школьных дискотеках стоял у стены, оживляясь только в момент групповых танцев.

Когда по школе разлетелся слух о влюбленности Лолы, большинство девчонок стало кусать локти. Ежу было понятно, что этим двум подросткам самой судьбой предназначено быть вместе. Король и королева, сладкая парочка, остальные могут отдыхать! Лолу и Игоря местная молва поженила мгновенно, только события начали развиваться вовсе не так, как ожидали окружающие.

Игорь даже не смотрел в сторону Лолы, а та пускалась на невероятные ухищрения, чтобы привлечь внимание парня. Сначала Лолита стала жаловаться на зрение, плакаться, что не видит написанное на доске, и в результате Матильда Львовна посадила ее за первую парту рядом с Игорем. Попов спокойно воспринял рокировку, никаких пассов в сторону Лолиты он делать не стал. Лола не сдалась и предприняла новую атаку. Раньше она никогда не интересовалась КВН, а тут превратилась в самую активную участницу действа, напросилась в команду, старательно посещала репетиции, и снова облом. Попов был с ней мил, приветлив, но и только. На свидание он Лолиту не приглашал. Тогда она перестала ходить домой вместе с Машей и Галей.

— Я после уроков к репетитору бегаю, по математике, — рассказывала она всем, — он живет в том же доме, что и Попов. Слышишь, Игорь, нам теперь с тобой по дороге!

Но и эта уловка не принесла ей успеха. Ромео старательно избегал Джульетту, похоже, она ему попросту не нравилась.

Кульминация наступила под Новый год, на дискотеке. Когда ведущий радостно возвестил: «Теперь белый танец», Лолита решительным шагом направилась к Игорю.

Все замерли и уставились на парочку. Лола протянула Попову руку, тот улыбнулся, и они стали танцевать.

Маша и Галя обрадовались, лед тронулся, начался роман. Когда умолкла музыка, Игорь подвел Лолу к «мушкетеркам», но разговаривать с ними не стал, как всегда, занавесился улыбкой и ушел. Девочки оживленно зашептались. Тут снова заиграла музыка, и Лола с радостью увидела, как Игорь, никогда никого до этого не приглашавший, быстрым шагом направляется к ней. Она зарделась, сделала шаг навстречу любимому, тот приближался, такой красивый, светловолосый, веселый... Все девочки школы в этот миг завидовали Кисовой. Игорь подошел почти вплотную к Лоле, та затаила дыхание и... Попов вдруг резко взял влево, остановился возле невзрачной, плохо одетой двоечницы Тани Птицыной и сказал:

— Тань, не хочешь потанцевать?

По залу пролетел вздох, из глаз Лолы брызнули слезы. Галя и Маша быстро вытолкнули подругу в коридор, а простодушная Римма Победоносцева громко заявила:

— Чего он в этой мымре нашел? Лола намного красивее!

Но Попова, кажется, красота Лолы не волновала. С того дня он начал ухаживать за Птицыной. Провожал ее до дома, таскал за дурнушкой порфель, а на всех переменах парочка ходила, держась за руки. На Лолу было больно смотреть. Кисова похудела, подурнела и перестала смеяться. В конце концов Усова набралась смелости и вызвала Попова на откровенный разговор. Школьники встретились у метро, и Галя прямо сказала:

— Лола тебя обожает, просто сохнет, не ест, не пьет. Ну зачем тебе Танька? Ни рожи, ни кожи!

Игорь усмехнулся и ответил:

— Лично мне она кажется красавицей. Я люблю ее, нас разлучит лишь смерть.

Бедная Усова долго собиралась подойти к Лоле и пересказать эту беседу. Узнавшая о разговоре Лаптева была просто в шоке, а Победоносцева воскликнула:

— Ой, бедная Лола! Она же теперь от любви зачахнет!

Следующие три месяца Маша и Галя делали все, чтобы вытащить Лолиту из депрессии, но никакого успеха не достигли.

— Вы не старайтесь, — вздохнула Кисова, когда подружки поволокли ее на очередную дискотеку, — я, наверное, однолюбка, мне никто, кроме Игоря, не нужен.

— Тогда потерпи, — сказала Лаптева, — скоро дура Птицына Попову надоест, он ее бросит и к тебе переметнется!

— Да, — с жаром подхватила Усова, — именно так! С Танькой Игорь долго не прообщается.

— Нет, — покачала головой Лола, — мне надеяться не на что. Он же сказал: «Нас разлучит лишь смерть».

— Может, Птицына помрет, — ляпнула Римма и, увидев укоризненные взгляды «мушкетерок», попятилась. — Че я сказала? Молодые тоже окочуриваются от болячек всяких!

— Не пори чушь, — оборвала глупую Победоносцеву Лаптева, — с какой стати Таньке умирать? Здоровая она, как самосвал.

Усова тяжело вздохнула, а Лола внезапно сказала:

— Я бы не огорчилась, узнав о смерти Птицыной.

— Послушай, — взвилась Галя, — с таким же успехом можно мечтать о прогулке по Венере. Ясно же, что этому никогда не бывать. Таньке до могилы далеко.

Но Усова ошибалась, через два месяца Татьяна Птицына, некрасивая, тихая, неприметная девочка, скончалась от острого лейкоза.

Глава 30

Хоронили Таню всей школой. Это была первая смерть в учебном заведении, и она очень тяжело подействовала на учителей и учащихся. Гроб завалили цветами, дети рыдали, преподаватели пытались сохранить спокойствие. На родителей Птицыной было страшно смотреть. Мама висела на руках подруг, никак не реагируя на происходящее, она даже не смогла подойти к гробу, чтобы в последний раз поцеловать дочь. Отец же обнимал всех участников скорбной церемонии и безостановочно твердил:

— Сначала она есть перестала, потом слегла, мы думали, грипп, повезли дочь в больницу, а уж там определили: рак крови. И ничего поделать не смогли, случается, говорят, такое, люди сгорают в считаные дни. Вы не думайте, мы врачам заплатили, только никто не помог.

Люди шарахались от него, но он упорно продолжал говорить, говорить, говорить...

Игорь держался спокойно, он ничем не выделялся в толпе испуганных, жмущихся к родителям школьников. Попов был, как всегда, безукоризненно одет и даже пахнул одеколоном. Матильду Львовну покоробило поведение парня. Надо же, ей по наивности казалось, что Игорь любит Таню, но сейчас стало понятно: смерть девочки не волновала юношу, вон он какой спокойный, даже равнодушный. Наверное, современным детям не дано испытывать сильные чувства, они не такие душевные, как их поколение.

Через неделю по школе разнеслась страшная весть: Игорь Попов покончил с собой. Матильду Львовну вызвали в милицию, показали предсмертную записку мальчика и попросили рассказать о его взаимоотношениях с Таней Птицыной. Классная руководительница едва не потеряла сознание, узнав подробности.

Выяснилось, что казавшийся спокойным и улыбчивым Попов каждый день после уроков ехал на кладбище и сидел у могилы любимой. В воскресенье он убежал из дома рано, не сказав родителям куда. Вопросов ему задавать не стали, и так было понятно, где Игорь собрался провести свободный день. Тело юноши обнаружил сторож, совершавший вечером обход погоста. Увидав на скамеечке фигуру с опущенной головой, он решил, что один из посетителей просто заснул и пропустил момент закрытия кладбищенских ворот. Сторож подошел к парню, тряхнул того за плечо и понял — перед ним труп. Рядом, придавленная камнем, лежала записка. «Никто не виноват, я сам принял это решение. Мама и папа, простите, похороните меня в одной могиле с Таней».

И снова школьники стали участниками ритуальной церемонии, все, кроме «мушкетерок» и Победоносцевой. Лола, Маша, Галя и Римма почти две недели не появлялись на уроках. Учителя поглядывали на пустые парты, вздыхали и шли звонить девочкам домой.

— Плачут, — сообщали их матери, — не пьют, не едят, горюют.

Матильда Львовна была очень обеспокоена, больше всего ее волновало состояние Лолы. Классная руководительница строго предупредила домашних Кисовой:

— Ни на секунду не оставляйте, спите с ней в одной комнате и везде сопровождайте ее. А то как бы чего не вышло. Грех, конечно, так говорить, но Игоря-то Попова родня упустила!

Но Лола никаких суицидальных попыток не предпринимала, вскоре она появилась в классе и продолжала учебу.

Матильда Львовна успокоилась, а зря, потому что события стали развиваться совсем уж невероятным образом.

Однажды около полуночи в квартире классной руководительницы раздался звонок. Удивленная Матильда распахнула дверь. В ту же секунду ей на грудь бросилась рыдающая Галя Усова.

— Что случилось? — помертвевшими губами прошептала учительница. — Лола...

— Да, — еле выдавила из себя Галя.

Матильда обвалилась на стул.

— Господи! Она... да? Она...

— Она не виновата, — еще сильней зарыдала Галя, — мы вместе, все... и я, и Машка, и Римма.

Матильда судорожно вздохнула:

— Лола жива?

— Да.

Матильда испытала огромное облегчение.

— Успокойся, — рявкнула она на Галю, — прекрати рыдать и объясни, в чем дело.

— Мы их убили, — затряслась в ознобе Усова.

— Кого?

— Сначала Таню, а потом Игоря, вернее, он сам, но она... ой... ой...

Еле-еле Матильда сумела добиться от Усовой связного рассказа, а когда наконец разобралась в сути вопроса, то почувствовала, как у нее с сердца упала каменная глыба. Речь шла о самой обычной детской глупости.

Оказывается, за несколько месяцев до кончины Тани Лола сказала Маше и Гале:

— У Риммы есть знакомая колдунья, живет где-то в Подмосковье.

— И что? — разинули рты подружки.

— Она может Игоря от Тани отвернуть и в меня влюбить.

— Глупости, — отмахнулась Маша.

— Ерунда, — согласилась с ней Галя.

— Нет, — уперлась Лола, — дело верное, поеду туда, Римма говорит, что одна ее соседка воспользовалась магией и теперь счастлива.

— Лабуда, — пробурчала Лаптева.

— Где Победоносцева? — разозлилась Галя. — За фигом она тебе голову дурит! Пойду поговорю с ней!

Лола вскочила:

— Нет, не надо.

— Почему? — изумилась Галя.

— Если ты мне подруга, то не расспрашивай Римму, — заорала Лолита.

— Почему? — растерянно повторила Галя.

— Она испугается и не скажет мне адрес колдуньи.

— Бред! — вскипела Лаптева.

— Ну и дурь тебе в голову пришла, — принялась увещевать Галя Лолиту. — Ладно, я не стану говорить с Риммой. Но ты же знаешь, Победоносцева

глупая, всему верит. Скорей всего, соседка над ней
подшутила. Только зря туда съездишь.

— И потом, колдовать грех, — подхватила Маша, — тебя бог накажет.

Лола отрезала:

— Фу! Не верю я в боженьку.

— А в существовании ведьм, значит, не сомневаешься. — Галя попыталась вернуть подруге чувство реальности.

И тут Лола заплакала.

— Как вы не понимаете, — выкрикнула она сквозь слезы, — это мой последний шанс, другого не будет!

Галя с Машей переглянулись и решили: пусть Лола съездит к ведунье, ничего страшного не случится. Но отпускать подругу одну не хотелось.

— Мы с тобой, — воскликнули девочки.

— Нет, — покачала головой Лола, — у бабки условие такое, чтобы приехала лишь та, которой надо, иначе даже разговаривать не станет.

Пришлось Усовой и Лаптевой остаться дома. Маша, правда, попробовала порасспрашивать Римму, но та испуганно замахала руками.

— Ой, ничего говорить не могу, а то не сработает колдовство. Мне Лола запретила даже рот раскрывать.

Вернувшись от ведьмы, Кисова попросила подружек:

— Завтра, во время физры, присмотрите за Птицыной, чтобы ненароком в раздевалку не подалась среди урока.

— Зачем? — удивилась Маша.

— Мне бабка тряпочку волшебную дала, — мрачно объяснила Лола, — надо ее теперь к Танькиной одежде пришить. Она все время в одних джинсах шляется, других не имеет. Пока она в зале будет, я тряпицу в брючину, в подворот, и вошью.

Усова вздохнула и уставилась на Лаптеву, та кивнула:

— Ладно, раз уж начали, нужно дело до конца довести, бери иголку, мы Птицыну в случае чего придержим.

Лола повеселела и бросилась целовать подруг. На следующий день Маша поинтересовалась:

— Ну, чего, отвернуло Игоря?

— Похоже, нет, — вздохнула Галя, — вон они воркуют.

— Говорила же, чушь все это, — усмехнулась Маша.

— Ладно, забыли, — быстро сказала Галя и посмотрела на Лолиту.

Усова собиралась завести беседу на какую-нибудь нейтральную тему, но осеклась. Ее поразило лицо Лолы, бледное, с мелкими каплями пота на лбу.

— Еще не вечер, — вдруг сказала Лолита, — колдовство сразу не поможет. Скоро от Птицыной ничего не останется. Говорил Игорь, что их только смерть разлучит! Вот и посмотрим, кому он достанется, когда Танька подохнет. Ей бабка страшный заговор сделала, на тряпку из гроба.

Усова вздрогнула, а Лаптева быстро сказала:

— Может, волосы к лету подстричь? Как считаете, девочки?

Маша явно решила более не обсуждать неприятную тему.

Придя домой, Галя позвонила Маше и спросила:

— Думаешь, это правда, про смерть, которая ждет Птицыну? Может, нам ей позвонить и все рассказать? Пусть из джинсов тряпку вытащит!

— Только опозоришь нас, — испугалась Лаптева. — Птицына знаешь какой вой поднимет! Вся школа смеяться над Лолой будет, молчи лучше.

— Вдруг Танька помрет! — не успокаивалась Галя.

— Чушь собачья, — взвилась Маша, — бабка просто мошенница, она Лолку вокруг пальца обвела, небось живет за счет таких дур. Наврет с три короба, денежки захапает и ручонки потирает. Ничего не случится, Танька здорова, как корова.

Ну а потом Птицына заболела. Никто вначале не беспокоился, в школе бушевала корь, на занятия из всего класса ходило несколько человек. «Мушкетерки» тоже подцепили заразу, а когда, выздоровев, явились на занятия, их огорошили новостью: у Птицыной лейкоз, она умирает, помочь девочке ничем нельзя, какая-то особая, ураганная форма заболевания.

С Усовой случилась истерика.

— Мы должны немедленно ехать в клинику, — кричала она подружкам, — пусть из джинсов эту тряпку вынут.

Лола, услыхав ее вопль, поджала губы, а Лаптева обняла Галю.

— Успокойся, мы тут ни при чем.

— Как же так! А заговор на смерть!

— Ерунда!

— Ничего себе «ерунда»! Танька загибается, — трясла головой Галя.

Лолита внезапно выскользнула за дверь, а Лаптева стала утешать подругу:

— Ну-ка, включи мозги! Тряпка когда действует?

— Не знаю, — прошептала Усова.

— Только если Танька в джинсах ходит, — объяснила Маша.

— Она их все время таскает.

— Не в больнице же, — резонно возразила Лаптева, — кого ж в клинике в верхней одежде оставят! Ночнушка на ней небось. А раз брюки дома, то и никакого воздействия нет, усекла?

— Ага, — дрожащим голосом ответила Галя.

Усовой было страшно до слез, она испытывала огромное чувство вины перед Таней, которое после смерти Птицыной стало просто невыносимым, а уж когда Игорь покончил с собой, то Галя поняла, что более хранить тайну не может. Вот почему она и прибежала к Матильде Львовне.

Классная руководительница стала утешать ученицу, мол, колдовства не бывает, ведьм не существует, всякие заговоры чушь. То, что случилось, ужасное несчастье, горе, но оно не имеет никакого отношения к глупости, которую придумала Лола.

— Может, мне в милицию обратиться? — стонала Галя.

— Ни в коем случае, — решительно отрезала Матильда, — и не вздумайте ходить с покаянием к родителям Птицыной, они сейчас не в том состоянии, чтобы выслушивать этот бред. Мой тебе совет, кстати, передай его и остальным: никогда больше не вспоминайте эту в высшей степени глупую историю и в дальнейшем не предпринимайте ничего подобного.

Слегка успокоенная Усова утерла слезы и ушла. Матильда легла в кровать, но уснуть ей так и не удалось. До утра она провертелась в постели, без конца переворачивая подушку. Сердце учительницы болело от жалости. Матильда Львовна с горечью думала о бедной Танечке Птицыной, несчастном Игоре, о глупышках Лоле, Маше, Гале и Римме, о том, как сложится дальнейшая судьба детей, не нанесла ли эта неприятная история травму их психике. Много тяжелых дум вертелось в голове у Матильды. Успокоилась она только на рассвете.

— Ничего, сейчас они придут в себя, и жизнь потечет по-прежнему, — вздохнула Матильда и провалилась в сон.

Но, увы, она ошиблась. Все только начиналось.

Спустя некоторое время по школе пополз пущенный невесть кем слушок: «мушкетёрки» навели на Птицыну порчу, сжили ее со свету, чтобы Игорь достался Лоле. Новость принялись живо обсуждать все старшеклассники. Слава богу, хоть мелких не коснулись разборки, и Надя с Ирой, младшие сестры Победоносцевой с Кисовой, спокойно учились дальше. А в старших классах горели страсти, достойные пера самого Шекспира.

Сначала дети только перешёптывались. Потом к Усовой подошла Оля Белкина и напрямую спросила:

— Правда, что про вас говорят?

— Нет, — в ужасе воскликнула Галя, — ничего не было, это враки! Мы никаких тряпок в джинсы Тане не зашивали.

Белкина изогнула выщипанную бровь.

— Интересненько, что за тряпки? Тут кто про землю с могилы толкует, кто про булавки заговорённые, а ну, рассказывай, в чем дело.

Бедная Усова, сообразив, что сморозила глупость, попыталась удрать, но ее обступили школьники, с криками требовавшие правды. Галя заплакала, в дело вмешалась Матильда. Она заявила:

— Колдовства не бывает, прекратите безобразие.

Но дети не послушались ни ее, ни остальных педагогов, уроки были сорваны, а Усову учителя еле отбили у разъяренных подростков.

— Пусть больше в школу не является, — орали учащиеся вслед преподавателям, тащившим почти потерявшую сознание Галю в медпункт.

— Мы им всем бойкот объявим, — кричали девочки.

— Ишь, королевы, — злились мальчики.

Буквально за один час всеобщее обожание «мушкетёрок» превратилось во всепоглощающую ненависть, страшную и тупо жестокую.

Вечером к Матильде Львовне прибежали разъяренные родители Усовой. Они чуть ли не с кулаками накинулись на классную руководительницу.

— Негодяйка, — орала мать, — девочка с вами поделилась, рассказала о глупом поступке, а вы?

— Разнесли сплетню по всей школе, — подхватил отец, — выставили Галю убийцей!

— Я никому ничего не говорила, — отбивалась Матильда.

— Дрянь, — топала ногами мать Усовой, — еще и лжет, откуда все тогда об этом дурацком колдовстве узнали?

— Галя сама детям проговорилась, — попыталась объяснить Матильда.

— Ага! — потерял самообладание отец Галины. — Только когда? Вся школа уже кипела. Кроме тебя, разболтать было некому! Падла! В порошок сотру, до министра образования дойду, ни перед чем не остановлюсь. Таких поганой метлой вон из школы гнать надо.

Что было дальше, Матильда не помнит. С ней случился сердечный приступ, и она без чувств упала на пол. Присмиревшие, испуганные родители Усовой вызвали «Скорую помощь» и отвезли учительницу в больницу.

Матильда долго лечилась, потом уехала в санаторий. На работу она вернулась лишь к новому учебному году. Вошла в свой класс, увидела несколько новых лиц, удивилась, а когда сделала перекличку и, не сумев скрыть еще большего изумления, воскликнула:

— А где Кисова, Лаптева, Усова и Победоносцева? Их нет в списках! — повисла тишина, потом Света Ланская торжествующе сообщила:

— Они ушли.

— Куда? — растерялась Матильда.

— Не знаем, — хором ответили дети.

— Переругались они между собой, — еле скрывая радость, продолжала Ланская, — Лолита и Маша с Галей не разговаривали, а она с ними даже не здоровалась. Вот они какие на самом деле оказались! Мушкетерки!

Школьники оживленно загудели, Матильде Львовне стоило огромного труда успокоить их.

Больше она с королевами не встречалась. Иногда, впрочем, до классной руководительницы долетали обрывки сведений о ее любимых ученицах. Кисова уехала учиться в Лондон. Ее родители вроде помогли Римме Победоносцевой поступить в вуз, и наивная глупышка вскоре стала изучать иностранные языки. У Маши Лаптевой умерли родители, и девушка осталась одна. Кажется, сиротой стала и Кисова. О Победоносцевой вообще не было ни слуху ни духу. Ее сестра, впрочем, как и Ира Кисова, благополучно посещала школу. Но расспрашивать девочек Матильда не решалась. Если честно, ей хотелось поскорей забыть неприятную историю, вычеркнуть ее из памяти.

Одноклассники «мушкетерок» благополучно выпорхнули из стен школы во взрослую жизнь. О Тане Птицыной, Игоре Попове и волшебной тряпке судачить стало некому. Через два года произошедшая трагедия окончательно подернулась дымкой забвения. Иногда Матильда задавала себе вопрос: «А было ли все в действительности? Может, ей просто кошмар приснился?»

Глава 31

— Неприятная история, — кивнул я, когда Матильда Львовна замолкла. — Дети порой способны на невероятную глупость.

— И жестокость, — печально подхватила директриса. — Отчего-то считается, что школьники наивны и ребячливы. Думают только об уроках, конфетах и кино. На самом же деле в детском коллективе случается подчас такое!

— Нет ли у вас телефона Галины Усовой? — спросил я у Матильды Львовны.

Директриса вздохнула:

— Раньше был, естественно. Могу вечером в старых записных книжках порыться и поискать.

— Адреса ее, конечно, тоже не помните, — безнадежно констатировал я.

Матильда Львовна встала и подошла к окну.

— Видите тот дом?

— Серый, с длинными колоннами?

— Да. Галя жила в нем, на самом последнем этаже.

— В каком подъезде?

— Он там один, — ответила директриса, — квартира Усовой в мансарде, Галя еще все время на духоту жаловалась, постоянно повторяла: «Ну почему мы не поменяемся, летом дышать нечем, а зимой холодрыга». Не знаю, осталась ли она на прежнем месте, думаю, что нет. Я иногда бывших своих учеников встречаю, многие ведь в наших переулках живут, а с Усовой ни разу не столкнулась. Хотя, может, это и к лучшему. Как вы полагаете?

Я кивнул, с нетерпением ожидая момента, когда смогу пойти к Усовой.

Задыхаясь, я преодолел огромные лестничные пролеты и оказался перед двустворчатой дверью, явно охранявшей вход в квартиру с момента постройки здания. У хозяев хватило ума не менять старинные створки на более надежный, но уродливый современный вариант из стали.

Не успел я нажать на звонок, как раздался легкий скрип и на пороге появился мужчина лет пятидесяти. Из одежды на нем были только темно-синие трусы.

— Чего надо? — сердито поинтересовался он и потер рукой затылок. — Ты, ваще, кто?

— Иван Павлович Подушкин, — представился я, — ищу Галину Усову.

Мужик хмыкнул:

— Во, блин, заколебали прям! Подавай им Усову, хоть расшибись! Сказано было — переехала она.

— Я пришел к вам впервые.

— Да? — прищурился дядька. — Значит, похожий кто-то приволакивался, ну покоя нет, то девка припрется, то мужик, то опять баба.

— Не подскажете новый адрес Галины? — не сдавался я.

Хозяин квартиры засопел, поковырял в ухе и беззвучно исчез. Дверь он за собой не прикрыл. Я остался стоять на пороге, вдыхая смесь запахов. Несмотря на жару, хозяйка готовила суп на жирном мясном бульоне. Через пару секунд у меня заболела печень и начал судорожно сжиматься желудок. Однако странные пищевые пристрастия у некоторых людей, лично мне кажется, что в душном августе лучше вообще обойтись без первого, в крайнем случае можно влить в себя окрошку...

— Во, — вынырнул из паров борща дядька, — держи и больше не ходи! Взяли моду таскаться, прям офонарели. Я вам, чё, справочная? Уж когда ваша Усова поменялась, а все претесь и претесь!

Я сунул клочок бумаги в карман и церемонно поблагодарил мужика.

— Премного благодарен вам за хлопоты, очень сожалею, что заставил утруждаться, более не побеспокою вас!

Мужчик моргнул пару раз, потом вдруг обиженно протянул:

— Ну народ! Просят — помогаешь, а они еще и оскорбляют. Да пошел ты на ...!

Дверь хлопнула, я вздрогнул и удивился до последней степени. Что обидного усмотрел собеседник в моих вежливых словах?

К новому месту жительства Галины Усовой я добрался лишь через полтора часа. Вышел из машины, вытер вспотевшее лицо носовым платком, вдохнул свежий воздух и подумал, что слова «спальный район» являются наилучшей характеристикой среды обитания. Дом Усовой находился в живописнейшем месте, здание высилось среди буйнозеленых деревьев. Дорога тут практически заканчивалась, широкая магистраль превращалась в узкую тропинку, убегавшую в лес. Галя поступила совершенно правильно, обменяв бензиновые пары Садового кольца на упоительный кислород относительно нового района.

Наслаждаясь вкусным воздухом, я дошел до подъезда. Только бы Усова оказалась дома.

— Кто там? — раздался из домофона хриплый мужской бас.

Я слегка приуныл. Ну отчего решил, что Галина живет одна? Вполне вероятно, что она замужем. И вообще, Усова, может, сейчас задыхается от жары на службе. Будем надеяться, что ее супруг интеллигентный человек, который охотно сообщит мне, где работает жена. Хотя, если судить по голосу, парень, похоже, запойный алкоголик.

— Кто там? — прохрипело еще раз из небольшой пластмассовой коробочки, прикрепленной к стене.

— Извините за беспокойство, мне нужна Галина Усова, — осторожно ответил я, — впрочем, может, я ошибся адресом.

Неожиданно дверь открылась.

— Входите, — пролаяло из домофона.

Я поднялся на лифте и нажал на звонок. Дверь открылась.

Я шагнул в прохладную, полутемную прихожую и увидел маленькую, хрупкую девушку.

— Это я, — голосом Шаляпина заявила она. — Галя. Вас, наверное, Кира прислала?

Я не успел ничего сказать, потому что Усова стала судорожно кашлять. Несколько минут она издавала бухающие звуки, потом, кое-как справившись с приступом, сообщила:

— Вот какая ерунда. Посидела на работе около кондиционера, и готово — воспаление легких. Теперь мне антибиотики прописали! Такая гадость, не передать словами.

— Кондиционер очень опасная вещь, — подхватил я, — многие жалуются. Для здоровья крайне вреден резкий перепад температур: в помещении двадцать тепла, на улице сорок жары, мгновенно заболеть можно. Хотя я сегодня сто раз пожалел, что пожадничал и не поставил в машине охладитель воздуха, приехал к вам мокрый как мышь.

— Зато без кашля и насморка, — резонно возразила Галя и снова стала издавать ужасающие звуки.

— Вы бы сироп купили, — воскликнул я, — сейчас много разных.

— У меня полно лекарств, — отмахнулась девушка, — а что толку? Да вы не волнуйтесь, набирать тексты я спокойно могу. Что принесли? Кира предупредила вас об оплате? Если формулы или иностранных терминов много, то дороже выйдет. Но это не моя заморочка, все наборщицы за подобные рукописи больше берут. Что мы в коридоре стоим, проходите.

Продолжая говорить и кашлять, Галя провела меня в просторную комнату. Я увидел два огромных окна, выходящих прямо в лес, и не удержался:

— Какая красота!

— Правда? — обрадовалась девушка. — А меня кое-кто из знакомых осудил, дескать, зачем переехала!

— Абсолютно правильно поступили, — воскликнул я. — На Садовом кольце задохнуться можно, да еще в вашей старой квартире, прямо под крышей!

— Сплошное мучение, — поежилась Галя, — как только теплеть начинало, я бессонницей маялась. Эй, постойте, а откуда вы знаете, где я раньше жила?

Я улыбнулся:

— Галя, вы меня с кем-то перепутали. Я вовсе не собирался давать текст для набора, пришел совсем по другому делу.

— По какому? — удивилась Усова. — Вы вообще кто?

Я протянул Гале удостоверение агентства «Ниро».

— Милиция, — прошептала она, — что случилось? Я ничего плохого не делала, вообще уже десять дней дома сижу, даже лекарства в квартиру приносят. Если вы из-за того, что я рукописи печатаю, так только своим, денег не беру.

— Меня совершенно не интересует ваша надомная работа, — быстро сказал я, — речь идет совсем о другом. Скажите, вы дружили с Лолой Кисовой и Машей Лаптевой?

Усова моргнула, раз, другой, зажала рот рукой, попятилась, наткнулась на стул, рухнула на сиденье и вдруг зарыдала, да так горько, что у меня сжалось сердце.

Я принадлежу к той категории мужчин, которые органически не выносят женских слез, поэтому сразу почувствовал себя весьма некомфортно.

— Ангел мой, что случилось? Пожалуйста, не плачьте. Очень прошу простить меня, если вызвал у вас неприятные воспоминания.

Галя подняла на меня лихорадочно блестящие глаза.

— Так Ира не сумасшедшая? Она приходила ко мне. Вообще-то я знала все про нее и Лолу, и Маша, конечно, была в курсе, но мы никому не рассказывали. Но подумала, что Ирка умом тронулась! Вместе с Надей, но та алкоголичкой стала.

Я постарался систематизировать полученную информацию.

— Вас посетила Ирина Кисова, младшая сестра Лолиты?

— Да, — еле слышно произнесла Галя.

— И о чем вы вели разговор?

Галя молча стала теребить рукав блузки.

— Забыла, — наконец вымолвила она.

— Может, попытаетесь припомнить? — попросил я.

Галина отвернулась, я обрадовался, что она сумела справиться с рыданиями, и продолжил:

— Прошу вас, расскажите, по какой причине Ира...

— Мне не о чем говорить, — проскрипела Усова, — я болею, голова кружится, ноги дрожат, наверное, в больницу лягу. Разве можно человека в подобном состоянии допрашивать?

— Что вы, какой допрос! Это всего лишь частная беседа.

— Ничего я не помню, уходите.

— Пожалуйста!

— Убирайтесь прочь! — зло выкрикнула Галя и снова судорожно закашлялась.

Я кивнул:

— Хорошо, вы правы, никто не смеет принуждать к разговору больного человека. Сейчас я уйду, только кое-что сообщу вам. Маша Лаптева, ваша бывшая одноклассница, убита. По версии следствия, ее ограбили, лишили жизни из-за украшений и полного денег кошелька. Римму Победоносцеву, бывшую последнее время проституткой, зарезали. Ира Кисова попала под трамвай, ее одноклассница Надя, младшая сестра Риммы, погибла такой же страшной смертью. Из всех девочек, так или иначе замешанных в той давней детской глупости с колдовством, в живых остались только вы и Лолита. И мне кажется, что убийца уже готовит покушение на вас и старшую Кисову. Кто он? Отец Игоря Попова? Мать Тани Птицыной? Кто решил отомстить бывшим школьникам? Ответа на сей вопрос дать пока не могу. Но вы обладаете очень ценной информацией, которая может пролить свет на происходящее. Может, вы сами не понимаете, что знаете нечто важное, но, подумайте, ваша жизнь в большой опасности.

Секунду Галя сидела, выпрямившись, как балерина, потом, шумно вздохнув, сказала:

— Хорошо! Только никаких бумаг вы оформлять не станете! Я, вообще-то... Ладно, слушайте! Вы что про Лолу Кисову слышали?

— Милая девочка, отличница, любимица школы, дочь обеспеченных родителей, — озвучил я полученную от Матильды характеристику, — впрочем, вроде у нее были не совсем простые отношения с младшей сестрой Ирой.

Галя скривилась:

— Лола на самом деле настоящее чудовище, только мне это слишком поздно стало понятно. Хотя ее отношение к Ирке настораживало. Она ее ненавидела!

— Младшую сестру?

— Да.

— За что?

Усова хмыкнула:

— За появление на свет. Лолка не могла простить родителям рождение второго ребенка. Так и говорила: «Они меня предали, еще дочку завели. Теперь всем делиться надо». Знаете, она ее один раз отравила.

— Кто? — изумился я. — Кого?

— Лолита Иру, — вздохнула Галя. — Давно дело было, мы еще в школе учились.

Я внимательно слушал Усову, удивляясь тому, какие демоны иногда могут жить в душе ребенка.

Один раз после уроков Лолита с невероятным раздражением сказала Гале:

— Не пойду сегодня в кино.

— Чего так? — удивилась та. — Упражнений мало задали, давай на фильм сбегаем, говорят, интересный, про убийство. Или ты боишься смотреть такое кино?

— Поглупей еще чего спроси, — окрысилась Лолита, — нет, конечно. Только мне надо Ирку домой вести. Во, блин, докука!

— У нее же няня есть, — напомнила Галя.

— Эта дура стоеросовая, — взорвалась Лола, — заболела. Вот на меня плаксу и повесили.

— Давай ее вместе проводим и в кино двинем, — предложила Усова.

— Точно, — кивнула повеселевшая Лола. — Мать, правда, велела Ирку одну не оставлять, дескать, та боится, но с какой стати из меня прислугу делать, а?

Галя удивилась, лично у нее младших братьев и сестер не было, но Усовой казалось, что она бы непременно любила малыша, решись ее родители еще на одного ребенка.

Ирочка сидела на банкетке у входа в школу. Увидав Лолу, она вскочила на ноги, схватила огромный туго набитый портфель, мешок со сменной обувью и тихо сказала:

— Кушать хочу.

— Дома пожрешь, — отрезала Лола, — шевели копытами, давай, бегом, мне некогда.

Ирочка поплелась, таща учебники. Галя посмотрела на крохотную, перекосившуюся на один бок фигурку и не утерпела:

— Слышь, Лола, возьми у нее сумку.

— С какой стати? — изумилась старшая Кисова.

— Тяжело малышке.

— Ничего, допрет. И потом, какая она малышка, в школу ходит, — возразила Лола и окликнула сестру: — Эй, ты, опять по арифметике кол получила?

Ирочка, не оглядываясь, кивнула.

— Ну и дура, — резюмировала Лола. — Вечером тебя побьют за лень.

Первоклассница всхлипнула.

— Нет, я пораньше спать лягу, — нашлась она, — мама меня будить не станет.

— Ошибаешься, — злорадно сказала Лола, — запросто растолкает, за волосы вытащит из кровати!

Ира зашмыгала носом, но Лоле произведенного эффекта показалось мало.

— Телик на месяц смотреть запретит, — злорадно перечисляла она репрессивные меры, — мороженое не купят и, думаю, день рождения справлять не станут.

Ира заревела в голос.

— Заткнись, — велела Лола.

Куда там! Малышка буквально зашлась в рыданиях.

— Вот дура, — сердито воскликнула «добрая» сестричка и со всего размаха отвесила крохе подзатыльник.

— Эй, — воскликнула Галя, — ты чего, а?

— Ничего, — пробурчала Лола, — родили на мою голову, не спросили, хочу ли я сестру иметь, наняли больную няню, сами на работу смылись, а мне эту чучундру подсунули, води ее домой.

— Так первый раз провожаешь, — напомнила Галя, — и недолго дело длится будет! Нянька небось скоро поправится.

Лола сердито отвернулась, Ирочка продолжала плакать. Усовой стало жаль испуганного ребенка.

Она подошла к Ире, вытерла ей лицо платком, отобрала портфель и сказала:

— Экая ты, шуток не понимаешь. Никто тебя ругать не станет, а мороженое тебе я прямо сейчас куплю.

Ира прижалась к Гале и благодарно воскликнула:

— Спасибо, ты хорошая!

Усова повернулась к Лолите:

— Пошли...

Она хотела продолжить фразу, но слова застряли в горле. Кисова с невероятной ненавистью смотрела на сестру.

На следующий день Лола предложила:

— После уроков можем в парк сходить.

— Здорово, — обрадовалась Галя, — а Ирочка? Или няня выздоровела?

— Не-а, — протянула Лола, — Ирка дома сидит, понос у нее, к горшку прилипла.

— Надо же, — расстроилась Усова, — надеюсь, это не из-за мороженого, которое я ей вчера купила.

Лолита захихикала:

— Нет, я Ирке в кашу слабительного накапала, полпузырька вылила. Очень классно придумала, нянька на работу не является, и эта дома, при унитазе, мне ее никуда сопровождать не надо.

Галя сначала онемела, но потом с осуждением воскликнула:

— Послушай! Это же отвратительно! Травить младшую сестру!

Лола топнула ногой:

— Молчи! А то подумаю, что ты меня не любишь. Имей в виду, или я, или Ирка! Так родителям и сказала: «Хотите со своей уродкой и дебилкой жить, мешать не стану. Закончу школу и уйду от вас куда глаза глядят!» Ты же, Галка, знай, станешь с Иркой сюсюкать — ко мне не приближайся!

Усова хотела было растолковать Лолите, что хорошее отношение к младшей сестре вовсе не должно повлечь за собой разрыв дружбы со старшей, но не сумела вымолвить и слова. На лице Кисовой была такая неприкрытая злоба, что Галя поежилась, от Лолы шла душная волна черной ненависти. Усова невольно попятилась, ей показалось, что поток отрицательных эмоций сейчас подхватит ее, как смерч, закружит и шмякнет об пол.

Глава 32

Боясь гнева Лолы, Галя постаралась держаться подальше от Ирочки, но наивная малышка считала Усову доброй подружкой и стала подходить к ней на переменах с нехитрыми детскими проблемами. То она просила завязать шнурки, то поправить косички, то помочь ей засунуть в ранец книжки. Галя, не желавшая ссориться с Лолой, каждый раз опасливо косилась по сторонам: не видит ли ее ревнивая подруга. Отогнать маленькую Ирочку казалось невозможным, но становиться опекуншей первоклашки было опасно. Как выкрутиться из идиотского положения, Галя не знала. Но тут ей неожиданно на помощь пришла сама Ира. Подойдя один раз к старшекласснице она сказала:

— Я осторожно.

— Ты о чем толкуешь? — спросила Галя, оглядываясь.

— Ты не бойся, — заговорщицки зашептала Ирочка, — я всегда слежу, чтобы Лолы рядом не было. Она сейчас в библиотеку пошла.

Галя растерянно заморгала, а Иришка убежала. Вот такая у них получилась странная «подпольная» дружба.

Став старше, Ира прекратила подходить к ней с мелкими просьбами. Сталкиваясь с Галей в школе, младшая Кисова сухо кивала и шла по своим делам, но почти каждый вечер Иришка звонила Усовой и рассказывала о себе, Галя была в курсе многих проблем девочек, самой основной из которых являлась обида на родных. Ире казалось, что ни мама, ни папа не любят ее. В отношении к себе старшей сестры Ирина никогда не сомневалась, Лола четко высказала свою позицию. Иначе как «Эй, дура» она к девочке не обращалась.

Шло время, школьницы становились старше. Классе в девятом Галя вдруг сообразила: Лола Кисова, главная «мушкетерка», любимица коллектива, королева и красавица, отличница и защитница невинно обиженных, на самом деле не так уж и хороша. Начать с того, что Лола ненавидела родителей до такой степени, что мечтала об их смерти. Кстати, Маша Лаптева испытывала к своим предкам точь-в-точь такие же чувства, и иногда девочки начинали вести такие разговоры, что Галя, больше всего боявшаяся узнать о болезни своих обожаемых мамы и папы, покрывалась потом. Еще Лола, всегда улыбавшаяся педагогам, за их спиной сообщала «мушкетеркам» жуткие гадости об учительницах. Гале оставалось лишь гадать, откуда Лолита узнает сплетни. Ну кто рассказал ей о том, что химичку бьет муж, что сын немки сидит в тюрьме, а англичанка делает пятый аборт подряд? Причем сведения эти узнавали только Маша Лаптева и Галя, остальным детям Лолита не говорила ни слова, более того, услыхав от кого-нибудь фразу: «Вы только послушайте, что про историчку болтают», Кисова демонстративно морщилась и презрительно заявляла:

— Во-первых, мне неинтересны враки, а во-вторых, только неинтеллигентный, дурно воспитанный человек способен говорить о другом гадости.

Лола была двуличной, но все вокруг считали ее

честной. Правду знали лишь Лаптева и Усова. Но первая сама была такая, ее с Лолитой словно отлили в одной форме, Галя же только удивлялась артистическим способностям Кисовой и ее умению ловко задурить всем голову. У Кисовой, как у Януса, было два лица. Одно — светлое, улыбчивое, для внешнего мира, другое — мрачное, темное, открывалось лишь в очень узкой компании. Наглядным примером был случай с Риммой Победоносцевой. Вроде Лолита сделала добрый поступок, пожалела гонимую девочку, но изнутри ситуация выглядела по-иному.

Лола не села сама за парту с дочерью домработницы, соседкой Риммы по ее приказу стала Маша Лаптева. Вроде Победоносцева была подругой «мушкетерок», но на самом деле Лолита и Маша сделали из глупышки девочку на побегушках. Римма прислуживала одноклассницам, покупала им билеты в кино, занимала места в столовой, притаскивала из гардероба куртки.

Внешне такое поведение выглядело дружеской услугой. Кстати, Римма очень охотно исполняла приказы «мушкетерок». Она наивно полагала, что с ней «водятся», но Галя-то знала, что Кисова и Лаптева считают Победоносцеву идиоткой и используют ее почем зря. Что такое дружба? Это сообщающиеся сосуды эмоций и добрых дел. А в ситуации с Победоносцевой игра шла, так сказать, в одни ворота. Усова оказалась единственной из «мушкетерок», кто старался помочь Римме. Галя стала делать с двоечницей уроки, и та совершенно неожиданно для окружающих начала получать четверки.

Внутри своего сообщества «мушкетерки» были неравны. Со стороны они казались дружной командой, исповедовавшей принцип: одна за всех и все за одну. Но на самом деле все обстояло иначе.

Первую скрипку играла Лола, вторую — Маша

Лаптева, Галя Усова занимала третью позицию, ну а Римму и упоминать не стоило.

Отчего Галя Усова дружила с Лолитой и Машей, если одноклассницы с каждым годом казались ей все гаже? Ну, до определенного возраста особенности Кисовой и Лаптевой не проявлялись столь ярко, махровым цветом они расцвели только в старших классах. Галя давно«водилась с Лолой и Машей, ей было очень трудно разорвать устоявшиеся отношения. И еще... «Мушкетерки» были элитой детского коллектива, яркими звездами. Если Галя покинет компанию, она превратится в парию. Понимая это, Усова старалась поддерживать дружбу. Но себе она четко пообещала: после выпускных экзаменов никаких отношений с приятельницами, разве что с наивной Риммой.

Однако сообщество «мушкетерок» развалилось до того, как девочки получили аттестаты. После истории с колдовством всех участниц дурацкой затеи родители забрали из школы. Лолу отправили в экстернат, Лаптеву в престижную гимназию, а Усова и Победоносцева оказались вместе, снова попали в один класс, но в другой школе.

Первое время Лола звонила Гале, но потом общение сошло на нет, чему Усова была только рада. Кое-какие новости о Кисовой Галя узнавала от Иры, которая продолжала регулярно созваниваться со старшей подругой, но затем и Ирочка куда-то пропала. Крепкой дружбы с Победоносцевой не получилось. Римма после уроков испуганной кошкой бежала домой и не высовывала носа из квартиры. Чего боялась однокашница, Галя не понимала. Кстати, это ее отец, а не Лолитин помог Римме поступить в институт. Но долго Победоносцева не проучилась, ее отчислили за непосещение занятий. Затем случилось много всяких плохих и хороших событий, в результате которых Усова переехала в новую квартиру.

Она была счастлива. Прежняя жизнь осталась в районе Садового кольца, бывшие подруги напрочь забыли о Гале, и она успокоилась. Слава богу, никто больше не обсуждал дурацкую историю с загадочной тряпкой, вшитой в джинсы несчастной Тани Птицыной. В конце концов, в жизни любого человека можно найти эпизоды, о которых неприятно и стыдно вспоминать. Прошлое похоронено под тяжелой плитой, придавлено бетоном, ему оттуда не выбраться.

Но, увы, Усова и не предполагала, до какой степени она ошибается. Некоторое время назад в ее квартире раздался звонок. Галя, не посмотрев в глазок, распахнула дверь. На пороге стояла незнакомая девушка.

— Вы ко мне? — поинтересовалась Галя.

— Не узнаешь? — прошептала незваная гостья. — Я Ира.

— Иришка! — ахнула Усова. — Какая ты красивая стала, входи скорей! Что-то случилось? Почему ты такая бледная?

Ирина молча прошла на кухню, села на диванчик и мрачно выпалила:

— Знаешь новости?

— Какие?

— Мама и папа у меня умерли.

— Господи, — перекрестилась Галя, — земля им пухом, хорошие были люди.

— Не вчера это случилось, — лихорадочно блестя глазами, сообщила Ирина, — только я все думала, думала, мучилась, переживала, стала размышлять. Странно получалось: сначала умерла собака, потом мама, следом папа... Ну-ка, скажи, ты ту тряпку видела?

— Какую? — прошептала Галя, ощущая внезапную тошноту.

— На смерть заговоренную.

— Нет. Мы с Машей Лаптевой в зале за Птицыной следили, — быстро сказала Галя.

— Лолита одна портняжничала?

— Да, — кивнула Усова.

— Так я и знала, — воскликнула Ирина, — кстати, о Лаптевой. Про нее ты что слышала?

— Ничего, причем уже давно.

— Ясненько. У Маши тоже родители скончались.

— Бедняжка.

— Вовсе нет, она счастлива. Живет шикарно, деньги лопатой гребет, фотомодель наша Маша, вся в шоколаде. Почему же ее родители так рано умерли? Вот в чем вопрос, — усмехнулась Ира, — но я теперь знаю почти все, не хватает только кое-каких деталей. Ладно, ты меня внимательно выслушай и ничему не удивляйся. А главное — все, что я говорю, полнейшая правда, хоть она на первый взгляд и кажется круче фантастического романа. Ну-ка ответь, помнишь, кем отец Риммы и Нади работал?

Галя напряглась.

— Ну... он же вроде псих.

— Не совсем, — прищурилась Ира, — вернее, в обычной жизни да, полный идиот, про таких принято говорить: не от мира сего. Но в своей профессии он гений, великий, никем не признанный изобретатель. Его никто не любил, включая жену и родных детей. Знаешь, какая у мужика фенька была? Мне Надька все рассказала. Он обожал всем рассказывать, какую штуку мастерит, очень хитрую: улучшитель человечества!

Я вытащил пачку сигарет и совершил несвойственную мне бестактность: закурил, не спрося на то разрешения у присутствующей дамы. Улучшитель человечества! Знаете, меня совсем не удивило услышанное.

Те, кто хорошо знаком со мной, в курсе того, что в кармане у меня имеется диплом Литературного института. Так вот, один из моих бывших одногруппников, Борис Агапов, устроился на работу в журнал, посвященный изобретательству. До того момента я и не предполагал, до какой степени талантлив народ России.

Борька частенько рассказывал о совершенно невероятных штуках, которые приносили и привозили в редакцию люди со всех концов тогдашнего бескрайнего СССР. Электрическая чесалка для спины, кровать, которая сбрасывает на пол спящего после звонка будильника, унитаз, автоматически сливающий воду, робот — чистильщик ботинок. Много лет тому назад наши люди придумали посудомоечную машину, пульт для переключения программ у телевизора и кучу других разностей. Отчего этими удивительными наработками не воспользовалась промышленность, почему их не запустили в серию, другой разговор. Скажу лишь, что западные фирмы были намного дальновидней и оперативней советских руководителей легкой промышленности.

Журнал, в котором помещались описания удивительных изобретений, тщательно изучался специалистами крупных заграничных предприятий. А потом кое-кто из «левшей» узнавал, что его устройство производится в огромном количестве и пользуется большим спросом за рубежом. Доказать свое авторство было трудно, большинство одаренных людей не думало ни о каких правах, просто привозило в Москву какую-нибудь скатерть-самобранку и с радостью демонстрировало ее сотрудникам журнала. Да и не думали советские граждане о деньгах, изобретали всякие штуки из любви к процессу, раздавали облегчающие быт приспособления знакомым, соседям, родственникам, очень часто даже и не подозревая, что, как тогда говорили, «за бугром» выдуманный ими в порыве вдохновения агрегат мог бы сделать их обеспеченными на всю оставшуюся жизнь.

Изобретатели были разные. Одни, сделав, допустим, автоматическую стиральную машину, даже не пытались запустить ее в производство. Показывали замечательно работающий опытный образец в журнале, выслушивали комплименты от сотрудников и уезжали к себе домой. Потом в сарае, «на коленке», начинали собирать «прачки» всем желающим, не беря за работу ни копейки. Но была и другая категория «кулибиных», по счастью, самая малочисленная, — абсолютно сумасшедшие люди, желавшие осчастливить все человечество разом.

В редакции их знали в лицо и пытались спрятаться, когда на пороге появлялся агрессивный товарищ N из Воронежа, придумавший новый источник энергии: двигатель, работающий на канализационных отходах. У дядьки при себе имелась канистра с «шуагл», и он, несмотря на протестующие вопли несчастных журналистов, начинал демонстрацию «машины». Каждый раз дело заканчивалось провалом, и N отбывал на родину, чтобы через полгода появиться опять и показать улучшенный вариант замечательного изобретения.

С упорством, достойным лучшего применения, редакцию атаковал москвич K, собравший шумопоглотитель. K предлагал установить свой агрегат вдоль магистралей, чтобы превратить, как он говорил, Москву в тихое место с прозрачными озерами. Никакие доводы на K не действовали. Сначала с ним пытались говорить как с нормальным человеком, объясняли, что размеры его «шумопоглотителя» будут огромны, а грохот, который станет издавать сам механизм, лишит сна жителей половины города. Но К упорно, снова и снова являлся в редакцию...

К сожалению, Петр Победоносцев, отец Нади и Риммы, был из разряда последних, полусумасшедших людей. Он, правда, по редакциям не ходил, мучил домашних.

Каждый вечер Петя, дождавшись, пока жена и дочери придут домой, выскакивал из комнатки, оборудованной под мастерскую, и принимался излагать суть своей работы. Он демонстрировал женщинам какие-то металлические полоски, кусочки железа, один раз высыпал перед ними горсть странных кругляшей, похожих на пуговицы.

— Что это, папа? — спросила Римма.

Петр разразился тирадой, из которой сестры Победоносцевы поняли лишь одно: отец изобрел нечто, испускающее излучение. Любой человек, на которого оно направлено, станет со временем гением, в нем проснутся удивительные способности, вернется молодость, в общем, это настоящий улучшитель человечества! Одна беда, мощность замечательного устройства пока очень мала, действует оно лишь в непосредственной близости от объекта «улучшения», а Петр хочет осчастливить весь мир сразу. Для этого ему нужно собрать особую пушку, но на нее нет средств и необходимых деталей.

Вера, жена Пети, давно привыкшая к заморочкам супруга, не обратила на его слова никакого внимания, а Римма наивно спросила:

— И зубы вырастут?

— Да, — ответил отец, — непременно.

— Ты бы «улучшитель» бабе Кате подсунул, — посоветовала добрая девочка, — а то ей жевать нечем, все плачет, что протезы сделать не может.

Петя моргнул, а потом протянул:

— Можно попробовать...

Через полгода баба Катя умерла. Смерть древней старухи никого не взволновала, ее родственники даже обрадовались: у них в комнате стало чуть просторней. Римма давным-давно забыла о том, что предложила отцу помочь бабке. Кончина соседки не удивила девочку, с другой стороны, чего ей было изумляться? Бабка доскрипела почти до ста лет, всем бы так.

Но затем скоропостижно скончался сосед из угловой комнаты, тридцатипятилетний Костя, он, правда, был алкоголиком. За ним ушла на тот свет жена, у той от переживаний случился инсульт... Мор начал косить обитателей квартиры. Никаких криминальных смертей, все погибали от болезней, причем быстро. Затем эпидемия остановилась, а у Риммы случился приступ аппендицита.

Девочке сделали операцию, привезли домой и велели много не бегать и в школу пока не ходить. В один из вечеров Победоносцеву пришла навестить Лола Кисова. Римма чуть не умерла от счастья, увидев на пороге главную «мушкетерку». И не знала, куда ее посадить.

— У нас тесно, — бубнила Римма, — извини. И нет красивой мебели, прости. А к чаю только сушки!

Лола засмеялась:

— Я торт принесла, знаю, ты такой обожаешь, с розочками красными.

Римма чуть не заплакала от счастья. Вот какая у нее подруга! Помнит, что Римма без ума именно от такого крема, красного цвета, желтый и зеленый ей не по вкусу!

Вера, Надя, Римма и Лола сели пить чай, и тут, как назло, появился Петр и завел обычный рассказ об «улучшителе». Римма чуть не сгорела от стыда. Ну что подумает Лола? Но Кисова повела себя безупречно. Она очень внимательно выслушала сумасшедшего изобретателя и даже стала задавать ему всякие вопросы. Петр, обрадованный ее вниманием, пустился в длительные объяснения. Римма вспотела от напряжения, повторяя про себя: «Заткнись, пожалуйста, заткнись».

Но из папы словно затычку вытащили, он нес несусветную чушь, размахивал руками, твердил про волшебное излучение... Наконец Кисова засобиралась домой. Римма проводила ее до двери и зашептала:

— Ну прости, он совсем того!..

Лола мягко улыбнулась:

— Твой папа очень талантливый человек, им можно гордиться. А то, что он со странностями, естественно, большинство гениев такие, они живут в своем мире.

Римма тихо заплакала. После этих слов Лола стала для Победоносцевой лучше всех людей на свете, девочка могла теперь отдать за подругу жизнь.

Глава 33

Поэтому Римма сразу согласилась выполнить просьбу Лолы, когда та сказала:

— Возьми у папы один из «улучшителей», ну такой, похожий на полоску.

— Зачем? — удивилась Римма.

Лола печально улыбнулась:

— Знаешь ведь, что я Игоря люблю?

— Ага, — кивнула глупышка.

— А ему Птицына нравится.

— Точно.

— Вот я и волнуюсь.

— О чем? — продолжала недоумевать Римма.

— Таня, к сожалению, плохо учится, да и не слишком она красивая, — вздохнула Лола, — а у Игоря все должно быть лучшим. Я его люблю, значит, долж-

на проявлять заботу. Вошью Тане в джинсы «улучшитель», тайком, пусть она похорошеет.

— Думаешь, он работает? — распахнула глаза
Римма.

— Попробовать-то можно, — пожала плечами
Лола, — только смотри, никому ни слова.

— Как же ты его ей впендюришь? — резонно поинтересовалась одноклассница. — Вы не дружите
совсем.

— Я придумала здоровский план, — прищурилась
Лола, — но понадобится твоя помощь. Ты мне главная подруга, на кого еще положиться могу?

Ясное дело, что, услышав это заявление, Римма
опрометью бросилась домой, не чуя под собой ног
от счастья. Ее выделили из всех «мушкетерок», остальным наврут про поездку к колдунье и про наго-
воренную тряпку, правду будут знать только Лола и
Римма, они самые лучшие, настоящие подруги.

После смерти Тани Римма, перепугавшись до
одури, кинулась к Кисовой.

— Что ты нервничаешь? — удивилась Лола.

— Вдруг ее «улучшитель» убил? — тряслась Победоносцева.

— Не волнуйся, он тут ни при чем.

— Ой, — плакала Римма, — ой, ой...

Кисова шумно вздохнула:

— Не вшивала я ничего, успокойся!

— Да? — обрадовалась одноклассница.

Лола кивнула:

— Не сумела, джинсы очень твердыми оказались,
а вам правду сказать я постеснялась, еще смеяться
начнете, мол, косорукая, со штанами не справилась!

Римма облегченно вздохнула.

— Ты никому-никому ничего не рассказывай, —
предостерегла ее Лола, — а то народ глупый, молчи
лучше.

— Хорошо, — согласилась Римма.

Она на самом деле молчала, даже тогда, когда в школе разразился скандал. Глупенькая Римма была настолько удручена и испугана происходящим, что сообразила: лучше не раскрывать рта, даже не заикаться никому ни о каких «улучшителях» и о том, что вся ситуация с поездкой к колдунье выдумана школьницами от начала и до конца.

Когда разворачивались основные события, Ира была еще младшей школьницей. А Лола ненавидела Иру, ей бы и в голову не пришло поделиться с младшей сестричкой своими переживаниями. Так что Ирина жила себе спокойно. Потом умерли их родители. Лола всячески демонстрировала неприятие Иры, не давала ей денег, не общалась с ней, ворочала папиным бизнесом, ездила на джипе и не испытывала никаких материальных трудностей. Ирочке оставалось лишь плакать по ночам в подушку да ждать дня, когда она получит оставленные отцом средства. К чести младшей Кисовой, следует добавить, что она ничего от сестры не требовала, только один раз, сорвавшись, крикнула в лицо своему опекуну:

— Вот достигну возраста, указанного в завещании, мигом весь свой капитал заберу. Мне наплевать, что Лолин бизнес пострадает! Ясно?!

Но это была единственная вспышка ярости. Жизнь Иры текла размеренно, никаких особых катаклизмов не было. Она училась, работала и ждала наследства. И чем дольше она мечтала о деньгах, тем больше ей их хотелось.

Неизвестно, как бы сложилась дальнейшая ее судьба, но однажды в контору «Светлые окна» пришла Надя Победоносцева. Все рассказанное выше про Римму и Лолу Ира узнала от нее. Сначала, увидев бывшую одноклассницу, Ирочка страшно обрадовалась и выбила для нее суперскидку. Удачную сделку обмыли в кафе, Надя не поскупилась, заказала все самое дорогое.

— Похоже, у вас с Риммой проблем нет, — вздохнула Ира, пробуя неизвестный коктейль.

Надя улыбнулась:

— Ну как можно жить без забот!

— Квартиру новую купили, — с завистью воскликнула Ира, — теперь ремонтируете!

Надя налила себе коньяка.

— Ну да, приобрели, правда, не вчера, деньги взяли в долг. Отдаем частями, живем трудно, но потихоньку обустраиваемся.

— А я, — окончательно расстроилась Ира, — с хлеба на квас перебиваюсь.

— Будет и на твоей улице праздник, — утешила ее бывшая одноклассница и снова приложилась к бутылке.

— Когда только? — тоскливо протянула Ира. — С голоду подохнуть успею!

— Ничего, — подбодрила Победоносцеву Надя и вновь опрокинула фужер.

Короче говоря, через час Надя прилично набралась. Тяжело вздыхая, Ира повезла однокашницу к себе. Денег, потраченных на такси, было безумно жаль, но ведь не оставлять же Надю одну.

Дома та пришла чуть-чуть в себя и воскликнула:

— У тебя водка есть?

— Нет, — покачала головой Ира, — я не пью.

— А чего там в шкафчике стоит? — не успокаивалась Надя.

— Остатки ликера, — вообщила Ира, — с Нового года.

— Давай.

— Наверное, тебе уже хватит, — попыталась вразумить распоясавшуюся гостью хозяйка.

Но Надя расхохоталась, встала, сама взяла пузатую бутылку, быстро опустошила ее и воскликнула:

— Жаль, водки нет!

— Ты алкоголичка! — не вытерпела Ира. — Ужасно! Послушай, лечись, пока не поздно.

— Ерунда, — отмахнулась та.

— Вовсе нет.

— Глупости, — еле-еле ворочая языком, сказала Надя, — просто я так стресс снимаю, жизнь тяжелая, беда сплошная.

— Не пори чушь, — резко возразила Ира, — что за горе у тебя?

Надя икнула, закрыла лицо руками и, покачиваясь из стороны в сторону, заныла:

— Страшно мне, страшно ужасно...

— Прекрати, — попыталась остановить ее Ира.

— Нет, слушай.

— Давай я тебя спать уложу.

— Молчать! — заорала Надя.

Ира попятилась, у нее не было опыта общения с алкоголиками, поэтому пьяная истерика бывшей одноклассницы ее пугала.

— Прости, прости, прости, — вдруг залепетала Надя, — выслушай меня, умоляю, сил нет, накопилось столько, что льется через край! Знаешь, откуда у нас новая квартира?

— Купили, — растерянно ответила Ира.

— А на какие шиши?

— Сама же говорила, в долг взяли, теперь выплачиваете.

— Нет, не так!

— А как?

Надя обхватила себя за плечи и, трясясь в ознобе, принялась говорить. Выглядела она как зомби, лицо застывшее, бледное, остановившийся взгляд.

Ира слушала рассказ пьяной знакомой и не понимала, как на него реагировать.

А Надя говорила и говорила, припоминая детство. Все сведения, которые Ира вывалила перед Галей, были получены ею от Надюши. Та рассказала и о своем детстве, и об отце с матерью, и о коммуналке, и о многом-многом другом.

Оказывается, Лола в свое время обманула Римму. Она таки вшила «улучшитель» в джинсы Птицыной. Впрочем, было непонятно, Птицына скончалась сама по себе или в результате таинственного изучения.

Спустя некоторое время после смерти Тани и самоубийства Игоря, уже после окончания школы, Лола явилась в гости к Римме. Когда Кисова позвонила в дверь к Победоносцевым, Римма открыла дверь и бросилась к ней на шею с воплем:

— Какая ты красивая!

Лолита усмехнулась, бывшая одноклассница осталась такой же наивной глупышкой, как и раньше. Подруги прошли в комнату, и тут Кисова сделала огромную ошибку. Она то ли забыла, что у Риммы есть младшая сестра, то ли решила, что Нади нет дома, и завела откровенный разговор.

— Я слышала, твоя мама скончалась?

— Да, верно, — кивнула Римма, — мы с папой остались. Болеет он, в клинике сейчас. Я вот институт бросила, на жизнь зарабатывать надо.

— Вроде ваши соседи в основном покойники? Они давно умирать начали, когда мы еще в школу ходили!

— Ага, — подтвердила Победоносцева, — одни Алеутовы остались.

— Значит, они из а-группы, — протянула Лола, — впрочем, нам с тобой тоже повезло, и Машке Лаптевой.

— Ты о чем? — разинула рот Римма.

Лола ухмыльнулась:

— Твой отец гений.

— Ты так считаешь? — скривилась Римма. — А по моему мнению, идиот страшный!

И тут Лола обрушила на голову Победоносцевой ведро информации. Надя, лежавшая на диване в соседней комнатушке, затаилась и стала свидетельницей немыслимого разговора. Лола, считая, что ее никто не слышит, говорила громко.

Тогда, давным-давно, Лола засунула-таки в джинсы Тани «улучшитель», надеясь на успех затеи. Кисова, умная девочка, талантливый математик, жила в квартире, набитой книгами. Библиотеку начал собирать дедушка-академик, а продолжали родители. Лола много читала, после выпускных экзаменов она собиралась в Физтех. Школьница умела делать логические выводы. А Римма Победоносцева рассказывала о том, что у них умирают соседи. Вот в голову Лолиты и пришло очень простое соображение: ну с какой стати люди из квартиры, где жила Победоносцева, вдруг кучно отъехали на тот свет? Инфекция? Она должна была неизбежно затронуть всех обитателей коммуналки. Но кое-кто ведь не пострадал. Например, Надя и Римма. Продолжая размышлять в этом направлении, Лола стала рыться в домашней библиотеке. Ее заинтересовала проблема: можно ли на самом деле убить человека какими-то лучами, или это из разряда бреда? На одной из самых верхних полок девочке попалась на глаза невзрачная брошюрка, дешевое репринтное издание 50-х годов. Лола открыла его и, будучи ребенком «остепененных» научных сотрудников, сразу поняла, что перед нею автореферат, то есть буклет, в котором излагаются основные положения работы ученого, желающего стать кандидатом или доктором наук. Членам Ученого совета, очевидно, лень читать диссертацию целиком, вот поэтому и придумали авторефераты.

Лола принялась перелистывать пожелтевшие странички и поняла, что случайно наткнулась на нужную информацию. Оказывается, в тридцатые годы на несчастных людях, которые попадали в сталинские концентрационные лагеря, ставили медицинские опыты. Так вот, некий физик утверждал, что создал прибор, способный испускать лучи. Вначале автор был уверен, что человеческий организм, обработанный такими лучами, станет здоровее, и люди смогут прожить очень много лет. Но в процессе исследований выяснилась ужасная вещь. Да, часть заключенных и впрямь просто молодела на глазах. На изможденных лицах появлялся румянец, глаза начинали задорно блестеть, нормализовалось давление и даже исчезали болезни. Но другие, подвергнутые эксперименту, попросту умирали. Несчастные сначала становились раздражительными, даже агрессивными, потом переставали есть и погибали от самых разных напастей: инсультов, инфарктов. Во второй группе часты были также суицидальные попытки.

Ученый попытался выяснить, от каких факторов зависит устойчивость к лучам, но потерпел сокрушительную неудачу. Получалось, что ни правильное питание, ни здоровый образ жизни, ни крепкий сон вам не помогут. Более того, если облучению подвергались близкие родственники, допустим, два брата, то один мог быстро умереть, а второй расцветал на глазах. В конце концов физик сдался и сделал вывод: на свете существует две группы людей, «а» и «в». Входящим в первую — лучи полезны, остальные быстро погибают. Применять лучи для оздоровления всего человечества очень опасно, потому что заранее никак невозможно выяснить, к какой категории относится конкретная личность.

Лола не знала, получил ли жестокий физик статус кандидата наук и как он жил потом, имея кладбище из своих пациентов. Девочка, страстно желавшая любви Игоря, решила извести соперницу. У нее из головы не шел разговор с Победоносцевым и его страстный рассказ про «улучшитель». Следовало попытаться воспользоваться им.

Лола пришла к Победоносцевым, хорошо зная, что дома никого, кроме оголтелого изобретателя, не будет. Петр не удивился нежданной гостье, а когда та стала расспрашивать его про «улучшитель», тут же приволок несколько работающих образцов и принялся вздыхать:

— Замечательная вещь, вон у меня даже седина исчезла. Только одна беда, аппараты маленькие получаются, действуют только в том случае, если находятся в непосредственной близости от человека.

— А вы их уже опробовали? — поинтересовалась Лола.

Петр прищурился:

— Это секрет!

— Ой, расскажите, так интересно, — захлопала глазами Лола.

Победоносцев понизил голос:

— Хотел соседей осчастливить, да люди, увы, все больны. Поумирали внезапно, так и не дождались пробуждения таланта. Я положил одной в халат, а она возьми и с инсультом свались, надеюсь, другим он поможет.

Лола слушала полусумасшедшего мужика, кивала, ахала и ухитрилась украсть «улучшитель». Девочке настолько хотелось отомстить Птицыной, что она не подумала об опасности для собственного здоровья. Но для Лолиты все обошлось благополучно, она, очевидно, принадлежала к а-группе. Крохотный кусочек, похожий на круглую конфетку, Лола пристроила в джинсы Птицыной.

Ну дальнейшее вам известно.

— Ты чё говоришь-то? — только и сумела протянуть Римма, услышав рассказ.

А Надя, лежавшая за стенкой, окаменела от ужаса.

— Это еще не все, — усмехнулась Лола, — только присказка, сказка будет впереди. Я к твоему папе еще раз приходила и снова «улучшитель» унесла.

— Зачем? — прошептала Римма.

— В одеяло к матери вшила, — последовал спокойный ответ. — Сначала Микки окочурился, пудель придурочный, а уж потом и те, кто называл себя моими родителями. Так им и надо! Незачем было на свете жить. Нам с Машкой Лаптевой не повезло, не любили дочек мамы, а папы не замечали. У моих Ирка за главную считалась, а Машку гнобили почем зря, запретили моделью работать, притесняли. Туда им и дорога!

— Лаптевых... вы... да... — забормотала Римма.

— Мы с Машей друг друга в беде не оставляем, — ухмыльнулась Лола, — ясно? Я всегда о близких мне людях забочусь. Вот ты, например, хочешь жить в отдельной квартире?

— Да, — радостно воскликнула Римма.

— Что ж, это можно устроить, — протянула Лола.

— Как? — спросила Победоносцева.

— Понимаешь, — вкрадчиво завела Кисова, — «улучшитель», ну тот, что в одеяле был, работать перестал. Мне нужен новый. А папа твой в дурке сидит, к нему только близких родственников пустят. Давай стырим парочку «улучшителей».

— Зачем? — задала дурацкий вопрос Римма.

— Надо. Очень. Получишь за это деньги на квартиру в долг.

— Хорошо, — растерянно протянула Римма. — Ой, нет!

— Тебе квартира не нужна? Хочешь всю жизнь в коммуналке маяться?

— Очень даже мечтаю отсюда съехать.

— Тогда в чем дело?

— Долг возвращать надо, — начала было говорить Римма, но тут до ее глупого, малоповоротливого мозга дошла наконец суть дела.

— Мамочка, — заголосила Римма, — ой! Чё творится! Вы людей с Машкой поубивали! И Таньку тоже! Господи! Ой! Как же так! Ты с ума сошла!

— Успокойся, дура, — устало рявкнула Лола, — пошутила я с тобой. Глупо, конечно, вышло.

— Пошутила?

— Да, помнишь, как мы тебя в детстве разыгрывали? Постоянно подкалывали, а ты покупалась, в валенках и шубе летом во дворе стояла.

Римма счастливо засмеялась:

— Точно! Вовсю веселились, ловко вы меня. Ну у тебя и шуточки. Слышь, Лолка, я прямо чуть не умерла сейчас от ужаса.

Лола закашлялась, потом воскликнула:

— Ладно, не сердись, я детство вспомнила.

— Да мне и в голову не придет обижаться, — заверила ее Римма.

Лолита засмеялась:

— Хорошее было время, помнишь, как мы тебе отметку в журнале переправили?

— Ага, — захихикала Римма.

— А как я тебе свои платья для дискотеки давала?

— Точно.

— И контрольные за тебя решала.

— Верно, кабы не ты, не сдать мне экзаменов вовек.

— А кто хаму Бирюкову бойкот объявил, когда тот тебя «чмо» обозвал?

— Ты.

— Кто к Матильде ходил и просил для Риммочки разрешение сочинение переписать?

— Ты, ты! — с благоговением восклицала Победоносцева. — Ты моя самая верная подруга, да, если надо, я всю свою кровь тебе отдам, по капле, только попроси!

— Кровь не надо, — протянула Лола, — кстати, где ты работаешь?

— Ну... так, — стушевалась Римма, — по мелочи, здесь помыть, там почистить.

— Вот ужас!

— Да не, нормально!

— Знаешь, Римуся, — сказала Лола, — я, конечно, свинья. Бросила тебя одну и теперь должна исправить свою вину. Боже, ты так ужасно живешь! В коммуналке, служишь уборщицей! И в этом я виновата!

— Ну что ты, Лолочка, — забубнила Римма, — так фишка легла. Конечно, на общей кухне не сахар, но теперь, когда из соседей остались одни Алеутовы, и ничего вроде. Тетя Валя добрая.

— Значит, так, — решительно заявила Лола, — все, начинаем действовать. У меня самой, к сожалению, больших денег нет, все в деле. Но я имею приятеля, который даст в долг, без процентов, купишь себе квартиру.

— Это ж отдавать надо, — испугалась Римма.

— Не волнуйся, рассчитаешься потихоньку, никто торопить тебя не станет.

— Мне едва на хлеб хватает, — призналась Победоносцева, — сама понимаешь, много поломойке не платят.

— Забудь про швабру, — перебила бывшую одноклассницу Лолита, — тебе никто не говорил о красоте?

— Чьей?

— Да твоей, дура! С подобной внешностью можно миллионы иметь, ты готовая манекенщица, супермодель. Знаешь, сколько Машка Лаптева получает?

— Не-а.

— И не надо, тебе все равно больше дадут.

— Где?

— В агентстве.

— Где? — переспросила глупышка.

Лолита терпеливо растолковала Римме суть дела. У Лолы много знакомых в фэшн-бизнесе, в частности в агентстве «Стиль жизни». Римму там встретят как родную, начнется новая жизнь: Париж, Лондон, Нью-Йорк... Миллионные доходы...

Римма только ахала и восклицала:

— Ой, ну спасибо! Ой, Лола!

— Прямо завтра начнем, — обнадежила ее Кисова. — Ладно, пока, жди звонка. Утром отправимся в агентство. Кстати, там Машка Лаптева работает, она тебя под крыло возьмет.

— Лолочка, — зашептала Римма, — да я тебе, я...

— Кстати, — небрежным тоном сказала Кисова, — ты отца навещаешь?

— Ну, бывает, редко, правда.

— В больницу в любое время прийти можно?

— Ага.

— Знаешь, Римма, — с укоризной воскликнула Лола, — нехорошо получается, отец-то брошенный, может, ему чего надо?

— Так денег нет. И потом, он о семье никогда не заботился.

— Не по-христиански это, — завздыхала Лолита, — не по-божески. Вот что, давай-ка завтра к нему съездим, фруктов принесем, конфет. Я сама куплю, не хочу, чтобы ты после смерти папы совестью мучилась. Мне же с тобой можно?

— Конечно, — кивнула Римма, — там такое условие, к больному пускают только близких родственников, всяких двоюродных, троюродных, друзей-товарищей ни за что не пустят, строго очень, паспорт проверяют, по компьютеру смотрят, внесена ли моя фамилия в папины анкетные данные. А уж кого я с собой беру, никого не волнует, но больше одного человека за раз мне не провести.

— И не надо, — вкрадчиво ответила Лола, — нас всего-то двое и есть. Значит, завтра. Ну, пока!

Хлопнула дверь, Римма побежала за подружкой, скорей всего, она захотела проводить Лолиту до выхода из подъезда. Надя лежала, по-прежнему боясь пошевелиться, потом она все же встала и пошла в комнату, куда уже успела вернуться Римма.

— Что это за история с тряпкой? — спросила она у сестры.

— Ерунда, — хихикнула Римма, — ну Лола, вот выдумщица! Вечно она меня разыгрывает.

— Расскажи, — потребовала Надя.

Старшая сестра старательно пересказала младшей давнюю историю. Надя только вздыхала, в то, что «улучшитель» работает, верилось с трудом. Спать Надя пошла с головной болью, а утром на столе в большой комнате она нашла записку: «Уехала к отцу. Римма».

А дальше начались настоящие чудеса. Во-первых, словно по мановению волшебной палочки, появилась новая, отдельная жилплощадь. Квартира, правда, была оформлена на Лаптеву. Римме объяснили суть дела так: человек, который дал деньги в долг, с Победоносцевой не знаком, а вот Лаптеву отлично знает. Ему сказали, что квартира предназначена Маше, поэтому, естественно, оформить ее сейчас на Римму невозможно. Но как только Победоносцева расплатится, апартаменты моментально перепишут на нее. Она может уже сейчас переезжать, делать ремонт, обустраиваться.

Победоносцева сначала пришла в полнейший восторг, потом погрустнела и сказала Лоле:

— Огромное спасибо, но денег у меня нет, чем отдавать?

— Не волнуйся, — улыбнулась Лолита, — устрою тебя в агентство чуть позднее. А сейчас есть очень интересное предложение от дядечки-бизнесмена.

Он хочет депутатом стать, пиар-кампанию затеял. Слушай расклад дела. У его покойной жены имелись две дочки от первого брака. Когда супруга умерла, вдовец живо выгнал девчонок вон, не захотел их кормить.

Сестры уехали прочь, сейчас они очень далеко, в Америке, нанялись в заштатный городок к богатым русским эмигрантам прислугой. Все кругом, включая отчима, давным-давно забыли про сироток, но тут черт дернул бизнесмена пойти в политику. Вот один из журналистов и задал ему вопрос:

— Поговаривают, вы поругались с детьми жены?

Будущий депутат сразу просек, в чем дело, и тут же сориентировался:

— Какая глупость! Да, они живут отдельно, потому что в их возрасте всем хочется самостоятельности, но у нас прекрасные отношения.

— И они придут на ваш день рождения?

— Конечно, — заверил кандидат в депутаты.

На следующее утро он велел разыскать двух девушек, подходящих по внешности и возрасту на роль его дочерей! Неизвестно, каким образом Лолита узнала о готовящемся спектакле, но она предложила поучаствовать в нем Римме.

— Ой, нет! — испугалась та. — Я боюсь!

— Чего?

— Вдруг настоящие дети объявятся.

— Никогда, они очень далеко, за океаном.

— А если журналисты с вопросами пристанут?

— Ответишь просто: извините, мне папа не разрешает общаться с прессой, все претензии к нему.

— Но...

— Сто долларов в день.

— Что?

— Заплатят по стольнику тебе и младшей сестре.

Римма охнула:

— Здорово!

— Значит, ты согласна? Да не тушуйся, ты же в

школе лучшей актрисой в кружке была, неужто с
такой ерундовой ролью не справишься?

— Мне это по плечу, — согласилась Римма, — а
вот Надьке нет, она растеряется на людях.

— Вас с ней сфотографируют в компании с «па-
пенькой», а по тусовкам сама походишь, ежели
будет кто интересоваться сестрой, спокойно отве-
чай: она еще не выросла для того, чтобы вечером по
ресторанам ходить, нас папа строго воспитывает.

Римма согласилась, и они с Надей заработали хорошую сумму. Ну а потом события понеслись словно снежный ком с горы. На одной из вечеринок
Римма познакомилась с неким Луисом и влюбилась
в него без памяти. Какое-то время Победоносцева и
впрямь пыталась работать моделью, потом Луис стал
снимать ее на порнофотографии. Кстати, оказалось,
что Маша Лаптева великолепно знает Луиса... В общем, через некоторое время Надя просто перестала
понимать, чем зарабатывает на жизнь сестра. Младшая Победоносцева жила в страхе, она так и не
знала, правду ли рассказала тогда Лола Римме? Они
с Машей на самом деле убили своих родителей?
Если да, то от бывших одноклассниц Риммы надо
убегать. Но, наверное, Лолита глупо пошутила.
А вдруг нет? С какой стати Кисова регулярно ездит в
клинику вместе с Риммой? Зачем ей навещать Петра
Победоносцева? Из христианских чувств? Или Лола
крадет у придурковатого изобретателя «улучшители»? Кому их теперь подкладывают? Чем вообще занимаются Лола, Маша и этот Луис, в которого до
потери пульса влюблена ее сестра?

Нужно бежать из Москвы, увезти Римму тайком
от «подружек». Но денег-то нет, на заработанные
рубли старшая сестра начала ремонт.

Надя промучилась некоторое время, а потом приняла решение: вот накопят они с Риммой некоторую
сумму и улетучатся, надо немного подождать. Чтобы

успокоить разбушевавшиеся нервы. Надя стала прикладываться к бутылке. Нет, она не алкоголичка, может бросить выпивать в любой момент, просто жизнь у нее страшная, сна по ночам нет...

Дальше Надя стала что-то бессвязно бормотать, потом уронила голову на руки и захрапела. Ира в ужасе смотрела на пьянчужку. В отличие от Нади она сразу поверила в разрушительную силу «улучшителя» и сейчас с огромным трудом пыталась собрать мысли, а те расползались, как тараканы, увидевшие яркий свет.

Вот оно как! Перед отъездом в Лондон Лола вшила в одеяло адское устройство! Первым погиб пудель Микки, обожавший спать вместе с хозяйкой, затем, когда Лола уже была в Англии, смерть настигла маму. Лола не успокоилась и подсунула страшное изобретение папе. Она убила родителей, завладела их деньгами. Но почему тогда осталась в живых Ира? Да очень просто, младшая Кисова тоже принадлежит к а-группе, на нее излучение не подействовало. Ире повезло, наверное, Лола и ее изводила, да не вышло.

Наутро Ира попыталась возобновить вчерашний разговор, но Надя сделала круглые глаза и быстро сказала:

— Уж извини меня, я редко беру в рот алкогольные напитки, потому что мне становится дурно от крошечной дозы спиртного. Такое несу! Три дня лопатой не разгрести. Пару раз в большие неприятности влипала и поняла: мне даже нюхать водку нельзя. Но иногда-то очень хочется, вот вчера я и расслабилась. Забудь, бога ради, извини за глупость.

Надя говорила и говорила, без конца повторяя одно и то же.

Ира смотрела в лихорадочно блестящие глаза

Нади, слушала ее слишком убедительную речь и все яснее понимала: Лола и Маша убийцы.

Собрав в кулак все мужество, Ира заверила Надю, что не обратила внимания на ее пьяные речи, не запомнила их, и вообще вчера они недолго болтали, потому что усталая Кисова быстро заснула. Повеселевшая Надя попрощалась и убежала. Ира вышла на балкон покурить и увидела, как бывшая одноклассница, выйдя на улицу, приблизилась к ларьку, купила бутылку пива и лихо, почти одним махом, выхлебала все. Как большинство алкоголиков, Надю мучило похмелье.

Сначала Ира молча следила за Надей, потом вдруг поняла: на этом свете ей никто не поможет, придется самой искать доказательства преступлений, которые совершили Маша и Лолита. Она не станет спешить, тщательно займется делом, а вот когда необходимые улики окажутся у нее в руках, выложит все Лоле и потребует:

— Переводишь на мое имя фирму, капитал, короче, все свое имущество и исчезаешь из Москвы, иначе тебя посадят. Много лет на зоне проведешь, выйдешь старухой.

Усова замолчала, я кашлянул:
— А дальше что было?
Галя пожала плечами:
— Честно говоря, мне весь ее рассказ показался бредом. Знаете, у Ирочки, третируемой Лолой, развился жуткий комплекс. Конечно, Лолита дрянь, так с сестрой не поступают, но какой-то «улучшитель», убивающий людей волнами... Ей-богу, это уж слишком. Ну я и сказала Ире:

«Ты, наверное, ошибаешься. Надя была пьяной, алкоголики могут выдумать черт-те что!»

«Нет, — воскликнула Ира, — я теперь такое знаю!»

«Какое?» — улыбнулась Галя.

Ира начала говорить. Усова только вздыхала, выслушивая ее бред. Ира утверждала, что Лолита, Маша и Луис занимаются странными делами. В этом мире полно ненавидящих друг друга людей. Внешне их отношения выглядят вполне пристойно, но стоит ковырнуть пальцем блестящую лаковую поверхность, как под ней обнаруживается кромешная тьма и выясняется: дочь терпеть не может мать, муж — жену, брат — сестру, подчиненный — хозяина. Вот Лола с Машей и «помогали» таким людям. Лола владеет фирмой по ремонту квартир, в нее обращаются в основном очень обеспеченные граждане. У старшей Кисовой дело поставлено великолепно, от клиентов отбоя нет, но есть у конторы и особая услуга. Если вы желаете избавиться от докучливого родственничка, то обратитесь к Лоле. Ну а дальше просто. Кандидату на тот свет подкладывают «улучшитель».

Убийцы очень хитры и изворотливы, они используют массу приемов, чтобы вступить в контакт с намеченной жертвой. У негодяев все расписано по нотам. Луис занимается женщинами, от которых жаждут избавиться их мужья и дети, Маша работает с мужчинами. И первому, удивительно красивому парню, и второй, шикарной манекенщице, легко удавалось остаться с жертвами наедине. Лола же добывает «улучшители», она ездит с Риммой в клинику, навещает ее отца и незаметно берет у того один из аппаратов, которые до сих пор старательно клепает Петр.

Галя даже не пыталась остановить Иру, пусть уж лучше та выговорится. С сумасшедшими опасно спорить, они делаются в этом случае агрессивными. А в том, что Ира почти лишилась рассудка, Усова уже не сомневалась, наверное, бедняжка тронулась умом после смерти родителей... Она осталась одна, в тяжелом материальном положении, не любимая сестрой, не имеющая рядом ни одной родной души...

— И что дальше? — в нетерпении воскликнул я.

Галина развела руками:

— Ничего, она потом ушла, чему лично я была чрезвычайно рада.

— Зачем же Ира приходила к вам?

Галя вздохнула:

— Наверное, подумала, что я единственный человек, перед которым она может излить душу. Она ведь еще первоклашкой ко мне бегала со всякими детскими проблемами.

Впрочем, была еще одна причина. Ира настойчиво задавала вопрос:

— Ну-ка скажи, как выглядит «улучшитель»?

— Понятия не имею, — ответила Галя.

— Он плоский, длинный или круглый, наподобие леденца?

— Откуда мне знать.

— Ой, не ври, — рассердилась Ира.

— Честное слово, — воскликнула Галя, — я ни разу не держала его в руках!

— Ага! А кто Птицыной штуку в джинсы пихнул?

— Лолита, — ответила Усова, — меня не привлекали. Я в зале за Таней следила.

— Врешь.

— Да нет же!

— Брешешь! — затопала ногами Ира.

— Знаешь, дорогая, — вскипела Усова, — если ты явилась меня оскорблять, то убирайся. Я говорю правду. Никакого «улучшителя» я в глаза не видела.

— Ну миленькая, любименькая, — заныла Ира, — мне необходимо знать его описание! Очень! Вспомни.

— Сколько раз повторять, — заорала Галя, — я его не ви-де-ла! Не ви-де-ла!

Усова закричала и испугалась. Сейчас сумасшедшая впадет в раж и начнет драться. Эх, жаль, что не удержалась от вопля.

Но Ира неожиданно повела себя иначе.

— Я все равно добьюсь своего, — тихо сказала она, — осталась-то чистая ерунда, забрать у Победоносцева «улучшитель», чтобы Лолке его в нос ткнуть. Жаль, конечно, что ты не хочешь его описать, я могу запутаться и вытащить из груды хлама не то. Да ладно, справлюсь. Надька меня в клинику к папашке за бутылку отведет. Я и к Римме ходила! Я их адрес узнала! Я... все... Слышь, Галь, хочешь заработать?

— Не откажусь, — осторожно ответила Усова.

— Съезди с Надькой к Победоносцеву в лечебницу, — попросила Ира, — ее пустят, она ж ему дочь родная, а ты в курсе, как «улучшитель» выглядит, сопри для меня один, прикинься, что навестить ее отца хочешь!

— Нет! — подскочила Галя. — И потом, сто раз тебе сказала: я никогда не видела прибор!

— Не хочешь помочь? — насупилась Ира.

Усовой неожиданно стало наплевать на страх перед спятившей идиткой.

— Нет, — рявкнула она, — убирайся прочь!

— Вот ты какая, — протянула Ира, — а я надеялась...

— Зря.

— Я заплачу тебе.

— Не надо.

— Думаешь, у меня денег нет?

— Ничего не думаю, до свиданья.

— Лолка мне свои деньги отдаст, я с тобой поделюсь, скоро богатой стану.

— Семь футов тебе под килем, а теперь уходи.

Ира исчезла за дверью, а Галя почувствовала себя совсем разбитой. В пустой голове испуганной мухой билась лишь одна мысль: насколько слаб и зависим человек. Летает в космос, придумал Интернет, но если в его организме нарушается некий баланс, то все! Делается психом. И что самое страшное, от подобного не застрахован никто. Вон Ира была вполне нормальной, а сейчас? Лола и Маша неуловимые киллеры?

Да глупости все это, никакого «улучшителя» нет, есть небось некие железяки, которые клепает сумасшедший Петр. Ничего загадочного во всех смертях нет. Птициына скончалась от лейкоза, пудель Микки от инфекции, а родители Кисовой и Лаптевой — от сердечно-сосудистых заболеваний, бича населения Земли.

Я вышел на улицу и прислонился к своей машине. Липкая, кисельная духота обволакивала тело, мозг плавился от жары. С огромным трудом я попытался наметить план действий. Ай да Ванечка Павлович, ай да, сукин сын, ай да молодец![1] Раскопал, разгреб дело до конца. Значит, Римму убили либо Лола, либо Маша, либо Луис. Почему? Ну, если я подумаю, то отвечу и на этот вопрос, но сейчас мне надо срочно решить, как действовать.

Позвонить Максу и изложить факты? Нет, не подходит! Во-первых, мой ближайший друг куда-то пропал, мобильный он отключил, домой не заглядывает, на работе отвечают: «Его нет».

Во-вторых, где улики? У меня на руках только диктофонные записи. Надя говорила нечто Ире, та передала это Гале... Ни один суд не примет подобную информацию в качестве серьезного доказательства.

Попытаться попасть в клинику к Петру? Взять «улучшитель» и отнести его на экспертизу? Но меня не пропустят в лечебницу, и потом, вдруг это нико-

---

[1] Иван Павлович переиначивает сейчас широко известное восклицание Пушкина, тот якобы после завершения одной работы закричал: «Ай да Пушкин, ай да сукин сын!..»

му не известное излучение убьет меня? Вдруг он отлично работает? Умирать-то не хочется! И как поступить?

Внезапно затрезвонил мобильный.

— Ванечка Павлович, — зазвенел голос Лизы, — нам пора подумать о...

И тут меня осенило.

— Лиза, — перебил я ее, — можете мне помочь?

— Просите о чем угодно, — воскликнула прораб.

— Давайте встретимся в кафе «Бешеный кофе», это в центре.

— Знаю. Через час пойдет? — деловито поинтересовалась девушка.

— Супер, — перешел я на сленг подростков и полез в машину.

Если гора не идет к Магомету, то Магомет берет верблюда и скачет сам на вершину. У меня нет доказательств? Они будут. Луис ждет меня у себя в студии вместе с дочкой олигарха, никогда не существовавшей на свете Таней Скрябиной, красавицей, решившей стать манекенщицей. Ладно, он ее увидит, а Таня разоткровенничается с Луисом и расскажет ему, что папа решил выдать ее за Ивана Павловича. Скрябина же ненавидит Подушкина и готова озолотить того, кто избавит ее от «жениха». Детали я разработаю потом, за пару часов напишу сценарий, главное, чтобы Лиза согласилась сыграть роль Тани Скрябиной.

Прораб слушала мой рассказ, изредка вскрикивая:

— Ой! Не может быть! Ну и ну!

Потом она вдруг взяла меня за руку и прошептала:

— Ванечка Павлович, вы гений.

— Да ладно вам, — смутился я.

— Нет-нет, — настаивала Лиза, — так разобраться во всем! Какие мозги надо иметь.

— Обычное, рядовое дело, — скромничал я, удивляясь, отчего до сих пор не замечал, как мила Лиза.

Мало того что она красавица, так еще и неглупа. Только умная женщина способна оценить мужчину по достоинству.

— Ванечка Павлович, вы удивительный, — бормотала Лиза, — а еще и красивый.

— Право, не смущайте меня.

— Воспитанный, милый, — не останавливалась Лиза, — жаль, что я вам не нравлюсь.

— Кто сказал вам такую глупость?

— Сама вижу, — пригорюнилась Лиза, — уж я старалась, старалась. Оденусь красиво, вся такая конфетка, верчусь перед вами, а толку?

— Неужели я обидел вас?

— Конечно, нет. Ванечка Павлович, милый, вы и мухи не обидите, просто я не в вашем вкусе, женщина подобные вещи всегда чувствует. Вот я и распереживалась, вы-то мне дико понравились. Умный, красивый, талантливый, молодой...

— Лизонька, я старый пень!

— Не смейте так говорить, — топнула изящной ножкой Лиза, — вы молодой! Очень! Вы супер! Лучше всех! Кажется, я признаюсь сейчас вам в любви. Конечно, я все сделаю, пойду к Луису, мы разоблачим мерзавцев! Скажите, а вы эту Лолу знаете?

— Нет, — покачал я головой, — никогда не видел, только слышал о ней. Встречаться с этой змеей незачем, еще вспугну ее. Вот подсунут мне «улучшитель» — это будет улика!

— Хорошо, что не виделись, — протянула Лиза. — Правильно. И не ходите к ней, это опасно. А так здорово выйдет: я богатая сволочь, хочу избавиться от навязываемого мне жениха. Впрочем... Вот что, Ванечка Павлович, тут наскоком действовать никак нельзя, следует очень тщательно продумать план действий, и не в этом отвратительно шумном месте, поедем ко мне. Я живу одна, никто не помешает деловому разговору.

Я полез за бумажником.

— Хорошо, сейчас расплачусь, и отправимся. Только, Лизонька, не зовите меня больше по отчеству. Ладно? А то я ощущаю себя Мафусаилом, этакой помесью древнего старца с Кощеем Бессмертным.

— С удовольствием, — сверкнула глазами Лиза, — давно про себя называю тебя просто «Ванечка».

Лиза жила в маленькой, но очень чистой квартирке. Обстановка ее, правда, показалась мне немного аскетичной. Тут не было милых дамских пустячков типа плюшевых мишек, статуэток, кружевных салфеток и прочего.

— Целыми днями работаю, — вздохнула Лиза, заметив взгляд, которым я окинул помещение, — сюда только ночевать добираюсь. Чай или кофе?

Мило улыбаясь, она стала хлопотать по хозяйству, и тут раздался звонок в дверь.

— Ну и кто там? — с легким раздражением спросила Лиза, снимая трубку видеофона.

На экране появилась голова и загудела:

— Заливаете нас, вода с потолка хлещет.

— Вы что-то путаете, у меня сухо!

— А у нас мокро!

— Но при чем тут я? — стойко сопротивлялась Лиза. — Может, труба лопнула, и к вам прокапывает.

— Да пусти нас со слесарем, — взмолилась соседка, — без претензий я, пусть мужик в ванной глянет, может, поймет, откуда хлещет! Только что ремонт сделала, кучу денег вбухала, и все псу под хвост!

— Сейчас, — тяжело вздохнула Лиза и, гремя замком, сказала мне. — Конечно, я никогда не пускаю незнакомых людей к себе, боюсь. Но сегодня ведь со мной ты, Ванечка.

Я приосанился и выпятил грудь. Конечно, я не обладаю большой физической силой и не умею драться, но, если понадобится, сумею защитить свою даму.

В прихожую, громко топая, ввалилась колоритная троица. Тетка, размера этак восемьдесят восьмого, не знаю, есть ли такой в природе и где она добывает для себя одеяние. Ну в каком магазине она отрыла сей халат наимерзейшего, зелено-фиолетового цвета? Два сопровождавших ее мужика были под стать тетке. Взлохмаченные, грязные волосы, мятые джинсы и рубашки, запах перегара. На ногах у небесных созданий, несмотря на жаркий август, красовались сапоги.

— Ой, ну спасибо, — выдохнула тетка.

— Слышь, хозяйка, — прогудел один слесарь, — покажь вентиль.

— Идите за мной, — велела Лиза.

Работяги, шмурыгая носами, двинулись за девушкой. Толстуха осталась со мной.

— Вы Иван Павлович? — вдруг очень тихо спросила она.

Я удивился безмерно:

— Да.

— Скорей ступайте вниз!

— Я?

— Вы.

— Но почему? То есть зачем?

Внезапно толстуха крепкой рукой ухватила меня за плечо и, быстро вытолкав за порог, прошипела:

— Живо к подъезду, там микроавтобусик стоит с надписью «Мосгаз. Аварийная». Лезь внутрь. Шевелись. Послушай, ты по утрам вместо кофе тормозную жидкость пьешь?

Сам не понимая почему, я, находясь в состоянии глубочайшего удивления, выполнил приказ непонятной дамы. Неподалеку от входа в дом и впрямь нашелся нужный «рафик». Я заглянул в окно к водителю и сказал:

— Понимаю странность заданного сейчас вопроса, но не меня ли вы поджидаете?

Парень, сидевший за баранкой, отрывисто приказал:

— В салон.

Я снова повиновался, обошел минивен, рванул неподатливую дверь, потом, сильно согнувшись (двухметровый рост приучил меня входить в низкие помещения, сложившись почти пополам), втиснулся в салон, поднял глаза и увидел возле окошка, по-деревенски занавешенного белыми, сосборенными драпировками, двух мрачных мужчин: абсолютно незнакомого мне темноволосого парня и... Макса.

— Садись, Ваня, — спокойно приказал приятель, — едем ко мне.

— Куда? — оторопел я. — Макс! Где ты был? Я просто обзвонился! Решил, что тебя в командировку отправили.

— Делом занимался, — усмехнулся Макс, — очень важным, так сказать, категории А. Знаешь, как я его для себя назвал?

— Нет, — осторожно ответил я, — откуда бы?

— «Спасение Ивана Павловича из ливневой канализации», — вдруг заорал Макс, — садись и не шевелись, все дело нам почти порушил, сыщик хренов. Гони, чего стоишь!

Последняя фраза относилась к водителю. Шофер стартовал, как болид на гонках «Монте-Карло», меня швырнуло на спинку сиденья. «Рафик» летел по улицам ястребом. Под неказистым капотом скрывался очень мощный, современный мотор.

Я просидел в кабинете у Макса почти сутки. Сначала выкладывал добытые сведения приятелю, потом группе хмурых людей в костюмах, затем рассказ пришлось повторить еще раз для маленького, лысого, суетливого толстячка, похоже, самого главного начальника, потому что, несмотря на его карикатурную внешность, все окружающие обращались к нему почтительней некуда. Наконец, уже под утро я очутился снова у Макса. Приятель вытащил из сейфа банку кофе и, налив нам по кружке, вдруг сказал:

— Ваня, ты молоток! Впору тебя на работу к нам брать, только ведь не пойдешь: оклад невелик, а геморрой размером со слона. Надо же — нарыл столько информации за короткий срок!

— Мне просто повезло с Усовой, — честно признался я, — это она практически все знала. К ней же прибежала Ира и рассказала про беседу с Надей, про «улучшитель» и смерть старших Лаптевых и Кисовых. Слушай, неужели эта дрянь работает?

Макс пожал плечами:

— Похоже, да.

— Но как?

Приятель развел руками:

— Это не ко мне. Петр сделал нечто, о чем я, не обладающий специальным образованием, не могу сказать ни слова. Внешне эта фигня похожа на пуговицу, чтобы она заработала, следует надавить на крохотную выпуклость, ну и понеслось. Никакого запаха или звука «улучшитель» не издает, обнаружить его очень трудно. Сейчас спецы разбираться будут.

— Но как же Петру разрешили в больнице работать?

Макс побарабанил пальцами по столу.

— Бывают плохие врачи?

— Сколько угодно, — ответил я.

— А хорошие толковые специалисты, готовые все сделать для своего пациента?

— Думаю, тоже встречаются.

— Вот Петру и повезло, он попал именно к таким. Психиатры ни на минуту не верили в какой-то там «улучшитель», но, понимая, что больной, лишенный своего занятия, впадет в буйное состояние, переделали крохотную кладовую в палату и поместили туда бедолагу, дав ему инструменты. Более того, они снабжали Победоносцева необходимыми материалами. Надеялись привести мужчину в относительно стабильное состояние, его изобретательству потакая.

— Я так и не узнал, кто убил Римму!

Макс потер рукой затылок.

— Римма! Да! Вот уж кого жаль. Глупенькая, наивная девушка, обожающая Лолу и Машу Лаптеву. Она так ничего и не поняла. Их с сестрой поселили в квартире Лаптевой, новой, которую она себе купила.

— Обманули? Зачем?

— Чтобы Римма была всегда под рукой и прониклась к Лолите еще большей любовью. Победоносцева должна была сопровождать Лолу к отцу, Кисову одну никто бы не пустил в клинику, там очень строго. Была, правда, одна нестыковка. Луис, никогда ранее не видевший Победоносцеву, на одной из тусовок принял ее за дочь олигарха, ну и закрутил с ней роман. У Луиса мечта всей жизни жениться на очень богатой женщине и свалить отсюда.

— И как только человек, намеревавшийся стать депутатом, не побоялся устроить спектакль с подставными дочерьми?

Макс пожал плечами:

— Ничего удивительного. Его падчерицы очень далеко отсюда, они давно в Америке, «добрый» отчим никогда не знакомил их с друзьями, девушек никто как следует и не знал. Впрочем, и прежних приятелей у «нового русского» не осталось, а для журналистов Римма вполне годилась. Надо только на фото сняли.

— Но почему Римма не призналась Луису, что ее отец жив? С какой стати она выдала ему историю про сироту и отчима?

Макс тяжело вздохнул:

— Очевидно, Римма побоялась признаться, что у нее есть сумасшедший отец. Она ведь собиралась за Луиса замуж, а псих тесть мог отпугнуть жениха! Только на самом деле Луис очень короткое время оставался в неведении.

Когда он начал снимать Римму на порнофото, одно из них попалось на глаза Маше Лаптевой, и та мигом бросилась к Луису с воплем:

— С ума сошел! Это же наш проводник к «улучшителю». Тебе нужно от нее держаться подальше!

Луис испугался и мигом сдал Римму своему приятелю-сутенеру. Глупой, верящей всем и всему девушке он рассказал малоправдоподобную историю о долге, который висит на нем. Дескать, Луис под прицелом бандитов, если не вернет деньги, его прирежут, только Римма может ему помочь. Когда она отработает долг, Луис на ней женится, и они уплывут на шхуне с алыми парусами навстречу солнцу.

— Бред! — воскликнул я.

— Это на твой взгляд, — ответил Макс, — а Римма бросилась спасать любимого. Он сумел задурить девушке голову по полной программе. Порносъемки называл «новым словом в фотоискусстве», и Римма верила, она вообще верила всем, а уж Луису в особенности.

— Все равно мне многое непонятно!

— Что именно?

— Римма же не открылась Луису до конца, врала про отчима-бизнесмена.

— Ваня, ты беседовал с Победоносцевой на эту тему?

— Нет, мне она выдала совсем другую версию, о муже Игоре. Кстати, зачем?

— Об этом потом, — отмахнулся Макс, — от кого ты узнал про отношения Риммы и Луиса?

— От фотомодели Элис! Я же только что тебе все рассказал! Я был у Луиса, пытался прощупать почву, представился помощником богатого человека по фамилии Скрябин, чья дочь Таня желает сделать портфолио. Элис догнала меня на улице, ну и...

— Следовательно, ситуация тебе известна со слов Элис?

— Да.

— Тогда почему ты решил, что Римма не рассказала про себя правду Луису?

— Но Элис говорила...

— Ваня, — вздохнул Макс, — Римма обманула Элис, ей было велено молчать про Петра. Лола ее запугала, сказала, что всех манекенщиц обязательно тайно проверяют в психдиспансере. Обнаружат, что у нее папа псих, и не возьмут на работу. Вот Римма и врала всем. С Луисом она и впрямь встретилась на тусовке, где изображала дочь банкира, но очень скоро рассказала ему о себе правду. Луис-то мигом предложил «богачке» руку и сердце, боялся упустить удачный вариант. А Элис Римма правды про отца не сказала, но в остальном не солгала. Она и впрямь полагала, что отрабатывает долг и что Луис на ней потом непременно женится.

— Но почему она отдали Римму в проститутки? — удивился я.

Макс тяжело вздохнул:

— А куда им было ее девать? Девушка-то совсем даже не красавица. В модельное агентство бы ее никогда не взяли. Лола просто соврала Римме. Она сначала пристроила ее на роль «дочери», кстати, Победоносцевой за спектакль досталось мало денег. По сравнению с тем, что огребла сама Лола, показав

Победоносцеву пиарщикам. Лолита ни копейки не упустит. Весьма алчная девица. И куда было потом деть Римму. Глупышка могла начать преследовать Луиса, бегать за ним по разным местам, плакать, привлекать внимание...

Лола страшно обозлилась, узнав, что Луис закрутил роман с Риммой, а потом решил снимать ее на порно. Парень только разводил руками:

— Я же не знал, кто она! Идиотская случайность.

Чтобы нейтрализовать Римму, избежать скандала, который та по своей глупости могла устроить, и была придумана история про долг. Кстати, найди Римма другую работу и начни там вдруг болтать про отца, люди могли бы и насторожиться. Но клиенты «ночных бабочек» редко верят их рассказам, потому что хорошо знают: они, чтобы выманить у мужчин деньги, способны такое придумать! Лолите показалось, что лучше всего Римме обслуживать мужиков на шоссе, там никто не обратит внимания на болтовню проститутки.

— И что, негодяи собирались так всю жизнь провести? — подскочил я.

Макс скривился:

— Нет. Была поставлена стратегическая задача: накопить для каждого большую сумму и удрать за рубеж. Порознь. Троица не намеревалась потом встречаться, они стали друг друга побаиваться, вместе их держал лишь «бизнес». Необходимые средства были собраны давно, и начался последний акт трагедии. Лолита оплатила курс учебы в одном из университетов Англии. В начале сентября ей предстояло улетать в Лондон, где ее ждала счастливая жизнь девушки с деньгами. Лаптева согласилась подписать контракт с модельным агентством из Индии. Конечно, это не престижная работа, но она просто ей служила бы трамплином для следующего прыжка. Луис, кстати, великолепный фотограф, суперпрофессионал, был приглашен в Мадрид в один из домов моды. Вскоре никого из убийц в Москве не осталось бы. Все дела они заканчивали, предстояло только избавиться от Риммы.

И тут они, конечно, перемудрили. Хотя понятно почему — перестраховывались. Лола вызвала Римму в кафе и сказала:

— Вот что, завтра тайком улизни с работы.

— Зачем? — удивилась та.

— Держи адрес. Поедешь туда, встретишься с мужчиной, он тебе даст чемодан, в нем будут деньги на оплату квартиры! Привезешь их мне, я отдам кредитору, жилплощадь сразу на тебя перепишут!

Глупая Римма кинулась на шею Лоле. Ей не пришло в голову задать естественные в таком случае вопросы. Что за мужчина? Откуда он взялся? С какой стати он решил осчастливить Победоносцеву? Нет, Римма просто захлебывается от счастья. А Лола не забывает ее предупредить:

— Имей в виду, никто из девок и сутенеров ничего не должен знать!

— Как же мне уйти? — недоумевает Римма. — Может, лучше утром дело провернуть, до работы?

— Нет, — отрезает Лола, — к вам же клиенты на тачках подкатывают?

— Да, — кивает дурочка.

— Выбери парня поспокойней, сочини историю, дай ему денег за услугу и попроси отвезти по нужному адресу.

— Че наплести-то?

Лола вздохнула:

— Ладно, записывай. У тебя есть муж... э... Игорь... Замуж ты вышла вопреки воле родителей...

— Значит, — медленно сказал я, — Иван Павлович показался ей самым приличным...

— Да, — кивнул Макс, — Лолита все тщательно подготовила. Их троица в последнее время занималась несколькими делами. В частности, некими Бурмистровым и Араповым. Убийцы сначала тщательно изучали своих жертв, планируя, как им лучше всего подсунуть «улучшитель». Очень скоро Лола выяснила, что Бурмистров частенько бывает у Коловоротовой, только проникнуть в квартиру, которую сдавала жадная Регина Андреевна, нельзя было незаметно. Потом Лола узнала о том, что Арапов знаком с Бурмистровым. Она нашла способ подкинуть Бурмистрову «улучшитель», а Араповым стала вплотную заниматься Маша Лаптева, прикидывающаяся капризной моделью. Убийцы договорились, что это их последние дела. Кстати, они с клиентами были честны, если к ним применимо данное слово. Всегда предупреждали заказчика: «Смерть будет естественной, никаких проблем с правоохранительными органами не возникнет, но наше средство не на всех действует. Если в вашем случае не сработает — вернем деньги».

— И возвращали?

— Да. Слушай дальше. Бурмистрову подложили «улучшитель», Арапову тоже. Первый стал жертвой облучения, принялся орать по любому поводу. На Арапова же прибор не подействовал.

Троица решила: все, рвем когти. Луис, назвавшись Араповым, позвонил Бурмистрову и, умело построив разговор, заставил того связаться с Коловоротовой, чтобы «забронировать» квартиру, куда запланировали отправить Римму.

Лаптева, тесно общающаяся с Араповым, знала, что Григорий и Бурмистров в хороших отношениях. Еще ей было известно, что банкир и бизнесмен редко общаются. Бывают такие отношения, когда вы встречаетесь с человеком раз в год, но все равно считаете его своим приятелем.

Я кивнул.

— Вот поэтому убийцы и подумали, что их план сработает, Бурмистров обрадуется звонку Арапова, а если не узнает его голос, на худой конец Луис прикинется простывшим.

— А вдруг бы все сорвалось?

— Так удалось же, — сказал Макс. — Между прочим, ты их мог спугнуть, тогда в казино, когда начал разговор с Араповым при Маше, посчитав ее дурочкой. А та позвонила Луису.

— Она пообещала ему, вернувшись домой, рассказать подробности! — вокликнул я.

— Не успела, — вздохнул Макс, — ее убили, а Луис не оценил важность услышанного от Лаптевой и не словил мышей. Если бы Машу не убили, дело могло принять совсем иной оборот. Но вернемся к «забронированной» у Коловоротовой квартире.

— Но почему именно там решили убить Римму?

Макс нахмурился:

— Простой расчет. А Регина Коловоротова документами мужчин не интересуется, она, правда, не пускает в квартиру никого с улицы, но ведь Арапова порекомендовал сам Бурмистров, ее лучший клиент. Римма пришла и была убита Луисом.

Зарезав Римму, Луис, никем не замеченный, уходит прочь. На взгляд организаторов, это идеальное преступление. Проститутку на улице снял клиент, привез ее на квартиру, которая давно им используется как дом свиданий, и убил бедолагу там. Жизнь «ночной бабочки» полна опасностей, проститутки часто погибают от рук клиентов. Да и милиция не слишком тщательно расследует такие дела. И сутенер, и коллеги Риммы на чистом глазу скажут правду: Победоносцева села в машину и укатила, назад она не вернулась.

Наверное, все бы так и вышло, не спутай Римма

случайно кошельки. Луис не тронул ее сумочку, он ведь не знал, что у Победоносцевой портмоне с документами Ивана Павловича Подушкина.

— А как заказчики выходили на ремонтную фирму?

— Ну, в Интернете Лола поместила объявление, дескать, устраним все неприятности из вашей жизни, и там же указала номер абонентского ящика для переписки. Кому надо, тот понимал. Потом, если намеченная жертва была членом семьи заказчика, ему рекомендовали затеять у себя ремонт, чтобы легче было общаться с жертвой. Если будущей жертвой был посторонний, чужой для заказчика человек, то за дело принималась Лаптева, ежели это был мужик, и Луис — ежели дама.

— Но зачем Лаптева, живущая в центре Москвы и собирающаяся уехать за границу, купила квартиру в Куркине?

— Ну Ваня, экий ты, право, наивняк! Приобретение недвижимости — это наилучшее вложение капитала. А срочно рвать когти они решили после убийства Нади, Риммы и Иры.

— Лола всех своих клиентов убивала? — ужаснулся я.

— Нет, конечно, только избранных.

— Наверное, получали за преступления много денег!

— Да уж, мне столько не платят, — скривился Макс.

— Но если Лолита получала огромные гонорары, зачем тогда ей заморочка с ремонтом? Бросила бы бизнес!

— Эх, Ваня, — вздохнул приятель, — Лола хотела жить красиво, кстати и Луис, и Маша Лаптева тоже. Ну и как им объяснить: откуда берутся машины, украшения, эксклюзивная одежда? А так дело чисто. Лола — хозяйка стабильно приносящего доход предприятия, Луис не только фотограф, а еще и дизайнер в ее конторе. Маше Лаптевой, правда, было проще. Она всегда могла сказать: «Какие ко мне претензии? Я получаю подарки от любовников, при моей красоте от мужиков отбоя нет».

— За что они убили Лаптеву? — удивился я.

— Кто?

— Луис и Лола.

— Вот тут парочка ни при чем. Машу лишил жизни наркоман. Его, кстати, арестовали, когда он на той же стройке попытался снова убить женщину, чтобы завладеть ее кошельком. Стали допрашивать, вот «торчок» и раскололся. Чтобы заслужить снисхождение, начал каяться во всех грехах, так и выплыла правда про Машу. Можно сказать, что ей не повезло, но я считаю: Лаптеву первой настигло божье возмездие.

— А я подумал, что ее убрал Луис, он при встрече со мной сказал: «Я знал Машу под именем Маня». Почему он поставил глагол в прошедшем времени?

— Главное, Ваня, не перебдеть, — улыбнулся Макс, — он выразился без всякой причины, наверное, хотел дать понять, что его знакомство с Лаптевой было мимолетным и они больше не общаются. Впрочем, задам твой вопрос мерзавцу. Но он в убийстве Лаптевой не замешан.

— А Надю с Ирой кто?

Макс вздохнул:

— Их тоже убил Луис, причем в одном месте, там, где трамвайные пути делают поворот. Рельсы пролегают около холма, склон крутой, покрыт газонной очень скользкой травой, сверху идет узкая тропинка. Если с силой толкнуть человека, тот покатится вниз и угодит под трамвай, водитель не сумеет вовремя остановиться, крутой поворот мешает обзору.

Макс вдруг замолчал, потом, глянув в окно, продолжил:

— Лола ненавидела Иру, помнишь?

— Да.

— Она пыталась извести сестру еще в детстве при помощи «улучшителя», но та только расцвела и похорошела. Поняв бесплодность своих попыток, после смерти отца Лолита сумела справиться с ненавистью и решила: пусть сестра живет, им просто не надо общаться. Но тут Ира стала активничать, требовать больше денег от опекуна, угрожать. До Лолы дошло: хоть она собирается продать свой ремонтный бизнес и уехать, но могут возникнуть проблемы. Половину капитала придется отдать ненавистной Ире.

А та к тому времени многое узнала, и у нее сдали нервы. В поисках Риммы Ира ездила к Алеутовой, устроила там скандал, написала глупую записку. При этом учти, что Надя, разболтавшая в пьяном виде много лишнего, сказала Ире: «Мы теперь живем в Куркине».

Ира поехала по новому адресу, никого там не застала, примчалась на старую квартиру, наорала на Валентину Алеутову, а та не поняла, о чем речь, и решила, что Римма — мошенница. Ира-то имела, наверное, в виду совсем другое. Может, то, что Лола занимается ремонтом. Вот тут точно не скажу. Ира была неадекватна. И в этом состоянии она позвонила Лоле с воплем: «Я все знаю! Верни мои деньги! Хочу все, выбирай: либо переписываешь на меня фирму, либо сидишь в тюрьме».

Лолита делает вид, что испугалась, назначает сестре встречу, но вместо нее в указанное место приходит Луис, дамский угодник, способный расположить к себе любую женщину.

— Ира, — с жаром говорит он, — вы правы! Мы преступники! Я глубоко раскаиваюсь! Готов идти с вами к ментам. Тут недалеко, вон на том холме, отделение милиции.

— Она ему поверила?

— Да. Луис очень убедителен, на большинство девушек он действует гипнотически. К тому же Ира несколько недель жила в состоянии стресса и потеряла способность реально оценивать обстановку. Можно, я не буду описывать, как он столкнул несчастную вниз?

Надю же отправить на тот свет решили после ее приезда к Лолите. Девушка заявилась к Кисовой домой, пьяная, понесла чушь. А у Лолиты в это мгновение сидели Луис и Маша. Троица обсуждала вопрос, стоит ли еще раз заняться Араповым. Его заказала жена. Узнав, что на супруга не подействовало выбранное убийцами средство, она стала умолять предпринять еще одну попытку, предложила им двойную цену. Вот Лаптева и согласилась попробовать. Не успела троица завершить разработку плана, как в квартиру позвонили: Лола опрометчиво открыла дверь, ввалилась пьяная Надя, и разразился скандал.

— Знаю, — вопила Надя, — вы убили Римму! «Улучшитель»... да я... да... вот!

На секунду все оцепенели, но Луис быстро сориентировался. Он сказал:

— Милая, я милиционер, пришел арестовывать этих негодяек. Поедем со мной, оформим твои показания.

Одурманенная водкой Надя послушно бредет за парнем, а тот приводит ее к холму и предлагает:

— Дальше пешком, отделение милиции наверху.

В общем, убил ее точно так же, как Иру.

— Но почему он поступает с ними одинаково? — удивился я.

Макс пожал плечами:

— Преступники часто так делают, если один раз сработало, повторяют. Кстати, на этом их и ловят.

Думаю, остальное понятно. Все дела завершены,

правда, Владилен Бурмистров, начавший было умирать, внезапно поправился, но это уже ерунда. Билеты куплены, способ переправить деньги за рубеж найден, троица обрывает связи с родиной. Все учли, все рассчитали, приготовили, но судьба, большая шутница, столкнула их с Ваней Подушкиным.

— Вы их арестовали?

— Ага.

— И Лолиту?

— Конечно.

— Кстати, — подскочил я, — та толстая тетка в халате и два пьяницы-слесаря — ваши сотрудники?

— Ну! — гордо воскликнул Макс. — Лейтенант Малькина наша, парни из другой структуры. Но какие актеры! Любой театр их с руками оторвет.

— Откуда вы узнали, что я пойду в Лизе в гости?

— Мы следили.

— За мной?

— Нет, за убийцами, их должны были взять через день, мы разработали план. Но из-за тебя он провалился.

— Что я такого сделал? И с какой стати меня нужно было хватать у Лизы? Слушай, эта девушка мне нравится!

— Пойдем, — предложил Макс.

Через пару секунд мы оказались в комнате, набитой людьми. Двое мужчин, одетых, несмотря на жару, в костюмы, парень в мятых джинсах и грязной рубашке, женщина в белом халате, явно врач, а в центре комнаты, на стуле сидела Лиза.

— Лизочка! — воскликнул я.

Девушка ухмыльнулась:

— Эх, Ванечка! Ты балбес, хотя и милый. Жаль только, что слишком любопытный.

— Вы ее знаете? — спросил один из мужчина.

— Да, конечно.

— Можете назвать имя?

— Лиза Бондаренко, прораб и хозяйка фирмы по ремонту квартир, она...

— Она же Лолита Кисова, — сказал за моей спиной Макс.

— Ты с ума сошел! — подскочил я. — Лизочка, это же неправда!

Она поморщилась:

— Правда. Фамилия Бондаренко досталась мне от мужа, с которым я вскоре развелась. Имя Елизавета я в детстве не любила, поэтому и велела всем звать себя Лолитой. Шикарно показалось. Только я выросла, превратилась в Бондаренко и стала откликаться и на Лизу, и на Лолу. Вернее, Лолитой я осталась лишь для прежних знакомых. Клиентам, естественно, представлялась Елизаветой, а вернуть себе девичью фамилию времени не было.

Я рухнул на услужливо подставленный кем-то стул и прошептал:

— Но вы же вроде собирались бежать из России, зачем же договорились с Норой о ремонте?

Лиза криво улыбнулась:

— Знаете, я помогаю следствию, потому что раскаиваюсь и откровенно отвечаю на вопросы. В Англию мне нужно было выезжать не завтра, ремонт бы завершился, а Нора отлично платит! Она не скряга, да и вы милый, только глупый, но ничего, в хороших руках можете бриллиантом засверкать.

— Где же вас Элеонора отыскала? — пробормотал я.

Лиза звонко рассмеялась:

— О, мы же куче бизнесменов ремонт сделали! Работаем суперски. Твоя хозяйка, Ванечка, нам за скорость приплатила, очень уж ей хотелось апартаменты в рекордный срок в порядок привести. А если клиент такие бабки отстегивает, то я сама им занимаюсь, как прораб, ха-ха.

Я старался унять дрожь в руках. Конечно, меня удивила способность Лизы быть с рабочими и торговцами матерщинницей, а со мной нежным цветком, но я и не подозревал, до какой степени она двулична!

— Услышав мой рассказ и просьбу изобразить из себя Таню Скрябину, вы решили немедленно убить Ванечку Павловича? — выдавил я из себя.

Лиза отвернулась, а перед моим носом возникла бумажка.

— Подпишите тут, — велел один из мужчин.

Я пришел в себя, вынул из кармана ручку... и услышал вдруг голос Лизы:

— Нет, Ванечка. Можешь верить или нет, но ты мне понравился. Милый, глупый, плюшевый мишка, не приспособленный ни к чему на свете. Я бы не стала тебя убивать, просто напоила бы снотворным и...

— Не врите, Бондаренко, — рявкнул Макс.

Лиза порозовела:

— Правду говорю. Хотите докажу?

— Ну, — насупился Макс, — и каким же образом?

Лиза посмотрела на меня:

— Скажи, Ваня, откуда ты эту прелесть взял?

Я взглянул на вынутую из кармана льняного пиджака золотую ручку с ярко-красной шишечкой на конце.

— Мне ее Владилен Бурмистров подарил.

— Вот! — Лиза подняла вверх пальчик. — Если бы я хотела Ванечку убить, ни в жизни бы не призналась, а я говорю: Ваня, выбрось-ка ты это стило подальше. Мы его специально заказывали с этой красной бомбошкой, чтобы в него «улучшитель» для Бурмистрова засунуть. Кто ж знал, что он тебе эту ручку передарит, мы прямо всю голову сломали, отчего мужик вдруг выздоровел, ведь так раньше не случалось: все либо помирали, либо расцветали.

Секунду я глядел на «золотое перо». Вот почему мне было плохо, вот отчего я впадал в гнев, вот по какой причине, нацепив пиджак, потерял сознание.

Я швырнул ручку на середину комнаты. Присутствующие шарахнулись в сторону. Лиза тихонько засмеялась.

— Надеюсь, за этот добрый поступок мне скостят срок, а благодарный Ванечка пришлет в тюрьму мешочек сухарей.

Тихий смех Лизы перешел в громкий. Девушка согнулась пополам и хохотала, хохотала, хохотала... а все присутствующие, оцепенев, смотрели на ручку.

Эпилог

История, только что рассказанная мною, завершилась совсем не так, как вы предполагаете.

Спустя довольно длительное время после описанных событий Макс, придя в гости, сказал мне:

— Знаешь, оказывается, все бред!

— Что? — удивился я.

— Да «улучшитель», он не работает. Это просто какая-то железка, нам уже объяснили те, кто забрал к себе дело. Сначала сообщили, что оно уходит из нашего ведомства, а теперь вот такой вывод.

— Отчего же все умирали? — изумился я.

Макс скривился:

— От инсульта, инфаркта, воспаления легких, гипертонии...

— Но...

— Вот тебе и «но», — неожиданно вскипел Макс.

— Но я сам начал немотивированно злиться!

А когда ручку отдал, снова вернулся в привычное состояние.

— Тебя доконала жара!

— Макс?!

— Что!!!

— Значит, получается, они не виноваты?

— Кто?

— Луис и Лола-Лиза? Тогда с какой стати фотографу убивать Надю и Иру? А Римму? Макс, в деле полно нестыковок!

— Ваня, — рявкнул приятель, — меня уполномочили тебе сказать: «улучшитель» — сказка. Понял? И лучше тебе обо всем молчать.

— Но Луис и Лола-Лиза! Они же...

— Луис арестован. Он убил Надю, Иру и Римму из ревности.

— Ну не чушь ли! Троих сразу приревновать никак нельзя.

— Ваня!

— Ладно, молчу! Ему дадут пожизненное заключение?

— Нет, лет десять, впрочем, я точно не знаю.

— За три смерти?!

— Ваня!!!

Я молча уставился на Макса. Все понятно, Луису пообещали предельно короткий срок, если он навсегда забудет про «улучшитель» и станет озвучивать идиотскую версию о ревности. Наверное, судебное заседание будет закрытым.

— А Лола-Лиза? С ней что? Только не говори, что она вообще ускользнула от правосудия!

— Да нет, — протянул Макс, — она в СИЗО. Представляешь, отпустили девицу под подписку, она поехала домой, нарушила правила, ее остановили сотрудники ГАИ и нашли в машине героин, много, почти полкило. Сидеть теперь ей за дурь.

— Права была Кисова, назвав меня плюшевым мишкой, глупым и наивным, — вздохнул я, — жизнь бывает страшней, чем самая жуткая книга.

— Ваня, — улыбнулся Макс, — ты мишка! Но мишка по имени Тигр.

— Рыбка по имени Зайка, — засмеялся я.

— Ну это уже слишком, — хмыкнул Макс.

— А что с Петром Победоносцевым? — напрягся я.

— Его увезли в другую лечебницу, — медленно протянул Макс, — вроде в очень хорошее место, и кормят отлично, и врачи великолепные, и лаборатория имеется, суперсовременная. Думаю, Петр наконец-то совершенно счастлив. В новой клинике ему предоставлены все возможности для работы.

— Понятно, — растерянно кивнул я, — все ясно.

Ремонт к приезду Норы я все же успел сделать, но о том, какой ценой мне это далось, расскажу как-нибудь в другой раз.

В начале осени мы с Николеттой провожали Мэри. Тетушка, весело сверкая глазами, прошла таможню. Приехала она с одним саквояжем, а улетала назад с десятком чемоданов. В порыве щедрости Николетта отдала сестре чуть ли не весь свой гардероб.

Когда последний кофр благополучно проехал мимо парня в форме, Мэри бросилась Николетте на шею.

— Милая!

— Дорогая, — заломила руки маменька.

— Я вернусь. Скоро!

— Обязательно, жду!

Чмок, чмок, чмок.

Мне тоже досталась парочка поцелуев. Маша нам ручкой, на которой посверкивали колечки Николетты, Мэри дошла до паспортного контроля и... хоп, оказалась за границей.

— Хочу кофе, — заявила маменька, — и дорадо!
Здесь есть ресторан?

— По-моему, вон там, — ответил я.

Мы нашли трактир, сели у окна и стали любоваться на самолеты.

— Вон тот увозит Мэри! — воскликнула Николетта. — Видишь, выруливает, написано на боку
«USA».

— Может, она и не в этой железной птице, —
улыбнулся я.

— Нет, в нем!

— Лайнеров с американским флагом много, —
решил поспорить я.

— Нет, она там. Я знаю!

— Откуда?

— На нем прилетела, и на нем улетает. Я запомнила, у всех буквы синие, а этот самолет с красными.

— Ерунда, — засмеялся я, — если человек прибыл
в Москву на одном лайнере, то вовсе не значит, что
он на нем же отправится обратно...

И тут я поперхнулся, а вилка выпала из моей
руки.

Николетта раскрыла сумочку, вытащила пиносол, капнула в нос и воскликнула:

— Ура, я снова дышу!

Мои глаза уставились на лекарство. Пиносол!
Маменька никогда не покупала его раньше. Пиносол? Пиносол!!! А еще Николетта только что сказала
про буквы на самолете: «Я их запомнила».

— Погоди, Николетта! Что значит, ты запомнила?
Мы же не успели встретить Мэри, она сама на такси
приехала.

— Вот черт! — воскликнула маменька.

Я разинул рот:

— Ты Мэри!

Спутница хихикнула:

— Ну, мы, в принципе, не сомневались, что ты

догадаешься. Правда, я думала, что через месяц, не раньше!

— Николетта летит в Америку?

— Ага.

— Вы с ума сошли!

— Вовсе нет!

— Ее арестуют!

— С какой стати? Ни таможенник, ни пограничник ничего не поняли! Мы же близнецы.

— Николетта не говорит по-английски!!!

— И что? Я сама всего пару слов знаю, наша колония десятилетиями живет обособленно от американцев.

— Ее раскусят!

— Кто? Муж мой давно умер, детей я не имею! Потом, она вовсе не собирается сидеть дома, будет путешествовать по стране.

— Но у нее нет денег!

— Как это? А мои кредитки? Там полно средств, а подписи у нас идентичные!

— Так вот почему было столько багажа, — запоздало сообразил я.

Мэри хихикнула:

— Нико жуткая шмоточница, вот тут мы с ней разнимся, я предпочитаю путешествовать налегке. Впрочем, есть еще одно отличие. У меня на левой руке шрам от ожога, вот тут, видишь?

Я уставился на отметину. Значит, это не сон, у Николетты шрама нет.

— Ваня, — укоризненно сказала Мэри, — что за вселенская скорбь в глазах? Нико мечтала побывать в США, я хотела подольше пожить в Москве! В чем проблема?

— Вы сумасшедшие, — простонал я. — Что скажут окружающие?

— Фу, Вава, ты трус! Никто ничегошеньки не заметит! — весело воскликнула Мэри. — И потом, такие красивые и умные девушки, как мы, продумали все до деталей. Вот слушай! Нико...

Я смотрел на размахивающую руками Мэри и совершенно не вслушивался в ее торопливую речь. Красивые, но глупые девушки обычно считают себя умными, и это сходит им с рук, потому что окружающие, в общем-то, недалеко от них ушли.

Почему-то красота и глупость считаются синонимами молодости, люди полагают, что в пожилом возрасте они непременно умнеют. Да, некоторые и впрямь мудреют на пороге пенсии, но не все и не всегда. Старость и ум идут рука об руку, но иногда старость приходит одна.

Донцова Д. А.

Д 67   Рыбка по имени Зайка: Роман. — М.: Изд-во Эксмо, 2004. — 384 с. — (Иронический детектив).

ISBN 5-699-08733-8

Караул! Иван Подушкин в цейтноте! Мало того, что его хозяйка и владелица детективного агентства «Ниро» укатила в Швейцарию, чтобы заново научиться ходить после операции. Так еще она поручила своему секретарю отремонтировать всю квартиру к ее возвращению. И теперь несчастный Ваня, как жалкий бобик, носится в жару по магазинам в поисках суперунитазов, музыкальных умывальников и ванн. Естественно, на время ремонта ему пришлось перебраться жить к маменьке, что само по себе не сахар, и тут еще им на голову, как болид с неба, свалилась матушкина сестра-близнец из Америки. А кто способен вынести Николетту в двух экземплярах? Но беда не приходит одна! Черт дернул Подушкина остановиться покурить у обочины оживленной трассы. Там его захомутала «ночная бабочка» Римма. А вскоре несчастного Ваню вызвали в милицию по подозрению в убийстве этой самой жрицы любви...

УДК 82-3
ББК 84(2Рос-Рус)6-4

ISBN 5-699-08733-8   © ООО «Издательство «Эксмо», 2004

Оформление серии художника *В. Щербакова*

Литературно-художественное издание

Донцова Дарья Аркадьевна

РЫБКА ПО ИМЕНИ ЗАЙКА

Ответственный редактор *О. Рубис*
Редактор *Т. Семенова*
Художественный редактор *В. Щербаков*
Художник *Е. Рудько*
Технический редактор *О. Куликова*
Компьютерная верстка *Т. Комарова*
Корректор *З. Харитонова*

ООО «Издательство «Эксмо»
127299, Москва, ул. Клары Цеткин, д. 18, корп. 5. Тел.: 411-68-86, 956-39-21.
Home page: www.eksmo.ru   E-mail: info@ eksmo.ru

*По вопросам размещения рекламы в книгах издательства «Эксмо»
обращаться в рекламный отдел. Тел. 411-68-74.*

Подписано в печать с оригинал-макета 28.09.2004.
Формат 84х108¹/₃₂. Гарнитура «Таймс». Печать офсетная.
Бумага газетная. Усл. печ. л. 20,16. Уч.-изд. л. 15,9.
Тираж 320 000 экз. Заказ № 0412740.

Отпечатано на MBS в полном соответствии
с качеством предоставленного оригинал-макета
в ОАО «Ярославский полиграфкомбинат»
150049, Ярославль, ул. Свободы, 97.